suhrkamp taschenbuch 297

Werner Frisch, geboren 1928 in Augsburg. Neben seinem Beruf als kaufmännischer Angestellter war er 1963 Initiator der inoffiziellen Augsburger Brecht-Tage und begann 1964 die Forschungstätigkeit über die noch unbekannte Jugendzeit Bertolt Brechts. Im selben Jahr wurde die Gruppe Augsburg des Arbeitskreises Bertolt Brecht gegründet. 1965 schreibt Werner Frisch ein Filmmanuskript »Die Vaterstadt des Stückeschreibers«, das noch nicht produziert wurde. 1967 begann seine Zusammenarbeit mit K. W. Obermeier.

K. W. Obermeier, geboren 1919 in Röhrsdorf / Krs. Chemnitz, absolvierte eine Lehre als Graphiker und war 1940/1941 als Bühnenbildner-Assistent in Posen tätig. Nach der Kriegsgefangenschaft zog Obermeier nach Ulm und war dort bis 1967 Atelierleiter in einem Werbebüro. Ab 1965 war er freier Mitarbeiter im Feuilleton verschiedener Zeitungen und bei der *Deutschen Welle,* Köln. Seit 1970 ist er freiberuflich tätig. Er schrieb ein Hörspiel, Gedichte und das Theaterstück *Der Schneider von Ulm* (Uraufführung 1974) und ist seit 1954 Mitglied im »Arbeitskreis Bertolt Brecht«/Düsseldorf.

Hanns Eisler, den Brecht Ende der zwanziger Jahre in den Augsburger Freundeskreis einführte, erwähnte in seinen Gesprächen, daß Brecht über die Zeit in Augsburg im Grunde nichts erzählt habe, und Eisler fügte hinzu, daß das eine ganz merkwürdige Jugend gewesen sein müsse. Über diese Jugend des Eugen Berthold Friedrich Brecht, der in Augsburg nur Eugen Brecht gerufen wurde, haben Frisch und Obermeier ein nicht weniger merkwürdiges Buch verfaßt. Was hier an wissenschaftlicher Kleinarbeit, an Spürsinn und Sorgfalt aufgebracht wurde, ist erstaunlich. Es war nicht die Absicht der Autoren, eine Biographie des jungen Brecht zu schreiben; und was vorgelegt wird, ist eigentlich weit mehr: eine minuziös gespannte und aufgebaute Materialmontage. Alle nur erreichbaren Leute sind über ihren Augsburger Zeitgenossen befragt worden. Auf diese Weise ist ein hochinteressanter, mit Dokumenten und Fotos ausgestatteter Bericht entstanden, der nicht nur Dokumentwert für die weitere Forschung hat, sondern auch höchst vergnüglich zu lesen ist. Das Buch schließt mit den frühen Veröffentlichungen des »Berthold Eugen«.

Brecht in Augsburg

Erinnerungen, Texte, Fotos

Eine Dokumentation von
Werner Frisch
und K. W. Obermeier
unter Mitarbeit
von Gerhard Schneider

Suhrkamp

Dokumentation: Werner Frisch, Augsburg
Verfasser: K. W. Obermeier, Ulm
Mit einem Vorwort von Werner Mittenzwei
unter Mitarbeit von Gerhard Schneider

suhrkamp taschenbuch 297
Erste Auflage 1976
© Aufbau-Verlag Berlin und Weimar 1975
Lizenzausgabe mit freundlicher Genehmigung
des Aufbau-Verlags Berlin und Weimar
Suhrkamp Taschenbuch Verlag
Druck: Ebner, Ulm · Printed in Germany
Umschlag nach Entwürfen
von Willy Fleckhaus und Rolf Staudt

Es gibt Dichter, für die die eigene Biographie der bevorzugte Gegenstand ihres poetischen Werkes ist. Brecht gehört nicht zu ihnen. Nicht nur in seinen Werken hat er sich bemüht, biographische Spuren zu verwischen. Selbst zu den engsten Freunden und Mitarbeitern äußerte er sich kaum über seine Kinder- und Jugendjahre. Hanns Eisler, den Brecht Ende der zwanziger Jahre in den Augsburger Freundeskreis einführte, erwähnte in seinen Gesprächen, daß Brecht über die Zeit in Augsburg im Grunde nichts erzählt habe, und Eisler fügte hinzu, daß das eine ganz merkwürdige Jugend gewesen sein müsse. Über diese „merkwürdige Jugend" des Eugen Berthold Friedrich Brecht, der in Augsburg nur Eugen Brecht gerufen wurde, haben die Autoren Werner Frisch (Augsburg) und K. W. Obermeier (Ulm) ein nicht weniger merkwürdiges Buch verfaßt.

Es lag nicht in der Absicht der Autoren, eine Biographie des jungen Brecht zu schreiben. Was sie vorlegen, ist eigentlich weit mehr: es ist eine weitgespannte und minutiös aufgebaute Materialmontage über die Entwicklung und die gesellschaftlichen Bedingungen eines Dichters, gesehen aus verschiedenen Blickwinkeln. Das Material besteht aus Berichten und Aussagen von Zeitgenossen, die diesen Eugen Brecht kannten, als er noch nicht der berühmte Dichter war, sondern ein „schüchterner, zurückhaltender junger Mensch", wie es viele gab.

Die späteren Erinnerungen an einen berühmt gewordenen Jugendfreund bergen oft die Gefahr subjektiver Auslegung. In der Kunst der Erinnerung geraten dann frühere Vorgänge in eine unangemessene Ausleuchtung. Die

Autoren sahen ihre Aufgabe nicht darin, Subjektivität und Widersprüche zu tilgen. Die Darstellungsart der Autoren, ihr Prinzip der Montage vieler Standpunkte, ihre Gegenüberstellung von Vorgängen aus unterschiedlichem Blickwinkel, ermöglicht dem Leser weitgehend ein eigenes Urteil. Was in diesem Buch an wissenschaftlicher Kleinarbeit, an Spürsinn und Sorgfalt aufgebracht wurde, ist erstaunlich. Wenn Hanns Eisler es bedauerlich fand, daß es so wenig Zeugnisse über die „merkwürdige Jugend" Brechts gebe, Frisch und Obermeier schließen diese Lücke, indem sie alle nur erreichbaren Leute über ihren Augsburger Zeitgenossen Eugen Brecht befragten. Auf diese Weise ist ein hochinteressanter Bericht entstanden, der nicht nur Dokumentwert für die weitere Forschung hat, sondern auch höchst vergnüglich zu lesen ist.

Eine charakteristische Besonderheit dieser Materialmontage ist, daß sie den Blick auf die sozialen und ideologischen Bedingungen lenkt, in die die jungen Menschen sich damals gestellt sahen. Dadurch wurde weitgehend die Gefahr gebannt, ins Anekdotische abzugleiten, obwohl Anekdotisches zu diesem Buch gehört. Das Erstaunliche ist, daß es den Autoren nicht nur gelang, die Entwicklung Brechts von frühester Jugend über die verschiedenen Klassen der Volksschule, des Realgymnasiums und der Universität an Hand von Berichten seiner Mitschüler und Freunde zu verfolgen, sondern daß es auch möglich war, den Lehrstoff, den Brecht in den einzelnen Schul- und Studienjahren zu absolvieren hatte, sorgsam zu rekonstruieren. Wenn die Autoren belegen, welche Lehrziele Brecht über Jahre hinweg in den einzelnen Fächern gesetzt waren und welche Deutsch-Aufsätze er zu schreiben hatte, wird mancher Leser den biographischen Eifer vielleicht etwas zu weit getrieben finden. Aber

gerade hier vermitteln die Autoren durch ihr Montage-
prinzip interessante Einblicke in die gesellschaftlichen Bedingungen, in die Brecht hineingeboren wurde. Es entsteht der Ansatz zu einer aufschlußreichen Analyse des
wilhelminischen Gymnasiums, das die jungen Menschen
im Sinne der herrschenden Klasse zu erziehen suchte. Die
Autoren stellen dar, wie Brecht zum Beispiel die deutsche
klassische Literatur gelehrt wurde. Sie beschreiben, wie
die literarischen Feierstunden in den Schulen vor sich
gingen, in denen Brecht seine ersten künstlerischen Ein-
drücke empfing. Es wird aufgedeckt, von welcher Art
der Lehrstoff war, was er bewirken sollte. Zugleich zeigen
die Autoren durch die Befragungen der ehemaligen Mitschüler, wie Brecht auf diesen Lehrstoff reagierte, wie
er sein Denken beeinflußte. Diese Gegenüberstellung von
beabsichtigter Wirkung und tatsächlicher Reaktion im
sich herausbildenden Bewußtsein und im Denkprozeß
eines hochbegabten jungen Menschen wäre auch dann
noch eine nicht alltägliche Studie, wenn es sich nicht um
Brecht handeln würde.

Hinzu kommt noch, daß die Autoren eine Reihe bisher
weitgehend unbekannter Texte Brechts aus seiner Jugendzeit aufgefunden haben. Diese ersten literarischen
Zeugnisse lassen deutlich den Einfluß erkennen, den
die verschiedenen Umweltfaktoren auf den jungen Brecht
ausübten. Die Arbeiten zeigen aber auch, daß selbst
bei einem so außerordentlichen Talent wie dem Brechts
das literarisch Eigene nicht sofort vorhanden ist, sondern
sich mühsam Bahn bricht und oft sehr seltsame Wege
geht. Zugleich ist interessant zu sehen, wie sich innerhalb
weniger Jahre der Ton und die Blickrichtung seiner literarischen Texte verändert, wie bestimmte Wendungen
verschwinden, neue Töne aufkommen, wie sich langsam

das herausmodelliert, was dann zu der Diktion führte, mit der sich Brecht in der Literatur zu Wort meldete.

Besonders verdienstvoll sind die Teile der Arbeit, in denen die Haltung Brechts in den Jahren der Revolution, insbesondere während der Zeit der Münchner Räterepublik, beschrieben wird. Minutiös verfolgen die Autoren die Wege, die Brecht in den revolutionären Nachkriegsjahren geht. Ihr methodisches Vorgehen besteht einfach darin, daß sie ganz unmittelbare Fragen stellen: Was hat Brecht während dieser revolutionären Ereignisse gemacht? Wo hat er sich aufgehalten? Mit wem war er zusammen? Wie hat er über die Ereignisse gedacht? Auf diese Weise werden Vorgänge aufgespürt, die Dokumentwert haben, die Aufschluß vermitteln, wie sich aus der Auseinandersetzung mit Ereignissen, Faktoren und Menschen die intellektuelle Physiognomie des Dichters Brecht formte.

So vermittelt das Buch nicht nur neue Fakten, es gibt eine Fülle von Anregungen und zwingt zum Nachdenken über die seltsamen und komplizierten Wege, die Menschen gehen, die sich einer Sache verpflichtet fühlen.

Werner Mittenzwei

BRECHT IN AUGSBURG

Geburtsstadt

In Augsburg, in einer kleinen Gasse am Fuß des Perlach-
berges, im zweiten Stock des Hauses Auf dem Rain Nr. 7
(Katasternummer C 206), wurde am 10. Februar 1898,
Donnerstag morgens vier Uhr dreißig, dem jungen Ehepaar Brecht der erste Sohn geboren. Eugen Berthold
Friedrich nannten ihn die Eltern. Eugen war der Ruf-
name. Die evangelische Taufe des Neugeborenen erfolgte
am 20. März in der Barfüßerkirche.

Augsburg ist eine der ältesten deutschen Städte. Ausgra-
bungen bezeugen, daß die ersten Ansiedlungen zwischen
den Flüssen Lech und Wertach römischen Ursprungs
waren und aus der Zeit des Kaisers Tiberius, gegen
30 u. Z., stammen. Tacitus nannte Augusta Vindelicorum,
wie der Ort unter den Römern hieß, die glanzvollste
Stadt der Provinz Rätien.

Ausgangs des Mittelalters wuchs Augsburg auf Grund
seiner günstigen geographischen Lage zu einem frühbür-
gerlichen Handelszentrum heran. Hier wurden die von
den italienischen Stadtrepubliken importierten Waren
aus dem Orient nach Nord-, West- und Osteuropa um-
geschlagen. Kaufleute wie die Geschlechter der Fugger,
Welser und Rehm geboten über solche Reichtümer, daß
Kaiser und Päpste ihre Schuldner wurden. Als sich jedoch
nach der Entdeckung Amerikas der Welthandel von der
Nord-Süd- auf die West-Ost-Achse verlagerte, ging es
mit dem Zeitalter des goldenen Augsburg zu Ende. Der
Dreißigjährige Krieg und seine fürchterlichen Folgen
machten Augsburg nahezu bedeutungslos. Ein Dekret

№ 357 **Geburts-Schein.**

Pfarrei _Barfüßer_   Augsburg, den _11 Februar_ 189_

Name des Kindes		_Eugen, Berthold Friedrich_		
Ob das Kind lebendig oder todt, regelmäßig oder unregelmäßig geboren wurde.		_Regelmäßig_		
Des Vaters:	Vor- und Zuname:	_Berthold Brecht_	Religion	_luth._
	Charakter und Gewerbe.	_Kaufmann_		
	Verheir., verwittw., ledig.	_verheiratet_		
	Heimat.	Ort _Achern_	Behörde in	_Baden_
Der Mutter:	Vor- und Zuname:	_Sofie, geb. Brezing_	Religion	_protest._
	Stand, Alter und Erwerb.	_Ehefrau, 24 Jahre alt_		
	Heimat.	Ort _Achern_	Behörde in	_Baden_
	Zeit der Geburt.	Jahr _1898_ Monat _Februar_ Tag _10_ Vorm. _4 1/2_		
	In dem Hause.	Lit. _C._ Nr. _206_ bei		
	Zeit der Taufe.	Jahr	Monat	Tag
Der Taufpathen Vor- u. Zuname, Charakter und Gewerbe.	Männliche			
	Weibliche			
		Anmerkung, ob ehelich oder unehelich geboren.	Unterschrift der Hebamme oder des Geburtshelfers.	
		Ehelich	_Anna Vogl._ _H. 200_	

Geburtsschein

I 2

Vor dem unterzeichneten Standesbeamten erschien heute, der

Persönlichkeit nach *durch genügende Legitimation* ~~anerkannt~~,

Der Kaufmann Berthold Friedrich Brecht,

wohnhaft zu *Augsburg Lit. F.N. 206,*

katholischer Religion, und zeigte an, daß von der

Wilhelmine Friederike Sophie Brecht, geborenen

Brezing, seiner Ehefrau,

_____ *protestantischer* Religion,

wohnhaft *bei ihm,*

zu *Augsburg in seiner Wohnung*

am *zehnten Februar* des Jahres

Eintausend *achthundert neunzig* und *acht* *Vormittags*

um *vier ein halb* Uhr ein Kind *männlichen*

Geschlechts geboren worden sei, welches *die* Vornamen

Eugen Berthold Friedrich

erhalten habe _____

_____

_____

Vorgelesen, genehmigt und *unterschrieben:*

Berthold Brecht

13.2.1898

A 325   Der Standesbeamte.

In Vertretung:

Zahn

Standesamtliche Geburtsurkunde

Napoleons übereignete 1806 die Freie Reichsstadt an König Max I. von Bayern. Damit gehörte Augsburg fortan zum bayerischen Staat. Seine Bürger aber sind Alemannen, Schwaben, gleich den Vorfahren Brechts, die im Schwarzwald beziehungsweise dessen nördlichen Einzugsgebieten zu Hause waren.

Um die Wende vom 19. zum 20. Jahrhundert war Augsburg eine Stadt von nicht ganz 90 000 Einwohnern. Fabrikgründungen und Industriezusammenschlüsse verwandelten während der Jahrzehnte vor und nach 1900 ihre ökonomische Struktur. So entstand durch Zusammenschluß 1898 die Maschinenfabrik Augsburg-Nürnberg, die M.A.N.; im selben Jahr wurde eine elektrische Straßenbahn in Betrieb genommen; 1902 wurde die heutige Lechchemie AG gegründet. Bei Kriegsbeginn 1914 war Augsburg ein Zentrum der Kriegsindustrie.

Am 23./24. Januar 1870, ein halbes Jahr vor dem Ausbruch des Deutsch-Französischen Krieges, fand in Augsburg der Allgemeine Sozialdemokratische Arbeiterkongreß statt, auf dem August Bebel sprach. Im Ergebnis des Kongresses organisierte sich die Vorhut der Arbeiterschaft Augsburgs im Allgemeinen Deutschen Sozialdemokratischen Arbeiterverein. Nachdem 1871 die Zeitung *Proletarier* nach zweijährigem Erscheinen verboten worden war, erschien 1875 die erste Ausgabe der neugegründeten sozialdemokratischen Zeitung *Volkswille*, die dreimal wöchentlich gedruckt wurde. Ein Jahr nach dem von Bismarck erlassenen Gesetz „gegen die gemeingefährlichen Bestrebungen der Sozialdemokratie", 1879, wurde auch der *Volkswille* wieder verboten. Nach Aufhebung des Sozialistengesetzes, 1890, setzte in Augsburg eine starke Aufwärtsentwicklung der Arbeiterbewegung ein. Die erste Ausgabe einer neugegründeten *Volkszeitung* erschien am 1. Oktober 1891. Mehrfach eingestellt, wurde die Zeitung unter dem Titel *Augsburger Volkszeitung* am 6. April 1900 neu herausgegeben. „Schwarze Listen" in den Betrieben und viele Polizeimaßregelungen konnten nicht verhindern, daß die SPD in Augsburg im Jahre 1908 bereits 1122 Mitglieder zählte und zwei Vertreter in den Gemeinderat entsandte.

Ungeachtet der raschen Industrialisierung und der damit zunehmenden Bedeutung der Arbeiterschaft gaben vor dem ersten Weltkrieg auch in Augsburg vorwiegend Beamtenschaft und Militär den Ton an. In dieser Stadt, deren Einwohner meist noch „in kleinbürgerlichen und bäuerlichen Traditionen" (Högel, S. 8) lebten, wuchs der Bürgerssohn Eugen Berthold Friedrich Brecht auf.

Familie

Brechts Vater Berthold Friedrich war nach Augsburg zugewandert. Er stammte aus Achern/Baden, wo er am 6. November 1869 als Sohn des Lithographen Stephan Berthold Brecht (1839–1910) und dessen Ehefrau Karoline geb. Wurzler (1839–1919) geboren worden war. Die Brecht-Familie ist bis ins 16. Jahrhundert zurückzuverfolgen. Die Vorväter waren, in aufsteigender Linie, Hauptlehrer, Tagelöhner, Fuhrknecht, Fischer, Schulmeister, Präzeptor, Chirurg, Feldscher; der älteste nachweisbare Brecht hatte einen Meierhof unter Götz von Berlichingen.

Brechts Vater hatte in einem Betrieb in Oberbayern eine kaufmännische Ausbildung erhalten. Von 1890 bis Sommer 1893 war er in der Papiergroßhandlung Binder in Stuttgart beschäftigt. Am 1. September 1893 trat der knapp

Vierundzwanzigjährige als Commis in die G. Haindlsche Papierfabrik in Augsburg ein und bezog eine Unterkunft in der Oblatterwallstraße 26^{III}. Am 23. Oktober 1893 bezog er ein möbliertes Zimmer in der Kaiserstraße 43½^{II}. (Zufällig wird Bie Banholzer, des Dichters Freundin, dreißig Jahre später im gleichen Haus wohnen.)

Die Haindlsche Papierfabrik war seinerzeit ein katholischer Familienbetrieb. Georg Haindl, der aus Ansbach stammende Gründer der Firma, war dreiunddreißigjährig im Postwagen nach Augsburg gekommen und hatte 1849 die alte leerstehende Papiermühle am Malvasierbach erworben. Mit sieben Gehilfen eröffnete er einen Betrieb, in dem um 1900 bereits 300 Arbeiter und Angestellte beschäftigt wurden. – Um 1875 waren die beiden Söhne des Gründers, Friedrich und Clemens, in die Firma eingetreten. Friedrich vertrat die kaufmännischen, Clemens die technischen Belange des Unternehmens. Nach dem Tode Georg Haindls, 1878, erhielt die Firma die Bezeichnung G. Haindlsche Papierfabrik. 1873 produzierten die Haindls erstmals endloses Zeitungsdruckpapier. Bald hatte der Betrieb Weltgeltung. – Nach dem Tod der Brüder führten deren Söhne Georg und Willy das Unternehmen weiter.

Am 15. Mai 1897 verheiratete sich der Commis Berthold Friedrich Brecht mit der am 8. September 1871 in Roßberg bei Bad Waldsee geborenen Wilhelmine Friederike Sophie Brezing, einer Tochter des Kgl.-Württbg. Stationsvorstands Josef Friedrich Brezing (1842–1922) und dessen Ehefrau Friederike geb. Gammerdinger (1838–1914). Auch die Familie Brezing läßt sich bis ins 16. Jahrhundert zurückverfolgen. Brechts Urgroßvater mütterlicherseits war Strumpfweber. In fünf Generationen der Brezings wurde das Küblerhandwerk ausgeübt.

Berthold Friedrich Brecht, katholischen Glaubens, und Sophie Brezing, evangelischen Glaubens, wurden protestantisch getraut. Einen Tag vor der Heirat hatte Berthold Friedrich Brecht eine Wohnung in dem Haus Auf dem Rain Nr. 7 bezogen. Es gehört zu einer längeren Häuserreihe mit ausgeprägtem Altstadtcharakter. Die Vorder- und die Rückseite des Hauses werden von etwa 4 bis 5 Meter breiten Kanälen, dem vorderen und dem mittleren Lech, begrenzt. Über eine Holzdielenbrücke gelangen die Bewohner in das Hausinnere. Das Erdgeschoß beherbergte damals eine Feilenhauerei. Das hämmernde Gedröhn des Werkstattbetriebes mag Anlaß gewesen sein, daß sich die Familie Brecht alsbald nach einer neuen Wohnung umsah.

Am 18. September 1898 bezogen die Brechts eine Wohnung Bei den sieben Kindeln Nr. 1 (Katasternummer H 333a[III]). An der Hauswand war ein Relief mit einer Kinderdarstellung aus der Römerzeit angebracht. Die Sage berichtet, daß in dem vorüberfließenden Lechkanal sieben Kinder einer römischen Familie ertrunken seien. In der neuen Wohnung wurde am 29. Juni 1900 der zweite Sohn der Brechts, Walter, geboren.

Am 12. September 1900, kurz vor der Ernennung Berthold Friedrich Brechts zum Prokuristen, zog die nun vierköpfige Familie in die Klaucke-Vorstadt um, in das erste der vier zweistöckigen Häuser der „Georg und Elise Haindlschen Stiftung", Bleichstraße 2. Die Brechts bewohnten das erste Stockwerk und zwei Dachkammern. – Nach dem Vorbild der berühmten Fuggerschen Sozialsiedlung, der noch heute in Augsburg bestehenden Fuggerei aus dem Jahre 1520, hatte die Firma Haindl nach 1880 einige Wohnhäuser mit verbilligten Mieten für ihre Invaliden und Pensionisten sowie andere „unbescholtene

und ohne Schuld unbemittelte Augsburger" (Gedenk-
schrift, S. 58) bauen lassen. Die Mieten der Stiftungs-
häuser durften die Selbstkosten nicht übersteigen. Der
Prokurist Brecht wurde zum Verwalter und Pfleger dieser
Stiftung bestellt. Der Volksmund prägte für die vier
Haindl-Häuser den Ausdruck „Kolonie".

Die Klaucke-Vorstadt, in der die Haindlsche Stiftung
liegt, und die in der Vorstadt befindliche Klauckestraße
sind nach dem Silberjuwelier Johann Gottlieb Klaucke
benannt, der 1805 mehrere evangelische Waisenhäuser
gestiftet hatte. Das Stadtviertel heißt auch die Bleich,
weil die seit dem 13. Jahrhundert in Augsburg beheima-
teten Leineweber ihre Stoffe in den beiden hier durch-
fließenden Lechkanälen gespült und auf den Wiesen zum
Bleichen ausgebreitet hatten. Gerade Straßen, von eben-
solchen Querstraßen durchschnitten, gliedern die Arbei-
tervorstadt in viereckige Wohnflächen auf.

Klassizistische Stilelemente an den Fassaden bildeten
ehemals die einzige architektonische Eigentümlichkeit
der Haindlschen Häuser. Ihre Höfe, rückseitig durch
einen kräftigen Holzzaun von einem landwirtschaftlich
genutzten Areal getrennt, sind durch Betonwege miteinander verbunden. Die Flächen neben den Wegen sind
mit Kies bestreut, der seit Jahrzehnten täglich geharkt
wird, wie die heutigen Bewohner nicht ohne einen gewissen Stolz berichten. Eine kniehohe Mauer mit einem
eisernen Zaun, in dem jeweils ein Eisengittertor den Zugang zum Hof öffnet, trennt die Häuser von der Straße.
Das Haus Nr. 2 war jedoch, wie Hanns Otto Münsterer
in seinen Erinnerungen an Brecht festhält, „insofern eines
der glücklichsten in dieser traurigen Gesellschaft, als sich
seine Südseite frei nach der alten Kastanienallee und dem
Stadtgraben öffnete, hinter dem die efeubewachsene,

dunkelrote Kulisse der alten Befestigung aufragte. Da gab es Schwäne und in den Frühlingsnächten Kahnfahrten, Gesang, Papierlaternen und Mädchen ... und all das, Wasser, Gemäuer und die weißen Blütenkerzen der Bäume, strahlte zu dem grauen Eckhaus hinüber" (Münsterer, S. 15).

Am 1. Januar 1901 wurde Berthold Friedrich Brecht zum Prokuristen ernannt. Das Heimatrecht in der Stadt Augsburg – erwerbbar durch Erstattung einer Gebühr von 40,– Mark oder unentgeltlich, wenn sich der Betreffende sieben Jahre am Ort aufgehalten, keine Armenunterstützung bezogen hatte und straffrei war – erhielt Brecht am 23. September 1902, das Augsburger Bürgerrecht und damit zugleich das Wahlrecht am 26. September 1911.

Wenn Berthold Friedrich Brecht in einem Betrieb, dessen leitende Angestellte bislang alle katholisch waren, trotz seiner protestantisch getrauten Ehe und der protestantisch getauften Söhne zum Prokuristen und am 1. Mai 1917 zum kaufmännischen Direktor aufrücken konnte, so ist daraus das Vertrauen abzulesen, das ihm die Firmenchefs entgegenbrachten. In der Gedenkschrift zum hundertjährigen Bestehen der Firma (1949) gedachte man des ehemaligen Direktors, der 46 Jahre dem Unternehmen angehört hatte und am 20. Mai 1939 gestorben war, mit folgenden Worten: „Ein kraftvoller, lebens- und arbeitsfroher Mann, umsichtig, von außerordentlichen geschäftlichen Fähigkeiten und nie versiegendem Takt, ein glänzender Unterhändler, der, wenn er Kunden warb, Freundschaften für sich und seine Firma gewann, die auf gegenseitiges Vertrauen begründet waren und deshalb über Generationen Bestand hatten" (Gedenkschrift, S. 100).

Zur Charakteristik des Vaters gehört freilich auch die

Kenntnisnahme einer Leserzuschrift in der *Schwäbischen Volkszeitung Augsburg* vom 9. Oktober 1919:

„Daß die Betriebsräte im allgemeinen gegenüber den Unternehmern sehr oft einen harten Stand haben, ist bekannt. Die Direktion der Haindlschen Papierfabrik aber scheint den Betriebsräten besonders feindlich gegenüber zu stehen, weil sie aus ihrer schönen Ruhe manchmal durch so einen ‚arroganten' Betriebsrat unliebsam gestört wird. So verlangte kürzlich der Obmann des Betriebsrates einige fehlende Protokolle und bat, dieselben mit Maschinenschrift anfertigen zu lassen, da sie für ihn besser leserlich sind. Statt der Protokolle aber erhielt derselbe eine Flut von Grobheiten und Vorwürfen, weil dem sonst auch nicht so feinfühligen Direktor Brecht den Arbeitern gegenüber das Papier sowohl, als auch der Ton nicht gefiel. Es sollte dem Herrn Direktor einleuchten, daß ein Arbeiter, der seine Schreibarbeit während seiner Arbeit ausfertigen muß, keine Musterbriefe schreiben kann, und was den Ton anbelangt, so muß der Obmann die interessante Wahrnehmung machen, daß der Ton des Herrn Direktor noch viel derber ist, als der des Arbeiters. Kurz und bündig erklärte dann auch der Betriebsrat: ‚Wenn Sie als gebildeter Mann sich nicht beherrschen können, so kann ich es als Arbeiter!' Oder sollte weniger der Ton des Obmanns, als vielmehr das ganze verfluchte Betriebsrätewesen die Nerven des Herrn Direktor so in Wallung gebracht haben? Jedenfalls lassen sich die Betriebsräte durch Grobheiten nicht imponieren. Bangemachen gilt nicht!"

Heiner Hagg, dessen Vater mit Direktor Brecht befreundet gewesen war und der seinerseits zu Berthold Eugens Freunden gehörte, berichtet:

„Direktor Brecht war wie mein Vater ein aktiver Sänger

in der Augsburger ‚Liedertafel‘ und zeitweise auch im Vorstand. Bei der Anglervereinigung war er ebenfalls Vorstandsmitglied. Die Hausdame der Brechts, Fräulein Roecker [1910 angestellt und bis zum Tode des Vaters in der Familie], hat in ihrer Wohnung noch heute das Aquarell hängen, das Vater Brecht einmal bei einem Wettfischen in der Wens gewonnen hatte. Wenn es seine Zeit erlaubte, fuhr er übers Wochenende zum Angeln oder machte einen Ausflug in das Voralpenland. Auch hatte er ein Fischwasser zusammen mit Herrn Schirmböck gepachtet.

Nach den Gesangsproben saßen die Herren meist noch im Café Kernstock bis in die Nacht zusammen, es war damals das Sängerheim der ‚Liedertafel‘. Vater Brecht war auch außerhalb seines Geschäftsbereiches ein geschätzter Mann und voller Humor, er war ein vorzüglicher Gesellschafter. Trotz des Berufserfolges blieb er einfach und leutselig. Auch die gemütlichen Tarockstunden mit den Freunden hat er nach Aussage meines Vaters immer wieder anregend und unterhaltsam gefunden. Dabei war es wohl nicht ausgeblieben, daß mitunter das Gespräch auf seinen Sohn Eugen kam, den er bei solchen Gelegenheiten den Dichterling nannte. Eugen sei ein verträumter und grüblerischer Bub, wogegen Walter viel lustiger und realistischer sei. Aber seinen Dichterling unterstützte er immer, auch, als dieser noch völlig unbekannt war. Seine Texte durfte Bert im Betrieb durch die Damen im Büro des Vaters abschreiben lassen. Im Scherz habe damals der Vater beiläufig gesagt: ‚Einer meiner Söhne kommt noch in die Walhalla.‘ Er meinte damit den Tempel über der Donau bei Regensburg.

Über die Ausdrücke des Sohnes schüttelte der Vater den Kopf. ‚Wo er's nur her hat?‘ habe er verwundert fragen

können oder in einer lustigen Runde geäußert: ‚Kennst du
den Unterschied zwischen mir und meinem Sohn?‘ Und
sogleich habe er seine Scherzfrage beantwortet: ‚Ich bin
ein Dichtervater, und mein Sohn ist ein fader Dichter.‘
Politisch hat sich Direktor Brecht nicht sonderlich engagiert. Er war ein nüchterner, liberal eingestellter Mann.
Kam das Gespräch einmal auf religiöse Fragen, dann sei
er ernst geworden und habe gesagt: ‚Das kann jeder halten, wie er's will.‘
Trotz seiner beruflichen Stellung war er sparsam. So habe
er, wenn er z. B. zur ‚Liedertafel‘ gekommen sei, kaum im
Gasthaus gegessen. Der Haushalt schluckte wohl einen be-
achtlichen Teil seines Verdienstes, hatte er doch seine
kranke Frau, für die er jeweils Ärzte konsultierte, es gab
die Hausdame und Dienstmädchen, dazu zwei studierende
Söhne und die Unterstützung der Mutter in Achern, das
alles kostete Geld. Direktor Brecht verlangte, trotz eines
gewissen liberalen Zuges, Autorität in der Familie. Anteilnahme und Verständnis gegenüber dem älteren Sohn,
dessen Studentenleben in den Augen des Vaters zunehmend legerere Züge annahm, konnte man bei ihm kaum
erwarten. Er liebte keine Übertreibungen.“
Münsterer, der etwa gleichaltrige Freund Brechts, lernte
ebenfalls das Elternhaus kennen: „Während der Vater
Brechts Schriftstellerei ein wenig skeptisch gegenüberstand
und wahrscheinlich noch manches Jahr im geheimen mit
der Rückkehr des verlorenen Sohnes in die Bürgerlichkeit
rechnete, war die Mutter von Anfang an zutiefst von seiner künftigen Größe als Dichter überzeugt“ (Münsterer,
S. 31).
Der Sohn spürte früh, daß die Mutter, trotz des täglichen,
zuweilen verletzenden Wortgeplänkels, seinem Wesen großes Verständnis entgegenbrachte. Die Reihe der Mutter-

gedichte und die großen Mutterrollen, die er in seinen Stücken gestaltet hat, legen davon Zeugnis ab.

Fanny Brecht, eine Cousine Brechts, wohnhaft in Achern, erinnert sich:

„Tante Sophie war sehr ästhetisch veranlagt. Dabei hatte sie einen starken Willen. Sie förderte in Eugen das Interesse an Literatur. Sie war selbst sehr belesen. Später, als sie schon sehr krank war und an Sonntagen in ihrem Stuhl oft den ganzen Nachmittag in dem Garten im Hof saß, war für sie die Lektüre eines Buches das schönste Vergnügen.

Onkel Berthold und Tante Sophie führten eine gute Ehe. Sehr früh schon erkrankte Tante Sophie. Bereits vor 1910 sollen sich erstmals Anzeichen ihrer Krankheit bemerkbar gemacht haben. Aber immer war sie trotz ihrer zunehmenden Beschwerden aufopfernd um das Wohl der Familie besorgt. Die Kindererziehung war ganz ihre Angelegenheit, da der Vater im Geschäft alle Hände voll zu tun hatte. Sie war die Seele des Hauses. Die Wohnung strahlte Behaglichkeit aus. Sie bestand aus einem kleinen gemütlichen Zimmer mit Zinnkrügen und -tellern (Bert nannte es die Troglodytenhöhle des Vaters), einem Herrenzimmer, der Küche, dem Zimmer von Fräulein Roecker, einem Bad sowie einer kleinen Kammer auf der Südseite, die als Spielzimmer für die Kinder diente. In den oberen Räumen, es waren kleine Mansardenzimmer, schlief zur Straßenseite Bert Brecht und in dem rückwärtigen Zimmer das Dienstmädchen.

Der Onkel hatte einen Boxerhund, der auf den Namen Ajax hörte. Das Tier war ihm sehr ans Herz gewachsen, in seinen Ajax war er ganz vernarrt, oft hat er es bedauert, daß er im Geschäft den Hund nicht um sich haben konnte.

Mitunter reiste der Onkel nach Paris. Einmal fuhr ich mit

ihm nach München, im Geschäftswagen, einem großen Horch mit Chauffeur, das war ein unvergeßliches Erlebnis für mich.

Kam einer von Eugens oder Walters Freunden, der Klavier spielen konnte, so bestand der Onkel zuweilen darauf, daß der junge Mann ihn zu dem Schubertlied *Das Meer* begleitete, denn dieses Lied gefiel ihm sehr. Sorgsam hegte er ein Pfirsichbäumchen, das er an einer windgeschützten Ecke im Hof der ‚Kolonie‘ gepflanzt hatte.

Onkel Berthold rief vormittags oft zu Hause an, um Gäste der Firma zum Mittagessen anzumelden. Fräulein Roecker zauberte dann in wenigen Stunden eine einladende Tafel mit einem vortrefflichen Gastmahl herbei. Sie konnte sehr gut kochen, das hatte sie in einem großen Hotel in Ulm gelernt. Sie hatte auch eine gute Schulbildung. In den ersten Jahren stand sie Eugen und Walter im Französischen und anderen Schularbeiten bei. Überhaupt hatte sie für Eugen und Walter sehr viel Verständnis. Noch als die Buben bereits zur Schule gingen, schneiderte sie ab und zu die Schulanzüge. In der Wohnung hatte sie sich einen kleinen Werkzeugkasten angelegt. Alles, was es an einfachen Reparaturen auszuführen gab, brachte Fräulein Roecker in Ordnung. Während der langen Krankheit der Tante pflegte sie diese mit aufopferungsvoller Hingabe.“

Auskünfte über die Familie Berthold Friedrich Brechts erteilte sein im Brechthaus an der Hauptstraße in Achern wohnhafter Bruder Karl (1874–1965):

„Das neue Gesicht des Hauses kann Fremde leicht über das tatsächliche Alter des Hauses täuschen. Die zweite große Renovierung erfolgte 1958/59. Seit 120 Jahren ist das Haus im Besitz der Familien Brecht/Wurzler. Ich habe es 1920, nach dem Tod unserer Mutter, einer geborenen Wurzler, übernommen. Vorher war ich als Schriftsetzer in Augsburg verheiratet. Bereits 1929 gab es am Haus einen ersten Umbau, wobei wir in dem einen Teil des Erdgeschosses ein Zigarrengeschäft eröffnet haben. Bei dem Umbau damals wurde das Erdgeschoß etwas zurückgenommen, dadurch konnte man den Bürgersteig vor dem Haus erheblich erweitern. Daß es sich um eines der ältesten Häuser in Achern handelt, bewiesen die starken Eichenbohlen, die während des Umbaus im Keller und im Fachwerk sichtbar wurden. Eichenholz wird schon seit mehr als 100 Jahren nicht mehr für den Hausbau benutzt, man verwendet seit langem Tannenholz.

Mein Großvater Bernhard Wurzler, er kam aus einer Schuhmacherfamilie von Sasbachwalden nach Achern, betrieb hier eine Lederhandlung. Er belieferte die Sasbacher Schuhmacher mit Leder, er war ein angesehener Mann und ein Meister seines Faches, einige Zeit war er auch ehrenamtlich als Gemeinderat in Achern tätig. Es gab natürlich auch schwere Zeiten damals, insbesondere da mein Großvater 1848 mit den Revolutionären jener Tage sympathisiert hat. Als dann die Preußen in den Schwarzwald kamen, hatte das für ihn schlimme Folgen, er wurde, wie viele andere auch, verhaftet. Nach 1848 wanderten deshalb die männlichen Wurzlerkinder nach Amerika aus. Von den zwei Töchtern, die hiergeblieben sind, wurde meine Mutter, Karoline Wurzler, von meinem Vater, Stephan Brecht, geheiratet. Mein Vater war Lithograph und betrieb hier im Haus eine Steindruckerei. Meine Mutter arbeitete täglich mit in der Werkstatt, die lange im ersten Stock untergebracht war. So schnitt sie die Weinetiketten, die mein Vater druckte, mit einer gewöhnlichen Schere zu. Als man bei einem Kollegen eine

Schneidemaschine billig hätte kaufen können, lehnten sie es ab, man sparte das Geld, und die Mutter schnitt die Etiketten weiterhin brav mit der Schere. Überdies mußte sie für die Familie – wir waren fünf Geschwister – und noch für die Gesellen kochen und dazu das Haus mit der Werkstatt sauberhalten, das war kein leichtes Leben.

Nach dem Tod des Vaters, 1910, lebte sie von der Ladenmiete. Im Haus war im Erdgeschoß inzwischen eine Schreibwarenhandlung eingerichtet worden. Es gab dort auch hölzerne Sinnbildtafeln mit Sprüchen darauf zu kaufen. Die Werkstatt meines Vaters, die später im Hof eingerichtet war, diente dem neuen Pächter als Lager, früher war das einmal ein Stall. Großvater Wurzler hatte damals neben dem Lederhandel noch eine kleine Landwirtschaft betrieben, was in früheren Jahren üblich und wohl auch notwendig war. Meine Neffen Eugen und Walter waren als Buben einige Male hier in Achern, auch später noch. Damals konnte niemand so gut kochen wie die Oma, bei ihr schmeckte das Essen am besten. Einmal war die Oma auch in Augsburg. Nach zwei Tagen war der Großvater aus Achern angereist gekommen und hatte seine Frau wieder nach Hause geholt.

Zum achtzigsten Geburtstag meiner Mutter am 17. September 1919 verfaßte Eugen als junger Bursche ein Gedicht, ihr zu Ehren, worin er den sehr friedlichen und arbeitsreichen Lebensweg seiner Oma wahrheitsgetreu veranschaulichte. Wie er dann viele Jahre später dazu kam, eine Geschichte unter dem Titel *Die unwürdige Greisin* zu erfinden, worin die Großmutter bereits vierundsiebzigjährig stirbt und wo er Dinge erzählt, die von Anfang bis Ende erfunden sind, ist mir unerklärlich."

Das von Karl Brecht erwähnte Gedicht *Der Großmutter*

zum 80. Geburtstag, im Kreis der Verwandten auch *Der Lebensbaum* genannt, wurde von uns wiederaufgefunden (s. S. 286 f.).

Kinderjahre

Einige Jahre nach der Geburt des zweiten Sohnes begannen sich bei der Mutter Sophie Brecht Krankheitssymptome bemerkbar zu machen, die in der Folgezeit die zart konstituierte Frau häufig auf das Krankenbett zwangen. Berthold Friedrich Brecht, um diese Zeit bereits ein vielbeschäftigter Prokurist, zusätzlich mit der Sorge um die kränkelnde Frau belastet, hatte nicht immer Zeit für die Kinder. Es war naheliegend, daß der ältere Sohn einige Stunden am Tag der Obhut des Kindergartens anvertraut wurde.

Handwerksmeister Hans Koelle aus Augsburg kennt Brecht aus jener Zeit:

„1903 ging Eugen, wie ich, in den nahen Barfüßerkindergarten, der mit der Volksschule zusammen gut zehn Minuten von der Wohnung der Familie Brecht entfernt war. Während die Räume des Kindergartens zum Graben hin lagen, konnten die Volksschüler durch die kleinen Klassenzimmerfenster auf die Pilgerhausgasse sehen.

Ich erinnere mich, daß Eugen schon im Kindergarten arg gescheit war. Er hatte ein fabelhaftes Gedächtnis und konnte noch nach Tagen die vom Kinderfräulein vorgelesenen Geschichten wiedererzählen. Eugen war kein ganzes Jahr im Kindergarten. Ich wohnte damals in der Wallstraße, sie schließt direkt an die Haindlkolonie an. An die Hinterseite der Kolonie grenzte eine Landwirtschaft, dort gab es immer Kühe zu sehen. Wir sahen oft zu, wie die Kühe gemolken wurden. Da sagte Eugen einmal zu der Melkerin: ‚Reiß der Kuh doch einfach die Stöpsel heraus, dann läuft die Milch von allein aus.‘ "

Der in der Haindlkolonie aufgewachsene Kaufmann Georg Pschierer (diesen Namen finden wir in Brechts Werk mehrmals) erzählt:

„Ich wohnte bei meinen Eltern im Haus Nr. 8, das ist das unterste der vier Häuser der Stiftung, die die Nummern 2 bis 8 tragen. Die Einwohner pflegten die Häuser der Einfachheit halber nur von 1 bis 4 zu zählen.

Mein Vater wohnte seit 1900 in der Kolonie. Er wurde damals als pensionierter Schutzmann von Frau Elisabeth Haindl angestellt. Die Stifterin war der Ansicht, daß es gut sei, wenn ein Schutzmann in der Kolonie für Ordnung sorge. Mein Vater kassierte die Mieten und sah auch sonst nach dem Rechten.

Für die Bewohner lieferte die Haindlsche Fabrikleitung mitunter Brennmaterial oder Kartoffeln. Mein Vater hatte dann dafür zu sorgen, daß jeder Mieter seinen Anteil bekam.

Natürlich hatte er auch mit den Buben in der Kolonie seine Sorgen, so daß die Kinder immer vom Schutzmann im vierten Haus sprachen.

Die Brechts wohnten im ersten Stock des ersten Hauses. Die Kinder hatten ein eigenes Kinderzimmer. In die Wohnung durften nur selten fremde Kinder mit hinein. Wenn es regnete, dann spielten wir im Treppenhaus, denn Eugens Mutter war krank.

Meistens trafen wir uns im Hof. Die Brechtbuben liefen nie barfuß. Meist kämpften die Kinder, die in den zwei unteren Häusern wohnten, gegen die aus den zwei oberen. Ein bisserl feig war der Eugen manchmal. Wenn er sich bedrängt fühlte, lief er schnell ins Haus und rief

nach der Mama. Oft spielten wir auf der nahen Stadtmauer und in den Wehrgängen und Zitadellen. Abends
warteten die Großeltern Brezing hin und wieder auf
Eugen. Sie schauten zum Fenster heraus und paßten uns
Buben ab, wenn wir vom Spiel zurückkamen, damit ihnen
Eugen in einer Metzgerei am Lauterlech Wurst holen
ginge. Eugen tat es sehr ungern. Deshalb wählte er, wenn
die Großeltern am Fenster zu sehen waren, immer einen
anderen Weg, um so den Blicken der Großeltern zu entgehen."

Der Geschäftsmann Georg Eberle, der seit seiner Geburt
in der Klauckestraße wohnt, erinnert sich:

„Ich war mit Brecht vor allem bis zum Eintritt in die
Volksschule zusammen. Unter uns Kindern war er ein
Sonderling, er war irgendwie anders. Wir spielten natür-
lich zusammen, aber er wurde von uns öfters verprügelt.
Seine Art war so, daß er immer den Ton angeben, immer
jemanden kommandieren wollte.

Ich wohnte neben der Wirtschaft Eisernes Kreuz. Unsere
Indianerspiele veranstalteten wir auch im Garten der
Wirtschaft. Da gab es die Geschichte mit Eugens India-
nerzelt. In einer Ecke des Gartens hatten wir uns, die
aus der Klauckestraße, ein Zelt aus Stangen und Rupfen-
säcken zusammengenagelt. Dort beratschlagten wir unsere Jagd- und Kriegszüge. Einmal meldete uns ein
Kundschafter, daß auf den angrenzenden Jagdgründen
der Sohn des großen Papyrus ein prächtiges Zelt aufgestellt habe. Es war ein Zelt aus einem Spielwarenge-
schäft, bunt bemalt und zerlegbar und, wie ich später erfahren habe, von der Brechtverwandtschaft aus Amerika
für die Buben als Geschenk mitgebracht worden. All
diese Vorzüge verlockten uns, Eugens Zelt zu rauben.
Und so geschah es. Unsere Siegesfreude währte indes nur

Stunden. Kaum hatten wir das Zelt bei uns aufgestellt, als von der Bleichstraße her, den Sohn an der Hand führend, der große Papyrus kam. Das Zelt wechselte abermals den Besitzer. Eugen nützte die Gunst der Stunde und beschimpfte uns im Schutze seines Vaters auf das schmählichste. Dafür lauerten wir am anderen Tag Eugen auf, als er für seinen Vater im Eisernen Kreuz Bier holen mußte, und verpaßten ihm eine ordentliche Abreibung.

Ein andermal ging ich mit Eugen zum Frisör Schabert am vorderen Lech. Dort bekam man von den Lehrlingen die Haare umsonst geschnitten. Der Meister Schabert war ein Spaßvogel. Er hatte ein silbernes Fünfzigpfennigstück, das er an einem angelöteten Stift in den Fußboden stecken konnte. Als Eugen den Laden betrat, erspähte er sofort das Geldstück. Kurz entschlossen ließ er sein Taschentuch fallen, um so die fünfzig Pfennig aufheben zu können. Seine List mit dem Taschentuch war natürlich vergeblich, die Münze haftete fest am Boden. Alle, die im Laden waren, lachten laut über ihn. Eugen schimpfte wie ein Rohrspatz und schämte sich zugleich. Hätte Herr Schabert ihn nicht sofort persönlich bedient, er wäre wieder unmittelbar nach Hause gegangen. Zum Frisör Schabert oder, wie wir damals sagten: zum Bader Schabert ging Eugen nie mehr."

An Indianerspiele in späteren Jahren erinnert sich auch die Gastwirtin Karolina Dietz:

„Mit mir wohnten sieben Kinder in der Kolonie. Im Haus Nr. 8 die beiden Pschiererbuben, im Haus Nr. 4 die zwei Hartlbuben, aus dem Haus Nr. 2 Eugen und Walter Brecht, und ich wohnte im Haus Nr. 6. Schräg gegenüber, auf der anderen Straßenseite, Bleichstraße 7 im ersten Stock, wohnten die alten Brezings, Brechts Großeltern.

Auf dem Platz, der später mit dem von der Firma erstellten Direktorhaus, es wurde Frühlingsstraße 7, bebaut wurde, veranstalteten wir unsere Indianerspiele. Dort hatten wir uns aus Brettern einen Wigwam eingerichtet, der mit Laub abgedichtet und überdeckt war. Eugen brachte hier manchmal Zettel mit, auf denen er Sätze oder kleine Verse aufgekritzelt hatte, die wir nachsprechen oder auch spielen mußten, oder er las sie uns vor und fragte dann: ‚Wie gefällt's euch?' Eine Episode ist mir noch unvergessen. Wir umstanden lachend einen kleinen Buben, er hieß Anton. Er weinte jämmerlich, weil er in die Hosen gemacht hatte. Dabei rief Eugen spontan: ‚Der Antonius von Padua / scheißt lustig über d'Wada rah.' "

Volksschule

Im Jahre 1904 wurde Brecht in der Schule bei den Barfüßern eingeschult. Einer seiner Klassenkameraden war Franz Kroher, nachmals Fotograf in Augsburg:
„Ich war mit Brecht in der gleichen Klasse in der Barfüßerschule. Die Schule hatte nur zwei kleine Klassenzimmer. Die Türen waren sehr niedrig und die Fenster ganz klein. Der Knabenabort war ein ekliges und finsteres Loch. Es gab nur zwei Klassen, eine erste und eine zweite. Buben und Mädel wurden zusammen unterrichtet.
Brecht habe ich als einen etwas schwächlichen, aber ruhigen und ordentlichen Schüler in Erinnerung, mit dem die Lehrer keine auffallenden Schwierigkeiten hatten. Von seiner Mutter wurde er lange zur Schule gebracht und auch wieder abgeholt. Nach einigen Wochen ging auch

er den Weg in die Schule allein. Während der Winterszeit wurden die Brechtbuben – da sein Bruder Walter in die andere Klasse ging – zuweilen vom Dienstmädchen mit dem Schlitten zur Schule gefahren, wobei sich Eugen nicht bis vor die Schultür bringen ließ, er stieg bereits einige Meter vor der Schule vom Schlitten und lief dann daneben her. Von der dritten Volksschulklasse an wurden wir beide der Schule am Stadtpflegeranger zugeteilt. In diesem Jahr, es mag 1906 gewesen sein, war Brecht einige Zeit nicht in Augsburg. Wie es hieß, war er wegen seines unruhigen Zustandes mit seiner Mutter in Bad Dürrheim im Schwarzwald; er hatte ein nervöses Kopfzucken, was sich aber dann verloren hat. Im Turnunterricht war Eugen durchschnittlich, er konnte ganz gut laufen.

Eine kleine Begebenheit aus der 4. Klasse ist mir noch im Gedächtnis. Ich saß mit Eugen in der gleichen Bank. Während des Unterrichts betrachteten wir heimlich ein bebildertes Buch über München. Da war auch ein Bild vom Armeemuseum zu sehen. Ich wies Eugen auf die großen Kanonen hin, die auf der Fotografie vor dem Gebäude zu sehen waren. Er machte eine Bemerkung dazu. Da wurde der Lehrer auf uns aufmerksam. Er fragte Eugen, was es zu schwätzen gebe. Brecht erwiderte, er habe nur eine Frage beantwortet, dann schwieg er, auch ich wußte dem Lehrer nichts weiter zu antworten. Daraufhin bekam ich vom Lehrer mit dem Stock einige Tatzen.

1907/08 ging ich manchmal in die Haindlkolonie zum Spielen. Da war ich mit Eugen, seinem Bruder Walter, dem etwas älteren Pfanzelt und den beiden Reitterbuben zusammen. Eugen verlangte von uns, daß jeder seine Bleisoldaten mitzubringen habe. Wir schütteten uns dann kleine Erdwälle auf und postierten die Figuren genau nach Eugens Schlachtplänen. Dabei bestimmte nur er das Spiel, einmal als Napoleon, ein andermal als Friedrich der Große. Wir waren seine Generale und taten, was er bestimmte. Eugen führte immer das große Wort. Seinen Spielkameraden gegenüber war er herrisch und befehlerisch. Wir glaubten, er wollte uns zeigen, daß er der Prokuristensohn ist."

Aus den Schülerbögen der Schule am Stadtpflegeranger gehen Brechts Zensuren in den Klassen III und IV hervor. Der Apostroph hinter einzelnen Zensuren (zum Beispiel 1') ist als Minuszeichen zu lesen (1–). Bei der Summierung der Zensuren zählte der Apostroph als halbe Note (1' = 1,5). – Die „Summe der Fortgangsnoten" wurde ohne die Zensuren in Geistesgaben, Fleiß, Betragen, Gesang, Zeichnen und Turnen ermittelt.

Klasse III 1906/07		Klasse IV 1907/08			
				I	Geistesgaben
I	I	I	I	I	Fleiß
I	I	I	I	I	Betragen
2	1	1	1'	1	Religion
–	1	1	1'	1	Protest. Geschichte
1	1	1	1	1	Lesen
2	1'	1'	2	1'	Sprachlehre
2	2	2	1'	1'	Rechtschreiben
2	2	2	1'	1'	Aufsatz
1	1	1	1	1'	Gedächtnisübungen
2	2	2	2'	2'	Schönschreiben
					Rechnen
2	2	2	2	2	mündlich
2	1'	1'	2	2	schriftlich

1'	2	2	–	–	Anschauungs-Unterr. bzw. Heimatkunde
–	–	–	2	2	Erdkunde
–	–	–	1	1	Geschichte
2	2	2	1	1	Naturkunde
2	2	2	2	2	Gesang
2	2	2	2	2	Zeichnen
1	1	1	1	1	Turnen
–	–	–	–	–	Handarbeit
19'	19	19	20'	19'	Summe der Fortgangsnoten
II	I	II	II	I	Gesamtnote

Im Schülerbogen 1907/08 steht die Bemerkung: „Mußte vom 11. Juni bis 28. Juli im Bad Dürrheim wegen Nervosität Heilung suchen."

Sexta

Am 18. September 1908 begann für den zehnjährigen Brecht die Gymnasialzeit im Königlichen Bayerischen Realgymnasium zu Augsburg an der Blauen Kappe. Insgesamt besuchten das Gymnasium in diesem Jahr 475 Schüler. Die Klasse I^A, der Brecht zugeteilt worden war, umfaßte 31 Schüler. Das jährliche Schulgeld betrug 45 Mark.

Über die ersten Jahre dieser Schulzeit ist wenig bekannt. Nach übereinstimmenden Aussagen seiner Klassenkameraden war Brecht zunächst ein ruhiger, braver Schüler, der nicht sonderlich von sich reden machte.

Der Maschineningenieur Alois Mech berichtet vom damaligen Schulweg, den er täglich gemeinsam mit Rudolf Hartmann, Bader und den beiden Brechtbrüdern Walter und Eugen zurücklegte:

„Wir gingen über den Stephingerberg, über die Frauentorstraße bis zur Leonhardskapelle. Dort trennten sich unsere Wege. Walter Brecht, Bader und ich, wir mußten zur Oberrealschule in die Katharinengasse. Eugen Brecht, wie Bert damals noch gerufen wurde, und Hartmann, die während der ersten zwei Schuljahre im Gymnasium Banknachbarn waren, gingen weiter zur Blauen Kappe, ins Realgymnasium. An Eugens Schultasche erinnere ich mich noch gut. Sie war an einem Riemen befestigt nach Art der Briefträgertaschen, so daß er sie sich umhängen konnte. So sah ich ihn jahrelang zur Schule gehen. Die Mappe hatte er stets mit allerlei Büchern vollgestopft."

Das erste Schuljahr erstreckte sich vom 18. September

Verzeichnis

der Schüler des Königlichen Realgymnasiums
im Schuljahre 1908/1909.*)

Vorbemerkung. Der Wohnort der Eltern ist nur dann besonders angegeben, wenn er mit dem Geburtsort des Schülers nicht übereinstimmt.

I. Klasse A (Sexta).

(Am Anfang des Schuljahres 34, am Ende 31 Schüler.)

Namen der Schüler in alphabet. Ordnung	Konfession	Geburts-		Stand und Wohnort der Eltern
		Zeit	Ort	
Amann, Max	kath.	13. 12. 96	Augsburg	Schlosser
Bauer, Raimund	kath.	9. 2. 98	Augsburg	Kaufmann
Böck, Joseph	kath.	24. 1. 98	Augsburg	Buchhalter
Bohlig, Ernst	kath.	19. 10. 97	Lechhausen	Oberlehrer
Brecht, Eugen	prot.	10. 2. 98	Augsburg	Prokurist
Feuchtmayr, Franz	kath.	18. 3. 98	Murnau (B.-A. Weilheim)	Brauereibesitzer
Gebrath, Max	kath.	22. 7. 98	Augsburg	Kaufmann
Gehweyer, Friedr.	prot.	2. 11. 97	Augsburg	Kaufmann
Gschrey, Joseph	kath.	14. 12. 97	Blocktach	Lehrer †
Hartmann, Rudolf	kath.	18. 5. 98	Augsburg	K. Postsekretär
Honold, Karl	prot.	29. 3. 98	Augsburg	Bäckermeister †
Kern, Blasius,	kath.	9. 2. 98	Gersthofen (B.-A. Augsburg)	Zimmermeister in Lechhausen.
Klein, Karl	kath.	20. 1. 97	Augsburg	Kupferschmied
Merker, Kurt	prot.	12. 1. 98	Augsburg	Brauereidirektor
Müller, Wilhelm	kath.	29. 6. 97	Augsburg	Baumeister †
Prem, Karl	kath.	15. 1. 97	Augsburg	Viktualienhändler
Prescher, Fritz	prot.	11. 3. 98	Augsburg	Kaufmann
Rees, Hans	kath.	1. 6. 98	Augsburg	Bankier
Scheuffelhut, Heinr.	kath.	8. 3. 98	Grottau (in Böhmen)	Kaufmann in Augsburg
Schiller, Xaver	kath.	27. 4. 98	Augsburg	Obsthändler
Schmid, Eugen	kath.	12. 7. 97	Augsburg	K. Postsekretär.
Schneider, Max	kath.	10. 9. 97	Augsburg	K.Oberlandesgerichtsbote
Schramm, Richard	prot.	27. 11. 97	Augsburg	Kunstgärtner und K. Hoflieferant
Seeger, Eugen	prot.	23. 6. 98	Augsburg	Kaufmann
Trauner, Johann	kath.	7. 3. 97	Augsburg	K. Zugführer
Wagenheuser, Mart.	kath.	8. 10. 96	Neuhof (B.-A. Donauwörth)	K. Hofstabsveterinär
Walder, Franz	kath.	26. 8. 97	Althegnenberg (B.-A. Bruck)	K. Eisenbahnsekretär in Augsburg
Walter, Friedrich	kath.	16. 9. 95	Lechhausen	Baupalier †
Wassermann, Karl	prot.	14. 2. 97	Augsburg	Kaufmann
Weng, Fritz	prot.	17. 12. 97	Augsburg	Hausmeister in Lechhausen
Wolf Eugen	kath.	3. 11. 97	Augsburg	Kaufmann

Zurückgewiesen wurden drei auf sechswöchentliche Probe
aufgenommene Schüler.

*) Nach dem Stande vom 16. Juni.

*Schülerverzeichnis der Klasse I*A

I. Klasse B (Sexta).

(Am Anfange des Schuljahres 34, am Ende 30 Schüler.)

Namen der Schüler in alphabet. Ordnung	Konfession	Geburts-		Stand und Wohnort der Eltern
		Zeit	Ort	
Abenstein, Ferd.	kath.	17. 1. 97	Dillingen	K. Postsekretär in Augsburg.
Altheimer, Anton	kath.	5. 9. 98	Salzburg	Gutsbesitzer in Odelzhausen (B.-A. Dachau).
Arndt, Richard	israel.	4. 5. 98	Augsburg	Kaufmann
Bauer, Ludwig	kath.	12. 11. 07	Steppach (B.-A. Augsburg)	Eisendreher in Kriegshaber
Bingen, Julius	israel.	19. 2. 98	Augsburg	Bankier †
Böck, Wilhelm	kath.	21. 3. 98	Zusmarshausen	K. Eisenbahnsekretär in Oberhausen bei Augsburg
Deffner, Georg	prot.	1. 6. 98	Augsburg	Privatier
Fritz, Hermann	prot.	6. 2. 98	Augsburg	Prokurist
Geyer, Georg	prot.	27. 6. 97	Augsburg	K. Eisenbahnsekretär
Girstenbreu, Walter	prot.	22. 6. 96	Klagenfurt	Diplom-Ingenieur und K. Assessor in Augsburg
Gmeiner, Max	kath.	20. 5. 97	Erfurt	Schauspieler in Augsburg
Groos, Walter	prot.	19. 5. 98	Augsburg	Städt. Ingenieur
Haberland, Wilhelm	kath.	26. 1. 97	Augsburg	Kaufmann i. Garmisch
Hofmann, Heinrich	prot.	31. 1. 98	Augsburg	Buchhalter
Kollmann, Gottlieb	prot.	13. 9. 97	Augsburg	K. Kaserneninspektor a. D.
Leiacker, Fritz	kath.	5. 3. 98	Landshut	K. Versicherungsanstaltssekretär in Augsburg
Müllegger, August	kath.	11. 9. 98	Augsburg	Architekt †
Neureiter, Franz	kath.	27. 4. 97	Augsburg	Restaurateur
Prestel, Rudolf	prot.	27. 8. 98	Göggingen	Materialverwalter in Augsburg
Rank, Hubert	kath.	6. 4. 98	Augsburg	K. Postinspektor
Riegg, Anton	kath.	4. 3. 98	Stadtbergen (B.-A. Augsburg	Oekonom
Schatz, Leopold	kath.	26. 7. 98	Augsburg	Spediteur
Schrall, Adalbert	kath.	30. 11. 96	Neuulm	Gastwirt in Augsburg
Schur, Joseph	kath.	11. 1. 97	München	K. Postoberschaffner
Seitz, Adolf	prot.	14. 2. 98	Meitingen (B.-A. Wertingen)	Gutsbesitzer in Augsburg
Stadelmeyer, Ludw.	prot.	10. 12. 97	Augsburg	Schlossermeister
Sternbacher, Oskar	kath.	10. 10. 96	Augsburg	Photograph
Unkauf, Robert	prot.	11. 8. 97	Stuttgart	Kaufmann i. Augsburg
Wild, Joseph	kath.	7. 2. 97	Dillingen	K. Proviantamtsaufseher in Augsburg
Wirnhier, Franz	kath.	14. 4. 96	Laufen a. S.	K. Oberlokomotivführer in Augsburg

Zurückgewiesen wurden drei auf sechswöchentliche Probe aufgenommene Schüler.
Ausgetreten Hugo Graf von Zech am 2. April.

Schülerverzeichnis der Klasse I^B

1908 bis Juli 1909. Leiter der Klasse war der Kgl. Gymnasiallehrer Franz Xaver Herrenreiter (der Name taucht in Brechts Werk mehrmals auf). Er lehrte Deutsch, Geschichte, Geographie und Latein. Den protestantischen Religionsunterricht erteilte Pfarrer Paul Detzer, bei dem Brecht später auch Konfirmandenunterricht erhielt.

Der jeweilige *Jahres-Bericht über das Königliche Realgymnasium zu Augsburg* informiert über den Lehrstoff der einzelnen Schuljahre. In der Klasse I^A standen u. a. folgende Gegenstände im Lehrplan:

Religionslehre (protest.): Das erste Hauptstück; der erste und zweite Glaubensartikel; Geschichte der Schöpfung bis zur Sprachenverwirrung sowie Jesu Kindheitsgeschichte. Jesu Auftreten bis zu seinem Leiden, Sterben und Auferstehen; die den kirchlichen Hauptfesten und dem Reformationsfest zugrunde liegenden Tatsachen.

Deutsche Sprache: Lesen, Erklären und Gliederung von Stücken aus dem prosaischen und poetischen Teil von Ipfelkofers deutschem Lesebuch I; mündliche und schriftliche Nacherzählungen von Prosastücken und Gedichten.

Lateinische Sprache: Schriftliche und mündliche Übungen nach Haas-Wismeyers Elementarbuch.

Geographie: Geographische Grundbegriffe. Geographie von Bayern; Übersicht über Europa. Lehrbuch: Geistbeck.

Turnen: Genaue Beachtung der Körperhaltung im Gehen und Stehen. Leichte Frei-, Ordnungs- und Stabübungen.

Im *Jahres-Bericht* 1908/09 des Realgymnasiums wurde der Augsburger „Liedertafel" „für die gütige Überlassung von Freikarten an Schüler der Anstalt herzlich gedankt". Brechts Vater war im Vorstand der „Liedertafel".

In die Klasse II^A rückte Brecht am 18. September 1909 auf, das Schuljahr erstreckte sich bis Juli 1910. Klassenleiter wurde Dr. Philipp Hofmann. Er unterrichtete die Klasse in Deutsch, Latein und Geographie. Im Lehrplan stand u. a.:

Religionslehre (protest.): Der dritte Glaubensartikel; Patriarchengeschichte; Davids Erhöhung bis zum Untergang des Reiches Israel; Jesu Lehre und Taten vom Auftreten in Nazareth bis zum Besuch in Bethanien, seine Himmelfahrt und Ausgießung des Heiligen Geistes.

Deutsche Sprache: Nacherzählungen größeren Umfangs, teilweise mit Veränderung des Standpunktes; Nachbildungen zu Fabeln; freie Wiedergabe des Inhalts von Gedichten; Vortrag gelernter Gedichte; Übungen im mündlichen Nacherzählen. – Die wichtigsten griechischen Sagen.

Lateinische Sprache: Grammatisch-stilistische Eigentümlichkeiten im Gebrauch der Redeteile; Memorieren lateinischer Merksprüche, Verse und kleinerer Fabeln und Anekdoten.

Geographie: Deutschland, Österreich-Ungarn und die Schweiz.

Turnen: Wechsel von Marsch und Lauf in Stirn- und Flankenreihe; Schwenkungen und Reihungen der Viererreihen. Stabstoßen im Marsch.

Im zwölften Lebensjahr Brechts wurde Augsburg im Gefolge eines Unwetters von einer fürchterlichen Überschwemmung heimgesucht. Der Lech überflutete die tiefer gelegenen Stadtteile. Die *Neue Augsburger Zeitung* berichtete darüber am 18. Juni 1910:

„Seit Jahrhunderten, soweit überhaupt das Menschenge-
denken reicht, sah die Vorstadt kein solches Hochwasser
mehr. Die Klaucke-Vorstadt ist außerordentlich gefähr-
det. Auch die Wertach ist über die Ufer getreten. Ob
die Flüsse nochmals in ihr ursprüngliches Uferbett zu-
rückgeführt werden können, ist äußerst fraglich. Der Ver-
kehr ist gelähmt, das Eisenbahnnetz unterbrochen. Wehr-
brüstungen sind zerborsten und die Schleusentore einge-
drückt."

Quarta

Das nächste Schuljahr, das Brecht in der Klasse III^B ab-
solvierte, begann am 18. September 1910 und endete im
Juli 1911. Brecht mußte jetzt, da nicht mehr alle Schüler
in den Klassenräumen im Hauptgebäude an der Blauen
Kappe untergebracht werden konnten, in ein anderes
Schulgebäude gehen. Es war die sogenannte St.-Georgs-
Filiale, angemietete Räume im ehemaligen Augustiner-
Chorherrenstift der Kirchenverwaltung St. Georg, die
recht weit vom Hauptgebäude des Gymnasiums entfernt
lag. Während Eugens Freunde Bohlig, Hartmann und
Schneider mit der Klasse III^A weiterhin im Hauptgebäude verblieben, hatte Brecht nun einen kürzeren Schulweg zur Filiale in der Georgenstraße. Der neu zusam-
mengestellten Klasse gehörten jetzt auch die Schüler Bingen, Geyer, Groos und Seitz an, mit denen sich Brecht
anfreundete.
Leiter der Klasse war wieder Franz Xaver Herrenreiter,
der Deutsch und Latein unterrichtete. In Geschichte und
Geographie lehrte der Kgl. Gymnasiallehrer Dr. Richard
Ledermann, der aus Zweibrücken nach Augsburg gekom-

men war. Er unterrichtete den Brechtjahrgang am Gymnasium in wechselnden Fächern bis zum Abitur. Im Lehrplan stand u. a.:

Religionslehre (protest.): Das vierte bis sechste Hauptstück; Israels Geschichte vom Auszug aus Egypten bis zur Einnahme Kanaans; Geschichte des Reiches Juda, Gefangenschaft und Rückkehr sowie Jesu Lehre und Taten bis zu seinen letzten Reden.

Deutsche Sprache: Nacherzählungen aus Sage und Geschichte; Umbildung erzählender Gedichte, z. T. mit Veränderung des Standpunktes; Schilderung in erzählender Form.

Lateinische Sprache: Formenlehre und Kasuslehre nach Grammatik von Landgraf. Einprägung lateinischer Verse.

Geschichte: Erzählungen der Sagen des klassischen Altertums; Geschichte der Griechen und Römer bis Augustus nach Vogel I.

Intensiv beschäftigte Lehrer und Schüler die Vorbereitung der Feier zum neunzigsten Geburtstag des Prinzregenten von Bayern. Am 11. März 1911 versammelten sich sämtliche Lehrer und Schüler im Börsensaal. Der Feier voraus ging ein Gottesdienst. Der einführenden Ansprache Prof. Wimmers folgten deklamatorische und musikalische Vorträge der Schüler.

Erstmals veranstaltete man in diesem Jahr an allen bayerischen Schulen den (nach dem bayerischen Prinzregenten benannten) Luitpoldtag, ein großes Turn- und Sportfest zur „Hebung der Wehrkraft unter der Schuljugend" (Hundert Jahre RGA, S. 44).

Das folgende Schuljahr, das Brecht in der Klasse IV^B absolvierte, erstreckte sich vom 18. September 1911 bis Juli 1912. Jetzt kamen Rudolf Caspar Neher und Wilhelm Kölbig zu Brecht in die Klasse. Klassenleiter war der Kgl. Gymnasialassistent Dr. Otto Auer. Dr. Ledermann lehrte Deutsch, Französisch, Geographie und Geschichte. Im Lehrplan stand u. a.:

Religionslehre (protest.): Erklärung und vertiefte Behandlung des ersten Hauptstücks; Israels Gesetzgebung; Jesu Bergpredigt und Gleichnisse; Hiob; Vorbilder und Weissagungen auf Christus im Lichte der Erfüllung sowie der Entwicklung der christlichen Kirche auf jüdischem und heidnischem Gebiet auf Grund der Apostelgeschichte.

Deutsche Sprache: Umwandlung der direkten in die indirekte Rede und umgekehrt; Satzlehre; Behandlung von Prosastücken und Gedichten; mündliche und schriftliche Übungen in freier Wiedergabe des Gelesenen.

Lateinische Sprache: Gelesen wurde Cornelius Nepos, „Themistocles", „Alcibiades", „Thrasybul", „Datames", „Eumenes", „Hannibal", „Cato". Gebrauch der Redeteile, Tempora und Modi in Haupt- und Nebensätzen.

Französische Sprache: Französische Diktate und leichte Konversation. Lehrbuch: Breymann.

Geschichte: Römische Kaisergeschichte. Deutsche Geschichte bis zum Ende des Mittelalters mit besonderer Berücksichtigung der bayerischen Geschichte.

Turnen: Drehung in Marsch und Lauf in geschlossener und geöffneter Abteilung. Wechsel von Auslagetritt und Ausfall nach allen Richtungen in Verbindung mit

Stabschwingen, Stabreißen und Stabwinden. Dauer-, Wett- und Stafettenlauf. Diverse Geräteübungen.

Das alljährlich stattfindende Maifest feierte die Anstalt am 9. Mai 1912 im Saal der Gesellschaft „Schießgraben". Gegenstand der Feier war eine Würdigung des Dichters Ludwig Uhland. Kompositionen seiner Lieder wurden gespielt, seine Gedichte in deutscher, französischer und englischer Sprache vorgetragen.

Der Luitpoldtag wurde am 21. Mai 1912 in der vorgeschriebenen Art als sportlicher Wettkampftag begangen. Die Festrede hielt Dr. Ledermann. Da im Resultat die Schüler des Realgymnasiums und die der Oberrealschule gleich viele Punkte errungen hatten, wurde die Entscheidung durch Seilziehen herbeigeführt, wobei die Oberrealschüler den Sieg davontrugen.

Eine spätere Äußerung Brechts – „in meinem dreizehnten lebensjahr erzielte ich durch verwegenheit einen nachweislichen herzschock" (Bronnen, S. 113) – läßt vermuten, daß er zu diesem Zeitpunkt schon nicht mehr an „ertüchtigenden" Übungen teilnahm. Im *Jahres-Bericht* heißt es: „Vom Turnunterricht waren 51 Schüler dauernd befreit."

Aus einer Statistik der Klasse IV^B geht hervor, daß sich sämtliche 32 Schüler am Schlittschuhlauf beteiligten, 28 werden als Turner genannt, 16 waren Teilnehmer der Turnspiele, weiter gab es in der Klasse 31 Schwimmer, 24 Rodler, 19 Radfahrer, 4 Tennisspieler, 7 Mitglieder der Wandervogelbewegung und 7 des Wehrkraftvereins. Nur 24 von 460 Schülern des Realgymnasiums schlossen sich im Schuljahr 1911/12 dem Wehrkraftverein an. Im *Jahres-Bericht* resümierte deshalb der Rektor: „Dem Wandervogel- und Wehrkraftverein, deren verdienstvolle Tätigkeit besondere Anerkennung gebührt, schlossen sich bis jetzt nur verhältnismäßig wenig Schüler an ... Die meisten Schüler der Klasse VIII nahmen am Tanzunterricht teil."

In Exkursionen wurden Museen und Betriebe besucht. Die Schulwanderungen benutzten die Lehrer dazu, den Schülern naturkundliche Kenntnisse, das Kartenlesen und geographische Grundbegriffe zu vermitteln. Ziel der Ausflüge waren zumeist die Lechauen.

Franz Xaver Schiller ging bis zur vierten Klasse mit Brecht zur Schule:

„Brecht entwickelte sehr eigenwillige Gedanken, denen Professor Ledermann nicht gewillt war zu folgen. Er vermochte mit Brecht im Deutschunterricht nichts Rechtes anzufangen. Anläßlich eines Aufsatzthemas ‚Was zieht uns auf die Berge?‘ sagte Eugen auf dem Heimweg spitzbübisch, er wisse, was uns auf die Berge ziehe, es sei die Seilbahn. Das entsprach nicht dem Verlangen Prof. Ledermanns. Prompt bekam er eine Vier, weil er zu stark vom gestellten Thema abgewichen sei und nicht genügend von einer Bergwanderung bei Sonnenaufgang habe spüren lassen. Eine so schlechte Note war bei Eugen im Aufsatz ein Ereignis, hatte er doch meistens die Note Eins.

Einer Begebenheit damals entsinne ich mich noch gut. Es war die Zeit 1911/12. Der Libysche Krieg, den die Italiener in Afrika gegen die Türken führten, erregte die Gemüter, auch uns. In Afrika warfen die Italiener die ersten Fliegerbomben in der Geschichte der Kriegsführung. Das veranlaßte Brecht, seine Meinung dazu in einen Vierzeiler zu fassen und aufzuschreiben:

Die Italiener sollen Prügel bekommen,
Zu diesem Entschluß bin ich gekommen.
Die Türken sollen nicht den Mut verlieren,
Wenn auch schon Tripolis verloren.

Diese Zeilen kamen Prof. Dr. Ledermann zu Gesicht. Sein Kommentar: ‚Sieh mal an, ein angehender Dichter unter uns.'

Ich besuchte in den Jahren 1911 bis 1913 zusammen mit Adolf Seitz oft die Familie Brecht. Wir spielten mit Eugen jeden Mittwochnachmittag im Wohnzimmer der Brechts Schach. Die Figuren waren sehr groß und aus zelluloidartigem Kunststoff gefertigt. Natürlich mußte immer einer von uns dem Spiel der beiden anderen zusehen. Frau Brecht, die uns sehr zugetan war, bereitete meist jedem von uns zwei Butterbrote mit Schnittlauch darauf und gab uns Tee.

Eugens Mutter war recht froh, daß wir bei ihr in der Wohnung Schach spielten, dadurch wußte sie, wo Eugen war, und sie lernte dabei seine Freunde kennen. Unsere Schachleidenschaft verführte uns schließlich dazu, in der Schule einen Schachverein zu gründen. (Ohne Genehmigung des Rektorates waren jedoch Clubgründungen im Schulbereich verboten.) Ich war der Vorstand. Unseren Verein nannten wir anfangs ‚Amicitia', bald jedoch ‚Die lustigen Steinschwinger'. Mitglieder waren außer Brecht noch Seitz, Bürzle, Bauer, Unger und Unkauf. Zwei Nummern zu je 20 Stück einer hektographierten Vereinszeitung, die 20 Pfennige pro Monat kosten sollte, brachten wir zustande, dann hatte unser Clubleben ein Ende. Denn als Eugen im Unterricht aufgerufen wurde, fiel ihm versehentlich ein Exemplar der Zeitung auf den Boden. Herr Ledermann griff danach, nahm es an sich und trug es später zum Rektor. Das Verhandlungsresultat war, daß jeder ‚Steinschwinger' mit zwei Stunden Schulkarzer bestraft und der Verein aufgelöst wurde.

Auf der letzten Seite der Zeitung war von uns eine Schmunzelecke angelegt worden. Darüber hatten sich die

Lehrer ganz besonders die Köpfe heißgeredet, weil sie eine Lehrerfrotzelei dahinter vermuteten. Ein Witz aus unseren diesbezüglichen Schmunzelbeigaben, die wir gemeinsam produzierten, lautete: ‚Woran arbeitet denn der Professor Tifterling jetzt?‘ – ‚Er schreibt ein Buch über die Magenkrankheiten der fleischfressenden Pflanzen.‘ "

Konfirmation

Am 29. März 1912 wurde Brecht in der Barfüßerkirche in Augsburg konfirmiert. Koelle erzählt:
„Im Hause der Brechts, Bleichstraße 2, im Parterre, wohnte eine Schneiderin, die für meine Mutter nähte. Wir wohnten damals schon nicht mehr in der Bleich, deshalb mußte ich Jahre nach der Kindergartenzeit immer wieder in das Haus der Brechts gehen, um meiner Mutter die geschneiderten Sachen abzuholen. Dabei sah ich auch Eugen wieder. Er hatte sich im Gesicht verändert, war schmaler geworden, so daß ich ihn kaum wiedererkannte. Er beantwortete meinen Gruß nur knapp, und wenn er im Hof war oder die Treppe herunterkam, schien er mich kaum noch zu kennen. Im Herbst 1911 trafen wir uns im Konfirmandenunterricht wieder, der Unterricht fand abwechselnd in der Wohnung von Pfarrer Detzer und Pfarrer Krauser statt. Brecht nahm offensichtlich den Konfirmandenunterricht recht ernst. Mühelos konnte er die aufgetragenen Bibeltexte hersagen. Während der Konfirmation, die am 29. März 1912 in der Barfüßerkirche stattfand, gingen wir nebeneinander zum Altar. Brecht stand rechts von mir."
Fritz Reitter war bei Berthold Eugens Konfirmation zugegen und wurde zwei Jahre später zusammen mit Walter Brecht konfirmiert:

„Meine Mutter war eine Schwester von Eugens Mutter. Wir hatten ein gutes Verwandtschaftsverhältnis. An großen Feiertagen im Jahr kamen wir alle in einer Wohnung mit den Brezing-Großeltern zusammen, um gemeinsam zu feiern.

Ich sehe Eugen noch heute vor mir, wie er damals zur Konfirmation ausgesehen hat. Nach der Kirche wurde daheim sein Ehrentag als Jungmann – wie man das nannte – im Kreise der Verwandten gefeiert. Während wir an der großen Tafel saßen, fragte Eugen auf einmal seine Mutter, ob er den steifen Kragen abnehmen dürfe, er kratze ihn so. Erst verbot es die Mutter, aber nach mehrmaligem Bitten gab sie ihre Zustimmung, und er durfte unter allgemeinem Lachen den lästigen Kragen ablegen.

Eugen hat sich später wohl öfters an seine Kindheit erinnert. Einmal, so sagte mir Onkel Brecht später, habe er sogar an einem Heiligabend von Berlin aus angerufen, um das Lied einer Spieldose, die aus der Kinderzeit noch in der elterlichen Wohung stand, zu hören. Die Spieldose habe man nahe am Telefonhörer ablaufen lassen müssen."

Obertertia

Vom September 1912 bis Juli 1913 war Brecht Schüler der Klasse V^A. Er ging wieder in das Hauptgebäude an der Blauen Kappe. Klassenlehrer war der Kgl. Gymnasiallehrer Dr. Hans Weber. Er lehrte Deutsch, Geschichte und Geographie. Im Lehrplan stand u. a.:

Religionslehre (protest.): Schriften des Neuen Testaments Lukas-Evangelium; alte und mittlere Kirchengeschichte; Gesangbuchslieder.

Deutsche Sprache: Grundzüge der Verslehre; Übung im freien Vortrag von Gedichten; Erzählungen, Schilderungen, Beschreibungen von Plätzen, Gebäuden, Denkmälern, Brunnen der Stadt.

Lateinische Sprache: Caesar, „De bello gallico" I, III, IV; Auswahl aus Ovid, Tibull und Phaedrus.

Geschichte: Deutsche und bayerische Geschichte von der Reformation bis zur neuesten Zeit.

Die Turnspiele fanden für die Klasse V^A jeweils am Donnerstag von 16 bis 17 Uhr statt. Die Klasse hatte 26 Schüler, wovon sich 22 am Turnen, 19 an den Turnspielen, 25 am Schwimmen beteiligten, 22 Schüler waren Schlittschuhläufer, 2 Mitglieder der Wandervögel und 3 des Wehrkraftvereins.

Exkursionen wurden zu historischen Kunstdenkmälern inner- und außerhalb Augsburgs unternommen. Besonderer Wert wurde dabei auf die Vermittlung genauer Kenntnisse der Schätze des Maximilianmuseums gelegt. Die Deutsche Koloniale Kunstausstellung des Malers Ernst Vollbehr, die im Februar 1913 der Augsburger Kunstverein veranstaltete, wurde unter Führung des Klassenlehrers besichtigt und unter Beachtung „vaterländischer Aspekte" besprochen.

Am 19. Dezember 1912 wurden für den verstorbenen Prinzregenten Luitpold katholische und protestantische Trauergottesdienste abgehalten. Anschließend fand im Börsensaal ein Festakt statt.

Das Schulfest feierte die Anstalt am 14. Juni 1913 zur Erinnerung an die Befreiungskriege und an den Regierungsantritt des deutschen Kaisers unter Beteiligung der Bevölkerung im Saalbau Herrle. Die Vortragsfolge lautete:

1. II. Satz aus der *Militär-Symphonie (C-Dur)* von Joseph Haydn.

2. *Aufruf*. Gedicht von Theodor Körner. Vorgetragen von Rembold, Klasse V^B.

3. *Der Husar von Auerstädt*. Gedicht von Adolf Friedrich Graf von Schack.

4. a) *Schwertlied* von Carl Maria von Weber.
   b) *Schlachtgebet* von Friedrich von Himmel. Vierstimmige Chöre.

5. Festrede, gehalten von Prof. Dr. Hans Ockel.

6. *Deutscher Freiheit Schlachtruf* von Albert Methfessel. Allgemeiner Gesang.

7. III. und IV. Satz aus dem *Klavier-Quintett (Es-Dur)* von Prinz Louis Ferdinand v. Preußen (gefallen bei Saalfeld 10. Oktober 1806).

8. Szene aus Schillers *Wilhelm Tell* (I,4). Vorgetragen von Schülern der Oberklasse.

9. *Vaterlandsliebe*. Vierstimmiger gemischter Chor von Franz Abt.

10. *Der Trompeter an der Katzbach*. Gedicht von Julius Mosen. Vorgetragen von Kohler, Klasse V^A.

11. *Die Leipziger Schlacht*. Gedicht von Ernst Moritz Arndt.

12. *Blücher am Rhein*. Gedicht von August Kopisch.

13. *Deutsche Hymne*. Vierstimmiger gemischter Chor.

14. *Was wir gewonnen*. Gedicht von König Ludwig I.

15. *Regentenhymne* von Henry Carey. Allgemeiner Gesang.

Um die Schulfeier in angemessener Form vorzubereiten, war einige Tage vorher an alle Schüler die Gedenkschrift *Deutschlands Befreiungskämpfe 1813–1815* von Theodor Rehtwisch verteilt worden.

Der Luitpoldtag wurde am 24. Juni 1913 mit den vorgeschriebenen Wettkampspielen gefeiert. Das Amt der Kampfrichter bei den Wettkämpfen hatten dieses Mal

„dankenswerterweise Offiziere des 3. Infanterieregiments, des 4. Feldartillerieregiments und des 4. Chevauxlegersregiments übernommen" (*Jahres-Bericht*).

Heinrich Scheuffelhut ging die ersten Jahre mit Brecht in eine Klasse:

„Unser Schulweg führte uns übers ‚Kreuz‘ zur Blauen Kappe. Dabei sahen wir immer auch einige Mädchen, die zur Maria-Theresia-Schule gingen. Alle Tage begegneten wir ihnen. Sie nannten uns die drei Spinner. Wir, das waren Eugen Brecht, Rudolf Hartmann und ich.

Eugen war ein intelligenter Schüler. Er rangierte mit seinen Leistungen in der oberen Hälfte der Klasse, ohne sonderlich dabei zu büffeln. Nachhilfeunterricht war bei Eugen nie erforderlich.

Unser Haupttreffpunkt war eine Bank am Schwanenteich, der gegenüber vom Brechtschen Wohnhaus liegt. An dieser Stelle macht das Eisengeländer eine Einbuchtung hin zum Stadtgraben. Von da aus pfiffen wir Eugen zu uns herunter. Auf jener Bank oder in Hartmanns Gartenlaube hinter dem Haus Müllerstraße 14, im Schatten eines Pflaumenbaumes, spielte sich der größte Teil unseres Schülerlebens während der ersten Jahre ab. In der Laube schrieben wir die Hausaufgaben voneinander ab, oder wir diskutierten oder spielten Schach. Es verging kaum ein Tag, an dem wir nicht Schach spielten.

Unser Freundeskreis bestand damals aus Rudolf Hartmann, den wir wegen seines weichen Gesichtsausdruckes nur ‚Mädchen‘ nannten, Josef Schipfel, Adolf Seitz, Brecht und mir. Ich war in dieser Runde z. B. ein guter Rechner, deshalb mußte ich immer die Mathematikaufgaben erledigen, Seitz wiederum war gut in Fremdsprachen, also schrieb er für alle die sprachlichen Übungen. Brecht gab uns zwar gute Anregungen, aber seine

Deutscharbeiten konnte man nicht abschreiben, da hätte der Professor sofort Eugens Feder herausgespürt.

Eugen war ein begeisterter Karl-May-Leser. 1909 hielt in Augsburg Karl May einen Lesevortrag. Ich weiß noch, daß sich Brecht für diese Veranstaltung sehr interessierte. Brecht beschäftigte sich viel früher mit Literatur als wir. Als er längst alle Karl-May-Bände durchgelesen hatte, begannen auch wir damit. Er las sehr rasch und ausdauernd und daher große Mengen.

Etwa bis zum Jahre 1914 wollte Brecht Kunst- und Theaterkritiker werden. Damals eiferte er dem bekannten Alfred Kerr nach.

Im Gymnasium waren die meisten Professoren deutschnational eingestellt. Mit Brecht wußten seine Lehrer schon in dieser Zeit nichts mehr anzufangen. Wie er die gestellten Themen in Geschichte und Deutsch abhandelte, das paßte den Herren nicht. Zu den Schulaufsätzen benötigte Brecht nur die Hälfte der vorgeschriebenen Zeit. In seinen literarischen Kenntnissen war uns Eugen überlegen.

Weil uns bereits damals das Theaterspielen fesselte, kauften wir für einige Mark von Oberlehrer Bohlig, dessen Sohn in unserer Klasse war, ein gebrauchtes Puppentheater. Mit dem Handwagen brachten wir es zu Rudolf Hartmann in die Müllerstraße. Die Vorbereitungen bis zur ersten Aufführung machten viel Mühe, aber auch viel Spaß. Da war Eugen als ,Regisseur und Theaterleiter' ganz in seinem Element. Das Theater fand in Rudolfs Zimmer statt. Links und rechts vom Theaterhäuschen spannten wir Wäscheleinen aus, über die wir Tücher hängten, so daß die Spieler für die Zuschauer nicht zu sehen waren. Einige Puppen aus Pappmaché hatten wir von Herrn Bohlig mitbekommen. Sie waren 10 cm groß

und an Holzgriffen befestigt. Durch längliche Führungsschlitze in der aufklappbaren Spielplatte konnten die Figuren hin und her bewegt und nach vorn gebeugt werden. Von den Mädels wurden die Puppenkleider genäht. Für das Rampenlicht und die Lichteffekte benutzten wir eine einfache Batterie, den Blitz erzeugte etwas Blitzlichtpulver. Beim *Fliegenden Holländer* hatten wir ein kleines Spinnrad, das mit einem Treibriemen von unten bewegt werden konnte. Beim Puppenspiel wirkten außer Brecht sein Bruder Walter, Rudolf Hartmann, dessen Cousine Ernestine Müller und ich mit. Auf dem Spielplan standen Szenen aus Webers *Freischütz* und *Oberon*, Büchners *Leonce und Lena*, Goethes *Faust*, Shakespeares *Hamlet* und Wedekind-Partien. Das Publikum bestand aus unseren Eltern und Hausbewohnern. Die in unseren Augen als wohlhabend geltenden Zuschauer hatten Sperrsitz und mußten dafür zwei Mark bezahlen. Dadurch bekamen wir bald etwas Geld zusammen, für das wir schönere Puppen und Requisiten kauften. Beim Spiel konnte Ernestine einmal eine Textstelle nicht richtig betonen, da nannte sie ein Mitspieler ein Rindvieh. Eugen korrigierte sofort, so etwas sage man nicht, schon gar nicht zu Mädchen. Solange ich Brecht kannte, war er immer ein vornehmer junger Mann. Um so mehr war ich oft über seine Ausdrücke in seinen späteren Liedern verwundert.
Wir verzogen uns mit dem Spiel bald aus der Wohnung in eine Lagerhalle, die mit alten Möbeln aus den elterlichen Wohnungen ausgestattet war. Hier setzte Brecht mit uns auf dem Puppentheater Gerhart Hauptmanns *Biberpelz* in Szene. Eigentlich hat Brecht hier – vierzig Jahre vor der Gründung seines berühmten Berliner Ensembles – sein erstes eigenes Theater gehabt.«

Im Schuljahr 1913/14 waren in Brechts Klasse VI^
25 Schüler. Klassenleiter war der Kgl. Gymnasiallehrer
Anton Haas, der Mathematik lehrte. Im Lehrplan stand
u. a.:

Religionslehre (protest.): Reformationsgeschichte; die
  Augsburger Konfession; Lesung des Philipperbriefes.

Deutsche Sprache: Goethe, „Hermann und Dorothea";
  Theorie des Epos; Homer, „Ilias" und „Odyssee";
  Technik des Aufsatzes. Tropen und Figuren.

Lateinische Sprache: Caesar, „De bello civili" lib. I,34 bis
  Schluß; Ovid, „Metamorphosen": die Schöpfung, die
  vier Weltalter, die große Flut, Deukalion und Pyrrha,
  Niobe, Verwandlung lykischer Bauern in Frösche, Dä-
  dalus und Ikarus, Philemon und Baucis, Midas, die Be-
  hausung der Fama, Pyrasmus und Thisbe, Perseus;
  Curtius III, V, VIII zur Auswahl.

Französische Sprache: „Colomba" par Mérimée; Gedichte
  von Steinmüller.

Geschichte: Allgemeine Geschichte des Altertums bis auf
  Augustus; Geschichte der Griechen und Römer.

Dem Wehrkraftverein schlossen sich 44 Schüler des Gymnasiums an. Sämtliche Klassen besuchten am 17. Februar
1913 in den Luitpoldlichtspielen die Bilderfolge über
die Befreiungskriege und das Völkerschlachtdenkmal in
Leipzig.

Der Leitung des Stadttheaters wurde für die „Gewährung ermäßigter Preise bei dem Besuch von klassischen
Vorstellungen der geziemende Dank" ausgesprochen. Besonderer Dank wurde dem „Flottenverein (Gruppe
Bayern) für die Gewährung einer Freifahrkarte zur Schü-
lerfahrt an die Wasserkante im Juli 1913" abgestattet.

Unter Führung des Kgl. Bezirksarztes Dr. Frickinger besuchten die Oberklassen die Ausstellung des Deutschen Vereins zur Bekämpfung der Geschlechtskrankheiten. Die Gymnasiumsleitung setzte Betriebsbesichtigungen an. Besucht wurden die M.A.N., die Wertachspinnerei, die Haindlsche Papierfabrik und die Telefonzentrale der Reichspost.

Anläßlich der Krönung König Ludwigs III. (am 12. November 1913) feierten am 24. Januar 1914 im Börsensaal alle Klassen sowie die Lehrer mit ihren Frauen, Vertreter der Regierung und der Presse ein Schulfest.

Die Programmfolge lautete:

1. Krönungsmarsch aus der Oper *Der Prophet* von Meyerbeer für Streichorchester und Klavier.
2. Ansprache (Dr. Richard Ledermann).
3. *Ludwigshymne.* Chor mit Streichorchester und Klavierbegleitung.
4. Gedicht *An König Ludwig III.* Verfaßt von Graf, Kl. IX.
5. *Andante religioso.* Streichorchester.
6. Gedicht *Weiß und Blau.*
7. Gedicht *Bayernland.* Vorgetragen von Hohenester, Kl. VI[B].
8. *Psalm.* Gemischter Chor und Orchester.

Das übliche Maifest unterblieb, dafür wurden im Mai 1914 Frühlingsausflüge mit Maifeiern im Freien angeordnet. Am Waldrand oder auf einer Höhe machte man Rast, und im Halbrund der zuschauenden Schüler veranstalteten die Klassen ihr Maifest. Das Programm dazu war von Schülern entworfen worden. Ernste und heitere Vorträge wechselten mit Gesängen bei Violine-, Zither- oder Gitarrenbegleitung. Die Ansprache hielt ein redegewandter Schüler. Das Schulfest im Freien klang aus mit Ergebenheitsbekundungen für König und Königin. Die *Bayerische Königshymne* wurde gesungen, *Deutschland, Deutschland über alles* folgte in der Regel als Abschluß bei Feiern dieser Art.

Damit das in der Schule herrschende geistige Klima kenntlich wird, sei der Text der *Bayerischen Königshymne* zitiert:

Heil unserm König, Heil!
Lang Leben sei sein Teil!
Gerecht und fromm und mild
Ist er dein Ebenbild.
Gott, gib ihm Glück!

Fest wie des Königs Thron,
Die Wahrheit seine Kron'
Und Recht sein Schwert.
Von Vaterlieb erfüllt
Regiert er groß und mild.
Heil sei ihm, Heil!

O heil'ge Flamme, glüh'!
Glüh' und erlösche nie
Für's Vaterland!
Wir alle stehen dann
Voll Kraft für einen Mann,
Für's Vaterland.

Sei, bester König, hier
Lang noch des Volkes Zier,
Der Menschheit Stolz!
Der hohe Ruhm ist dein,
Der Deinen Lust zu sein.
Heil, Herrscher, dir!

Stephan Bürzle kann sich an Hand einiger Tagebuchaufzeichnungen des Schuljahrs 1913/14 entsinnen:

„Mir ist noch jener von Brecht frei gehaltene Vortrag im Deutschunterricht bei Prof. Bernhard in Erinnerung, wo Brecht über deutsche Herrschergeschlechter gesprochen hat. In scharfen Wortwendungen attackierte er die Herrschergeschlechter, die häufig ein ausschweifendes Leben geführt und ihre Untertanen unter der Knute gehalten hätten. Prof. Bernhard war empört und bedauerte, daß er nicht eine Sechs vergeben könne, sondern nur eine Vier als schlechteste Note erlaubt sei.

Brecht ist öfter wegen seiner eigenwilligen Gedanken getadelt worden. Er war in der Schule vorlaut und zurückhaltend zugleich. Als Literaturkenner wurde er von uns in der Klasse stillschweigend anerkannt. Er empfahl mir damals oft Bücher, deshalb kenne ich seinen Lesestoff etwas. Da gab es neben Schundromanen gleichzeitig Gerhart Hauptmann. Auch wußte ich, daß er Verlaine, Rimbaud, Villon und Tagore las. Vor allem aber verehrte er Wedekind. Eine Gesamtausgabe Wedekinds hat Eugen etwa um 1914 von seinem Vater geschenkt bekommen.

In dieser Zeit, vor Ausbruch des ersten Weltkrieges, fanden jeden Sonntag abwechselnd vor dem Stadttheater oder im Stadtgarten Paradeaufmärsche mit anschließendem Militärkonzert statt. Vor Beginn der Parade lösten sich dabei allmonatlich die jeweiligen Regimenter ab. Nach Beendigung des Gottesdienstes strömten die Menschen, festlich-sonntäglich gekleidet, herbei, um die Militärparade zu bestaunen. Auch wir Jungen sahen diesem Schauspiel jedesmal begeistert zu. Nur Brecht stand, wenn er dabei war, abseits, mit schlotteriger Hose und Rollkragensweater angetan und sehr reserviert.

Vor allem waren es die Standkonzerte, die der Jugend als Treffpunkt dienten. Brecht promenierte da nur selten gelassen mit. Einmal blieb er plötzlich stehen, zeigte auf den Dirigenten, der auf einem Holzpodest stand, und sagte ganz laut: ‚Das garantiere ich euch, auf solch einem Podest stehe ich auch einmal!' "

Vierzehn Tage vor Ausbruch des ersten Weltkrieges, vom 14. bis 16. Juli 1914, feierte das Realgymnasium Augsburg sein fünfzigjähriges Bestehen. Trotz der politischen Wirren dieses Sommers verzichtete die Schulleitung nicht auf eine großangelegte Jubiläumsfeier, obwohl sich bereits die Würzburger Schwesteranstalt jeglicher Festlichkeit enthielt. Über 300 ehemalige Schüler versammelten sich, um das Jahresabschlußfest (mit dem vom Musiklehrer eigens komponierten Jubiläumsfestmarsch), den Festkommers, das Festessen, den Ball und den abschließenden Schulausflug zu erleben. Dr. Richard Ledermann verfaßte eine *Programmatische Festdichtung* unter dem Titel *Der Schule treu!*. Sie wurde als „Literarische Beigabe" im *Jahres-Bericht* 1915 veröffentlicht. Im Abschnitt *Geschichte* heißt es bei Ledermann u. a.:

Erhaben, rein, voll Jugendkraft und Schöne
Steht dort Germania in treuer Wacht,
Schickt löwenmutig ihre Heldensöhne
Zum heilgen Kampfe in die Varusschlacht.
Gestärket durch des Kreuzes heilge Weihe
Behaupten Deutsche ehrenvoll das Feld,
Es trägt der Kaiser glanzerfüllte Reihe
Den deutschen Namen durch die ganze Welt.
O sei mir unvergessen, süße Stunde,
Wo mir geworden jene hehre Kunde!

. . .

Wie aber fuhr's durch unsre jungen Herzen,
Als sie dann nahte, Deutschlands größte Zeit,
Wo, alle Schmach und Schande auszumerzen,
Alldeutschland sich erhob zum heilgen Streit.
Hei, wie die alten Kräfte jetzt erwachten,
Ein Hoffen nur belebte alt und jung,
Das deutsche Schwert jetzt Funken schlug und
    Schlachten
In altgermanischer Begeisterung!
Da lernten wir den höchsten aller Werte:
Den süßen Kampf für Gott und Heimaterde!

Schülerzeitung „Die Ernte"

Im Jahre 1913 gründeten einige Gymnasiasten die Schülerzeitung *Die Ernte*. Eine kleine Redaktion beschaffte sich Lyrik und Prosa aus den Reihen der Gymnasiasten und stellte die Texte der Lehrer- und Schülerschaft vor.
Max Schneider war dabei und hatte in einer der Nummern selbst ein kleines Gedicht vorgestellt:
„Leider besitze ich kein Exemplar der *Ernte*-Nummern mehr, die wir in der Zeit von 1913 bis 1914 gemacht haben. Redakteure waren Brecht und Julius Bingen, der wohl der intelligenteste Schüler in unserer Klasse war, er fiel 1918.
Insgesamt wurden, wie ich mich erinnere, sechs Nummern der *Ernte* hergestellt, das siebente Exemplar war in Vorbereitung, wurde aber meines Wissens nicht ganz fertiggestellt. Die Schülerzeitung hatte die Größe DIN A 5. Wir machten damals im Abzugsverfahren etwa 40 Exemplare von jeder Nummer. Die Gelatinematrizen wurden von einem Mädchen mit der Hand beschrieben und dann abgezogen. Die Umschlagseiten waren aus Ton-

papier und hatten jeweils eine andere Farbe. Das gleiche Tonpapier verwendeten wir auch im Zeichenunterricht. Jede Nummer der *Ernte* hatte zwischen sechs und zehn Seiten und kostete 15 Pfennige."

In der Schülerzeitung *Die Ernte,* deren verbliebene Originale im Besitz von Dr. Georg Geyer, Berlin, sind, veröffentlichte Brecht folgende Beiträge:

Die Geschichte von einem, der nie zu spät kam [Satire]. 1. Teil	Nr. 1, August 1913, S. 5–7. Bertolt-Brecht-Archiv (im folgenden BBA) 1534/04 und 1278/02.
Balkankrieg [Parabolische Glosse]	Nr. 1, August 1913, S. 7. BBA 1534/05 und 1278/01.
Wagner [Glosse]	Nr. 1, August 1913, S. 7–8. BBA 1534/05 und 1278/01.
Der Dichter	[Wahrscheinlich in Nr. 2, September 1913.] BBA 1278/05.
Der brennende Baum	[Wahrscheinlich in Nr. 2, September 1913.] BBA 1278/04.
Die Geschichte von einem, der nie zu spät kam. 2. Teil	Nr. 3, Oktober 1913, S. 2–4. BBA 1534/09 und 1278/02.
Galerie der Klasse 6^A. 1. Teil	Nr. 3, Oktober 1913, S. 8. BBA 1534/12.
Der Wunsch [Ballade]	Nr. 4, November 1913, S. 1. BBA 1534/14 und 1278/04.
Galerie der Klasse 6^A. 2. Teil	Nr. 4, November 1913, S. 12. BBA 1534/20 und 1278/01.
Die Bibel [Drama in 3 Szenen]	Nr. 6, Januar 1914, S. 1–7. BBA 1278/08–16.

Karneval	Nr. 7, Februar 1914, S. 1.
	BBA 1534/22 und 1278/06.
Die Mutter und der Tod	Nr. 7, Februar 1914, S. 2.
2. Teil	BBA 1534/23.
	BBA 1278/07 (Maschinen-schrift 1. und 2. Teil).
Der Tango	Nr. 7, Februar 1914, S. 2.
	BBA 1534/23 und 1278/05.
Der Preußenbund	Nr. 7, Februar 1914, S. 6.
	BBA 1534/25 und 1278/05.
Märchen	Nr. 7, Februar 1914, S. 6.
	BBA 1534/25 und 1278/04.

Die Brecht zugehörigen Beiträge der Schülerzeitung sind mit Eugen Brecht, E. Brecht, E. B., Bertold Brecht oder Bertold Eugen unterzeichnet.

Ein Schulfreund aus jenen Tagen, Josef Schipfel, ebenfalls mit Beiträgen in den *Ernte*-Heften vertreten, erzählt: „Eines Tages sagte Eugen zu mir, daß er in seinem Taufschein auch den Vornamen Berthold stehen habe, er werde sich also künftig Berthold Eugen nennen. Bis dahin war er nur als Eugen Brecht bekannt gewesen. In .den folgenden Jahren als Gymnasiast hat er die Vornamen als Pseudonym verwendet."

Das selbstgewählte Pseudonym Berthold Eugen behielt Brecht bis zum Jahre 1916 bei; von Juli 1916 an zeichnete er mit Bert Brecht.

Das Schuljahr der Klasse VII begann im September 1914 und endete im Juli 1915. Die Klasse umfaßte 25 Schüler. Eine Parallelklasse gab es für den Brecht-Jahrgang der Klasse VII nicht mehr. Die Zusammenlegung der Schüler dieses Jahrganges war notwendig geworden, da einige Lehrer zum Kriegsdienst einberufen worden waren. Überdies hatten mit der Beendigung der Klasse VI viele Schüler die Schule verlassen.

Leiter der Klasse war Prof. Karl Bernhard. Er lehrte Deutsch und Geschichte. Im Lehrplan stand u. a.:

Religionslehre (protest.): Einführung in Schriften des Alten Testaments; Lesung der Psalmen; alte und mittlere Kirchengeschichte; Philipper-Brief.

Deutsche Sprache: Wesen und Arten lyrischer Dichtung; die wichtigsten ausländischen Reimstrophen; lyrische und epische Gedichte von Goethe, Schiller, Uhland und anderen neueren Lyrikern; Schiller, „Wilhelm Tell"; Grillparzer, „König Ottokars Glück und Ende"; Uhland, „Ernst, Herzog von Schwaben"; Heinrich von Kleist, „Prinz Friedrich von Homburg"; Lessing, „Minna von Barnhelm"; das Nibelungen- und Gudrunlied; Gedichte Walthers von der Vogelweide im Urtext; Heinrich von Kleist, „Michael Kohlhaas". Hausaufsätze waren über folgende Themen zu schreiben:

„Der Reichtum ist schlecht, als Herr und als Knecht,
Wer ihn zum Freund macht, der nützt ihn recht"
und

„Der Krieg ist schrecklich, wie des Himmels Plagen,
Doch er ist gut, ist ein Geschick, wie sie (Schiller)".

Lateinische Sprache: Cicero, „Laelius" in Auswahl; Ovid, „Phaethon"; Vergil, „Aeneis" I.II.III.V.VI.VIII.;

Livius, XXI und XXII; Sallust, „De coniuratione Catilinae"; Grammatik und stilistische Regeln.

Französische Sprache: Mühlan, „La guerre 1870/71".

Englische Sprache: Geography of the British Isles.

Geschichte: Von Augustus bis zum Ende des Mittelalters mit besonderer Berücksichtigung der bayerischen Geschichte.

Anstelle der Turn- und Spielstunden wurden für die Oberklassen seit 1914 Jungmannschaftsübungen angeordnet, die auch sonntags durchgeführt wurden. An den Übungen mußten sich alle Schüler beteiligen, soweit sie nicht durch ärztliches Zeugnis davon entbunden waren. Die Jungmannschaften der Schulen waren denen der Stadtbevölkerung angegliedert und unterstanden der Oberleitung der Generalleutnants Rösch und von Hößlin sowie dem Bürgermeister Geh. Hofrat Gentner. Unter Führung des Generals von Hößlin wurde am 18. April 1915 eine „Felddienstübung großen Stils für die Jungmannschaften" der Stadt und einiger Nachbarorte veranstaltet. Dem Wehrkraftverein des Gymnasiums schlossen sich 87 Schüler an.

An Schulfeierlichkeiten fanden statt: Am 29. Januar 1915 eine „Festfeier zur Begehung des 70. Geburtstages Sr. Majestät des Königs von Bayern", eine Bismarckfeier am 22. März 1915 und das alljährliche Luitpoldfest am 1. Juni 1915, das unter dem Motto „Si vis pacem, para bellum!" stand. Mit „markigen Worten gedachte der Festredner der Ruhmestaten des deutschen Volkes im gegenwärtigen Weltkriege". – Weiter beging das Gymnasium Siegesfeiern: am 10. Oktober 1914 anläßlich der Eroberung Antwerpens, am 3. Dezember 1914 anläßlich der Einnahme von Belgrad, am 19. Dezember 1914 anläßlich des Zusammenbruchs der russischen Offensive bei

IV.

Verzeichnis

der Schüler des Königlichen Realgymnasiums
im Schuljahre 1914/1915.*)

VII. Klasse (Obersekunda).

(Am Anfang des Schuljahres 25, am Ende 25 Schüler.)

Namen der Schüler in alphabet. Ordnung	Konfession	Geburts-		Stand und Wohnort der Eltern
		Zeit	Ort	
*Baldi, Alexander	kath.	21. 1. 98	Würzburg	K. Oberpostassessor †
Bingen, Julius	israel.	19. 2. 98	Augsburg	Bankier †
Bischoff, Heinrich	prot.	10. 1. 98	Kempten	Prokurist †
Bohlig, Ernst	kath.	19. 10. 97	Augsb.-Lechh.	Oberlehrer
Brecht, Eugen	prot.	10. 2. 98	Augsburg	Prokurist
Dingler, Walter	prot.	13. 8. 98	Augsburg	Oberingenieur
Enderlin, Emil	prot.	21. 1. 98	Langenargen (O.-A. Tettnang)	Kaufmann †
Feuchtmayr, Franz	kath.	18. 3. 98	Murnau	Privatier
Föringer, Helmut	prot.	8. 8. 98	München	K. Oberst a. D. in Augsburg
Geyer, Georg	prot.	27. 6. 97	Augsburg	K. techn. Eisenbahnsekretär
Gnam, Theodor	kath.	3. 9. 97	München	K. Oberzahlmeister in Augsburg
Groos, Walter	prot.	19. 5. 98	Augsburg	Städt. Oberingenieur
Hartmann, Rudolf	kath.	18. 5. 98	Augsburg	K. Postsekretär
Kern, Max	kath.	9. 3. 96	München	Hauptlehrer
*Kohler, Karl	kath.	1. 3. 97	Goßholz (B.-A. Lindau)	Großkaufmann
·Lang, Julius	kath.	29. 1. 98	Kelheim	Gutsbesitzer †
Lang, Ludwig	kath.	23. 2. 99	Kelheim	Gutsbesitzer †
Lemle, Siegfried	israel.	7. 11. 97	Augsburg	Kaufmann
*Momm, Alfred¹)	prot.	11. 5. 96	München	K. Hauptmann †
Prestel, Rudolf	prot.	27. 8. 98	Göggingen	Materialverwalter in Augsburg
Rodenstock, Konrad	kath.	30. 11. 97	München	K. Kommerzienrat u. Fabrikbesitzer
Scherle, Hans	prot.	21. 11. 97	Augsburg	Fabrikdirektor
Seitz, Adolf	prot.	14. 2. 98	Meitingen (B.-A. Wertingen)	Gutsbesitzer in Augsburg
Wiedemann, Ludwig	kath.	22. 7. 97	Türkheim (B.-A. Mindelheim)	Guts- und Ziegeleibesitzer
Wolf, Eugen	kath.	3. 11. 97	Augsburg	Kaufmann

* In den Heeresdienst eingetreten. — ¹) Eingetreten am 21. Januar.
1 Schüler ist ausgetreten.

Schülerverzeichnis der Klasse VII

Łodz, am 18. Februar 1915 anläßlich der Schlacht an den Masurischen Seen, am 5. Mai 1915 anläßlich des Durchbruchs am Dunajec und am 5. Juni 1915 anläßlich der Rückeroberung von Przemysl.

Seit Beginn des Krieges leisteten mehrere Lehrer Kriegshilfsdienste. Prof. Dr. Ockel schloß sich der Bürgerwehr, dem Wehrkraftverein und einer Landsturmriege an; Prof. Herrenreiter beteiligte sich an Erntearbeiten und wurde Mitglied des Wehrkraftvereins; Gymnasiallehrer Futterknecht verrichtete Schreibarbeiten beim Magistrat; Gymnasiallehrer Weber bildete einen Zug Jungmannschaften aus; Gymnasiallehrer Dr. Auer wurde Mitglied der Bürgerwehr und einer Landsturmriege.

Die Schüler gingen zu Erntearbeiten aufs Land oder besorgten Transporte im Rahmen der Mobilisierung. Einige hielten „Fliegerspähe" nach feindlichen Flugzeugen. Die Goldsammlung der Schüler erbrachte bis Jahresschluß 12 820,– Mark für die Reichsbank.

Zur „Dienstleistung im Felde" waren 8 Lehrer der Anstalt, zu anderen Dienstleistungen 2 Professoren einberufen worden. 38 Schüler hatten als Kriegsfreiwillige bzw. Fahnenjunker das Gymnasium verlassen.

Die meisten der Freiwilligen benutzten die Möglichkeit einer Notreifeprüfung oder Notprüfung, wie man es nannte; sie berechtigte zum Aufrücken in die nächsthöhere Klasse. Eine „Ehrentafel gefallener ehemaliger Absolventen des Realgymnasiums Augsburg" wies aus, daß 28 Schüler bis Mitte des Jahres 1915 als Soldaten gefallen waren.

Brechts Mitschüler Johann Grandinger erinnert sich der Wochen nach Kriegsausbruch:

„Keiner wollte abseits stehen. Mit mehreren Klassenkameraden hatte auch ich mich freiwillig zum Militär gemeldet. Man schickte uns aber wieder nach Hause, weil wir noch zu jung seien. Da schämten wir uns und getrauten uns zuerst nicht mehr in die Klasse zurück. Auch unsere Eltern waren darüber beschämt. In den ersten Kriegstagen mußte Brecht mit meinem Vater zusammen auf dem Perlachturm nächtliche Fliegerwache halten. Aber feindliche Flugzeuge kamen damals höchstens bis Freiburg. Auch machte Eugen zunächst ganz ordentlich mit Dienst im Wehrkraftverein.

Natürlich wurde auch da jede freie Minute zum Debattieren, meist über Literatur, genutzt."

Jahrzehnte später äußerte Brecht gegenüber seinem Jugendfreund Münsterer, „sein bestes Werk ... seien die meisterhaften Fälschungen der Unterschrift seines Vaters gewesen", mit deren Hilfe es ihm immer wieder gelungen sei, „sich der vormilitärischen Ausbildung zu entziehen, die den schönen Namen Landsturmriege führte und wöchentlich an zwei schulfreien Nachmittagen, manchmal auch sonntags, zum Klopfen der Gewehrgriffe mittels Holzattrappen oder zum Balkenexerzieren verpflichtete" (Münsterer, S. 24/25).

Zeitungspublikationen

Am 1. August 1914, als der erste Weltkrieg begann, standen die bayerischen Schulhäuser infolge der noch andauernden Sommerferien leer. In jenen turbulenten Tagen des Kriegsanfangs veröffentlichte der Sechzehnjährige seine ersten Arbeiten in Augsburger Tageszeitungen.

Wilhelm Brüstle, der damals verantwortliche Redakteur der Unterhaltungsbeilage *Der Erzähler* in den evangelisch-liberal orientierten *Augsburger Neuesten Nachrichten* (im folgenden ANN), sagt dazu:

„In den ersten Jahren des ersten Weltkrieges – es war wohl 1915, und ich war damals Schriftleiter einer Augsburger Lokalzeitung – kam eines Tages ein junger Mittelschüler, etwa aus Sekunda, in mein Redaktionsbüro und brachte mir seine ersten Gedichte. Sie hatten nichts mit dem Krieg zu tun, sie waren von einem gedrängten, mich fast berauschenden Rhythmus ...

Brecht ... wurde durch die höchst achtungsvolle Aufnahme der Gedichte, die ihn einem ‚erwachsenen‘ Schriftsteller gleichstellte, zweifellos stark ermutigt ... Ich veröffentlichte viele seiner Gedichte, die er mir immer persönlich brachte, ein schüchterner, zurückhaltender junger Mensch, der erst sprechen konnte, wenn man die Uhr in ihm aufgezogen hatte.

Politisch war Brecht schon als Gymnasiast links eingestellt ...“ (Brüstle).

Die Erinnerungen Brüstles sind in mehrfacher Hinsicht korrekturbedürftig. Die von Brecht unter dem Pseudonym Berthold Eugen seit dem August 1914 veröffentlichten Gedichte und Artikel hatten durchaus mit dem Krieg zu tun, und eine „linke“ politische Orientierung war von dem aus bürgerlichem Hause stammenden Gymnasiasten schlechterdings nicht zu erwarten. Im Verein mit den wenigen, in den Werkausgaben vertretenen Arbeiten aus dieser Zeit bestätigen die von uns wiederaufgefundenen Texte das Urteil der Forschung, daß dem „Zeitbild“ des jungen Brecht die „Tiefenschärfe“ fehlt (Schuhmann, S. 12): sein politisches Urteil über den Krieg schloß sich unreflektiert den Parolen der offiziellen Kriegspropaganda an. Daß dieser Krieg von Deutschland nicht gewollt worden sei, daß er um Ehre, Freiheit und nationale Existenz geführt werde, galt dem Gymnasiasten im Rausch der ersten Wochen als ausgemacht.

Um so erstaunlicher ist es, daß er schon im August 1914 das Schlagwort vom „fröhlichen" Krieg ironisch apostrophiert und mit wachsender Erschütterung der Opfer und Leiden gedenkt, die der Krieg verursacht. Anfangs hält er noch eine moralische Rechtfertigung bereit, wie sie in zeitgleichen Äußerungen namhafter bürgerlicher Schriftsteller auch begegnet: der Krieg scheint gegenüber der „so größelos" zerrinnenden Zeit des Friedens geeignet, die Menschen zu läutern und über sich selbst zu erheben, und das Idealmaß der jetzt geforderten Seelengröße vermutet der Gymnasiast beim Kaiser. Diese illusionären Erwartungen wurden jedoch zunehmend vom Kriegsalltag zerstört. Angesichts der vor dem Augsburger Fürsorgeamt nach einer Schüssel Kartoffeln und Gemüse anstehenden Arbeiterinnen, angesichts der Witwen, die ihre Söhne, der Arbeiterfrauen, die ihre Männer an der Front haben, geht dem Bürgerssohn Brecht auf, wer die Lasten des Krieges zu tragen hat.

Er erprobte verschiedene Möglichkeiten, diese Erfahrungen weltanschaulich zu bewältigen. Geschichte verwandelt sich in Mythos, wenn nach dem Gedichtauftakt „Mutter sein, zu unseren Zeiten,/Heißt: leiden" der überzeitlich-schicksalhafte Befund „zu allen Zeiten" getroffen wird. Ein ebenso rigoroser wie rührender Moralismus hingegen spricht aus einem Satz wie diesem: „Ich sage, daß jeder, der bei einem ... halben Tausend Mark 20 Mark gibt im Monat, ein ganz unwürdiger Egoist ist."
Wesentlich bleibt, daß Leid und Tod den Gymnasiasten bedrängen, und von Schwadronierversen wie denen eines ehemaligen Mitschülers „So viele drob auch sterben,/'s hat weiter keine Not" (s. S. 77) trennt Brechts Arbeiten nicht bloß formales Geschick, sondern vor allem die zutiefst beunruhigte geistige Haltung. Ein Aufsatz aus dem

Schuljahr 1915/16 macht Brechts Reifungsprozeß am sinnfälligsten: unumwunden erklärte der Gymnasiast, daß der Abschied vom Leben, geschehe er auch fürs Vaterland, weder süß noch ehrenvoll, sondern schwer sei – nur Hohlköpfe könnten von einem leichten Sprung durch das dunkle Tor reden (s. S. 86).

Die wiederaufgefundenen Texte dokumentieren den schwierigen Weg, den Brecht bis zu dieser aggressiven Verteidigung des Lebens zurückzulegen hatte. Die in den ANN und der München-Augsburger Abendzeitung (im folgenden MAAZ) veröffentlichten Arbeiten hießen:

Turmwacht. Von einem Augsburger Mittelschüler	ANN, 8. August 1914.
Der Untergang der „Viktoria Luise". Aus den Aufzeichnungen eines Augsburger Mittelschülers	ANN, 10. August 1914.
Augsburger Kriegsbrief	MAAZ, 14. August 1914.
Augsburger Kriegsbrief	MAAZ, 21. August 1914.
Dankgottesdienst	MAAZ, 24. August 1914.
Der heilige Gewinn	ANN, 24. August 1914.
Augsburger Kriegsbrief	MAAZ, 28. August 1914.
Augsburger Kriegsbrief	MAAZ, 4. September 1914.
Die Toten vom 3. Regiment	ANN, 5. September 1914.
Augsburger Kriegsbrief	MAAZ, 11. September 1914.
Mutter sein . . .	MAAZ, 21. September 1914.
Augsburger Kriegsbrief	MAAZ, 21. September 1914.
Augsburger Kriegsbrief	MAAZ, 28. September 1914.
Der Kaiser. Silhouette	ANN, 27. Januar 1915.

Die Schneetruppe. A. B. zugeeignet	ANN, 1. März 1915.
Christus vor dem Hohen Rat	ANN, 1. April 1915.
Der Geist der „Emden"	MAAZ, 26. April 1915.
Der Name der Mutter	MAAZ, 11. Mai 1915.
Ballade	ANN, 15. Mai 1915.
Frühling	ANN, 29. Mai 1915.
Französische Bauern	MAAZ, 30. Juli 1915.
Dankgottesdienst. Novelle	MAAZ, 12. August 1915.
Die Orgel. Herrn Klemens Haindl gewidmet	ANN, 6. Januar 1916.
Tanzballade	ANN, 20. Januar 1916.
Soldatengrab	MAAZ, 20. Februar 1916.

Soldatengrab war, soweit die Texte bekannt sind, die letzte poetische Äußerung Brechts, die er mit dem Pseudonym Berthold Eugen unterzeichnete. Seit dem 13. Juli 1916, als er *Das Lied von der Eisenbahntruppe von Fort Donald* veröffentlichte, bekannte er sich mit dem Signum Bert Brecht offen zu seinen Arbeiten.

Ein Schulfreund aus der Klasse VII, Walter Groos, berichtet:

„Brecht sagte mir einmal, als wir uns damals über Lyrik unterhielten, er werde zeigen, daß er so schreiben könne, wie die Welt es verlangt. Ich betrachte Brechts frühe Zeitungsveröffentlichungen als Versuche, diesem Anspruch zu genügen. Nachdem er sich den Fähigkeitsnachweis erbracht hatte, war sein Interesse für das Zeitungsschreiben nicht mehr groß. ,Zeitungsschreiben verdirbt den Stil‘, sagte er mir einmal."

Zu Brechts Freunden in dieser Zeit gehörten der um ein Jahr ältere Rudolf Caspar Neher und Fritz Gehweyer, der bis 1911/12 mit Brecht in eine Klasse ging, dann nicht versetzt wurde und 1914 aus der Schule ausschied. Mit Gehweyer verfertigte Brecht sogenannte Kriegsspendenkarten für das Augsburger Rote Kreuz. Die Karten wurden auch in der Schule verkauft. Für die Gestaltung der Karten steuerte Brecht die Verse bei, Gehweyer entwarf die dazu passende allegorische Grafik.

Die beiden Schwestern Gehweyer, Kathinka und Rosina, schilderten in einem Gespräch die Arbeit ihres Bruders mit Brecht:

„Unsere Eltern wohnten in der Steingasse im alten Traunerhaus. Mit den Eltern Brechts waren sie gut befreundet. Die Väter waren Vereinsbrüder in der ‚Liedertafel‘.

Auf Anregung von Herrn Oberinspektor Hagg, der oft bei uns zu Gast war und der auch eine leitende Stelle beim Roten Kreuz innehatte, zeichnete unser Bruder Fritz 1914 Postkarten, die verkauft wurden ‚zum Besten des Roten Kreuzes und der Kriegsfürsorge‘.

Eugen Brecht, der mit Fritz vom Gymnasium her sehr befreundet war, schrieb die Texte zu den Zeichnungen. Die Karte *Kriegsfürsorge* ist erhalten geblieben (Abb. 35).

Im Sommer 1914 verließ Fritz das Realgymnasium und ging nach München auf die Kunstakademie. Er hatte in München ein Atelier. Vor allem war er ein vorzüglicher Zeichner. Daneben musizierte Fritz leidenschaftlich gern.

Eigentlich hätte er nicht zum Kriegsdienst einrücken müssen, da bereits unsere beiden älteren Brüder gefallen waren, aber er bestand darauf. Noch in den letzten Kriegstagen 1918 wurde Fritz ebenfalls ein Opfer des Krieges.

Fritz und Brecht, wir nannten sie immer die beiden Spinner, stolzierten nach der Schule oft die Steingasse auf und ab. Sie benahmen sich dabei wie zwei versponnene Professoren, hatten die Hände auf dem Rücken verschränkt und redeten ununterbrochen. So kamen sie alle Tage von der Schule nach Hause. Sie begleiteten sich dabei gegenseitig. Da kam Brecht mit zu Fritz vors Haus, und dann ging Fritz wieder mit Brecht davon, und dann kamen sie beide wieder zurück, bis unser Vater einmal fragte, ob er ihnen Stühle bringen lassen solle. Einige Male kam Brecht auch mit zu uns in die Wohnung. Da tat er aber sehr eingebildet, wenn er uns sah; meist grüßte er uns kaum.
Fritz und Brecht machten zusammen auch eine kleine Zeitung. Außer an die *Ernte* erinnern wir uns an den Titel *Der kleine Pan*.
Sie hatten immer hochfliegende Pläne. Wenn unser Fritz nicht vorzeitig vom Krieg hinweggerafft worden wäre, die beiden hätten sicher noch weiter zusammengearbeitet."
Neher war 1911 zu Brecht in die Gymnasialklasse IV^B gekommen. Aus der Freundschaft der Klassenkameraden wurde eine Freundschaft fürs Leben. Neher, der Bühnenbildner wurde, arbeitete bis zuletzt mit Bert Brecht zusammen. Die ersten Bühnenbilder für Brecht entwarf er anläßlich der Aufführung des Stückes *Im Dickicht der Städte* 1923. Nehers Schwester Marietta, die Brecht eine Zeitlang verehrte, der „nächtliche Serenaden dargebracht" wurden (Münsterer, S. 27) und der Brecht Ende der zwanziger Jahre das Gedicht *Erinnerung an eine M. N.* widmete, erzählt:
„Brecht nannte meinen Bruder einfach und kurz ‚Cas'. Bei uns daheim wurde mein Bruder Rudolf gerufen.
Unser Vater war ein konservativer Schullehrer in der

evangelischen Roten-Tor-Schule. Der überschwengliche Patriotismus von damals, der auch unser Zuhause bestimmte, läßt sich heute einfach nicht mehr nachempfinden.

Nach der Volksschule kam Rudolf in das St.-Anna-Gymnasium, wo er eine Klasse wiederholen mußte. 1911 wechselte er in das Realgymnasium über. Seit diesem Zeitpunkt war er mit Brecht bekannt, sie wurden damals Klassenkameraden. Außer im Zeichenunterricht fiel Rudolf in der Schule nie sonderlich auf. Niemand, auch ich nicht, ahnte in jenen Jahren, daß mein Bruder einmal so berühmt werden würde.

1914, nach der sechsten Klasse, der Untersekunda, schied er aus dem Realgymnasium aus und ging nach München, um ein Kunststudium aufzunehmen. Eines Tages, so berichtete uns Rudolf, habe ihm sein Professor gesagt, was es zu lernen gäbe, habe er nun gelernt, jetzt müsse er seinen Weg selbst finden."

Am 10. November 1914 schickte Brecht an Neher folgenden Brief:

Mein lieber Rudolph Neher!

Ich dank Dir für Deinen Besuch Sonntag vor 8 Tagen. Leider war ich auf dem Friedhof, als Du kamst. Also schreibe ich, was ich zu sagen habe.

Sei noch einmal bestens für die Farbenskizze „Faust" bedankt. Bei nochmaliger Prüfung dachte ich folgendes: Komposition schön. Jedoch würde ich die Erscheinung nicht in der Weise gegeben haben. Im „Faust" steht nur von einer „rötlichen Flamme" in der der Geist erscheint. – Faust selbst dürfte sich (vielleicht) besser im Profil zeigen. (Gestützt auf den Schreibtisch?) Fenster [?] u. Leuchter sind sehr schön ...

Als Freund, nicht als Kritiker (denn da hätte ich kein Recht) rate ich Dir, die Behandlung des Lichtes nicht zu einer Manie auszugestalten d. h. allzu grobe u. unwahrscheinliche Lichteffekte zu vermeiden. Nun, bisher allerdings, vermittelt das Licht außerordentlich poetische Stimmung, aber – –

Aber der Dichter (und Maler nach meinem Sinne) ist von der Wirklichkeit abhängig. Naturwahrheit u n d Idealismus zu verschmelzen, ist Kunst. „Wirklichkeit ist das Lager des großen Dichters auf dem er seine Träume träumt." (Diese Kunst, alltägliche Begebenheiten in die Höhen des Geistes emporzuheben, hat G. Hauptmann! Man lese „Michael Kramer" letzter Akt, dem Schönsten, was je einem Naturalisten (Shakespiare ausgenommen) glückte!)

Man braucht keine Stoffe, die sich schon an sich durch äußere Schönheit auszeichnen. Man braucht keine Könige zu Helden, keine Dichter, keine Philosophen. (Keine Antigone, keinen Faust). Auch das Schicksal einer Waschfrau (Mutter Wolffen im „Biberpelz") kann tragisch (also (?) schön) sein. Das wichtige ist der Geist d e s K ü n s t l e r s, der das Objekt verklärt, mit seinem Wesen durchdringt. Meuniers Arbeiter sind wertvoller als Kaulbachs leere Damengesichter, und Leo Putz' Dirnenfratzen vielleicht wertvoller als Thomas Bäuerinnen. (Defregger hasse ich!)

Ein moderner Maler muß Zola lesen.
Denn noch immer ist die Stelle des großen (Maler-) Naturalisten frei. Die Seele des Volkes ist noch nicht erforscht.
Motiv: Der Unfall.
Nacht. Fackelschein. Vorn eine Grube auf einer wink-

73

ligen Straße, eine Menschenmenge. Stumm. Schwarz. Ge-
presst. Bleiche Gesichter. Das Entsetzen ...

Übrigens ich habe vergessen, daß ich Dir schreibe, Neher,
und nicht in mein Tagebuch. Also: zurück! Hast du die
letzten „Jugenden" gelesen? Da sind manchmal ganz-
seitige Bilder drinnen (v. Stäger) oder eigentlich nur Um-
rahmungen allegorischen Inhalts, die sich um ein Gedicht
ranken.
Ich hätte so ein Gedicht.
Motiv:
Am Abend ist der Feind geschlagen. Die Telegraphen-
drähte melden es.
Hüben: Freude, Jubel, Beten.
Drüben: Angst, Verzweiflung, Haß.
In der Nacht werden die Toten begraben. Die Telegraphen-
drähte melden es.
Die Mütter weinen in dieser Nacht.
Hüben – und drüben.

Schema.

Freude	Kämpfer	Verzweiflung	
	Klage		
			So vielleicht!
Weinende	Toter	Weinende	
Mütter	Soldat	Mütter	

Bitte, bringe, wenn Dich die Sache interessiert, mir mal n'
Entwurf mit, wenn Du vorbei kommst. Jedenfalls hoffe
ich, daß Du kommst!

74

Bin ich wirklich nicht daheim, gibst Du bei mir Zeit an,
wo ich Dich treffen kann.

> Damit sei gegrüßt als Bruder in Arte
> v. B. Eugen Brecht.

Augsb. 10. XI. 14

NB Ich sehe gerade, daß der Brief aussieht wie 'n Bilder-
bogen. Hoffentlich wirkt er nicht wie ein komischer!

Am 21. Juni 1915 wurde Neher eingezogen.

Unterprima

Das Schuljahr der Klasse VIII begann am 16. September
1915 und endete im Juli 1916. Folgende Schüler hatten
die Klasse verlassen und erfüllten ihren Militärdienst:

Baldi, Alexander (freiwillig)	Lemle, Siegfried
Bohlig, Ernst	Momm, Alfred
Dingler, Walter	(gefallen im Mai 1916)
Gnam, Theodor	Rodenstock, Konrad
Kern, Max	Scherle, Hans
Kohler, Karl (freiwillig)	Wolf, Eugen

Leiter der nur noch aus 15 Schülern bestehenden Klasse
war Prof. Martin Schirmer. Er unterrichtete in den Fächern Geographie und Zeichnen, außerdem war er Biblio-
thekar der Anstalt. In einigen Fächern wurden die Klassen VIII und IX zusammengelegt, so in Latein bei
Konrektor Dr. Friedrich Gebhard und in Deutsch bei
Dr. Richard Ledermann. In Mathematik kamen auch
noch die Schüler von St. Anna hinzu. Im Lehrplan stand
u. a.:

Religionslehre (protest.): Christliche Glaubens- und Sittenlehre nach Braun § 1–17; Kirchengeschichte der neueren Zeit; Abschnitte aus der Apostelgeschichte.

Deutsche Sprache: Schiller, „Wallenstein"; Goethe, „Iphigenie auf Tauris", „Faust. Erster Teil"; Chamberlains Kriegsaufsätze; Borkowsky, „Unser heiliger Krieg"; Schiller, „Braut von Messina".

Lateinische Sprache: Cicero, „Pro Archia poeta"; Tacitus, „Germania" c. 1–27; Horaz, Oden I, II, III, IV; „Carmen saeculare"; Sermones I, II; Episteln; Stücke aus dem Lesebuch.

Französische Sprache: „Le Cid" par Corneille; „Journal d'un officier d'ordonnance" par d'Hérisson; „Histoire d'un conscrit de 1813"; „Un collégien de Paris en 1870" par Malin.

Englische Sprache: „Julius Caesar" by Shakespeare; „The American War of Independence" by Hartpole Lecky.

Geschichte: Von der Reformation bis zum Beginn der Französischen Revolution mit besonderer Berücksichtigung der bayerischen Geschichte.

Für die Klasse VIII traten wie im Vorjahr anstelle des Turnunterrichts Jungmannschaftsübungen, die das ganze Jahr hindurch mittwochs und in den ersten fünf Wochen auch jeden Sonntagnachmittag abgehalten wurden. Der Wandervogelbewegung im Gymnasium hatten sich aus der Klasse VIII 2 Schüler, dem Wehrkraftverein 3 angeschlossen. 10 Lehrer der Anstalt waren zum Kriegsdienst eingezogen worden. Aus den drei unteren Klassen wurden deshalb 45 Schüler teils an das Humanistische Gymnasium St. Stephan, teils nach St. Anna verwiesen. Nur so konnte die Lehrtätigkeit aufrechterhalten werden. Am 7. April 1916 wurde Feueralarm geprobt; die Schüler räumten das Gebäude innerhalb von zwei Minuten.

In Verbindung mit dem Frühlingsfest fand am 25. Mai 1916 das Luitpoldfest statt. Zur Feierstunde im Börsensaal waren nur Vertreter der Presse geladen worden. Am Nachmittag ordnete die Schulleitung Ausflüge in die Umgebung unter Führung der Klassenleiter an. Das Festprogramm, dessen musikalischer Teil von einem Schülerstreichquartett und einem Schülerchor getragen wurde und bei dem Konrektor Dr. Gebhard die Ansprache hielt, ehrte auch einen Schüler und Kriegsteilnehmer namens Schärtl aus der Klasse VII; die Schulleitung ließ ein Gedicht von ihm vortragen. Der Autor war zum Zeitpunkt der Feier als Vizefeldwebel auf Heimaturlaub. Zum Vergleich mit den zeitgleichen Brecht-Texten hier die letzten Strophen des im *Jahres-Bericht* 1915/16 gedruckten Gedichts:

> Kein Wunder, drum hat Deutschland
> Der argen Neider viel,
> Die frech es überfielen
> Nach ränkevollem Spiel.
>
> Wir wollen das nicht leiden
> Und schlagen kräftig drein
> Und halten ab die Räuber
> Von Weichsel, Meer und Rhein.
>
> So viele drob auch sterben,
> 's hat weiter keine Not.
> Dünkt's uns doch süß, zu leiden
> Für solches Land den Tod.

Die Ansprache Dr. Gebhards beleuchtete die „hocherfreulichen Erfolge der Österreicher an der Südtiroler Grenze". Sein „Bild von den großartigen Errungenschaften der

Deutschen und ihrer Verbündeten im letzten Jahre" war laut *Jahres-Bericht* dazu angetan, Zuversicht und Hoffnung auszustrahlen. Eine Mahnung an die Schüler schloß sich an, im Kampf der Heimat jegliche Pflicht zu erfüllen, vorerst auf schulisch-geistigem Gebiet, dann aber auch im Rahmen „der gymnastischen und militärischen Vorbereitung". Die Rede endete in einer „mit lauter Begeisterung aufgenommenen Huldigung für Se. Majestät und die Kgl. Familie".

Weitere Ereignisse im Schulbereich waren die Siegesfeiern anläßlich der Unterwerfung von Niš mit der Herstellung der Verkehrsverbindung zwischen den verbündeten Zentralmächten am 8. November 1915, am 12. Januar 1916 anläßlich der Vertreibung der englischen und französischen Truppen von der Halbinsel Gallipoli und am 5. Juni 1916 anläßlich der Seeschlacht am Skagerrak.

Im Mathematikunterricht führte der Lehrer mit den Klassen VIII und IX Vermessungsübungen auf dem Spielplatz aus. Im Zeichenunterricht statteten die beiden Klassen zum Zwecke kunstgeschichtlicher Unterweisungen dem Dom, der Ulrichs-, der Georgs-, der Dominikaner- und der Annakirche, letzterer mit ihrer Goldschmiedskapelle, darüber hinaus dem Rathaus und dem Fuggerhaus mit Fuggermuseum einen Besuch ab. Unter der Leitung des Chemieprofessors besichtigten die Klassen VII und VIII die Stickstoff-Sauerstoff-Anlage der M.A.N. und die Neue städtische Gasfabrik.

In Deutsch wurden einige Aufsätze zu Schillers *Wallenstein* geschrieben. Im Anschluß an das *Prolog*-Zitat „Doch in den kühnen Scharen, / Die sein Befehl gewaltig lenkt, sein Geist / Beseelt, wird euch sein Schattenbild begegnen" war die Frage zu beantworten: „Hat Schiller diese Ankündigung in *Wallensteins Lager* erfüllt?"

Weitere Aufsatzthemen zum *Wallenstein*:

„Welche Parallelen lassen sich zwischen *Piccolomini* (I/1) und *Wallensteins Lager* finden?"

„Kann sich Wallenstein zu Recht auf das Beispiel Caesars berufen *(Wallensteins Tod*, II/2)?"

„In welcher Weise äußert sich Schiller in seinem *Prolog* zu *Wallensteins Lager* über sein Gesamtdrama?"

Dem Deutschlehrer Dr. Richard Ledermann ist Brechts Urteil über *Wallensteins Lager* noch in Erinnerung:

„Brecht gehörte zu den hochbegabten und originellen Schülern, die man zeitlebens nicht vergißt, wenn er auch nicht gerade zu den angenehmsten seiner Klasse zählte. Im Gegensatz zu verschiedenen Kollegen, die sich oft bitter über den ‚kecken, vorlauten und arroganten Burschen' beklagten, war ich mit seinem Verhalten und zumal mit seinen Leistungen recht zufrieden und drückte nicht selten auch mal ein Auge zu oder half ihm aus der Patsche, wenn er sich eine Suppe eingebrockt hatte. Dafür hatte er auch fühlbares Vertrauen zu mir und erinnerte sich auch noch in seiner Berliner Zeit gerne an meine rednerischen Freiübungen und besonders an meine Interpretationen vom *Faust*. Weniger lag ihm das Pathos Schillers, dessen *Wallensteins Lager* für ihn ein ‚Oktoberfest mit Bockbierausschank' war. Von seiner Schule hielt er meines Erachtens nicht allzuviel. Unter seinen Mitschülern hatte er nur wenige, die er seines Umgangs würdigte."

Max Knoblach, ein ehemaliger Gymnasiast von St. Stephan, traf im Oktober 1950 nochmals mit Bert Brecht zusammen, als dieser das einzige Mal nach 1945 und zugleich zum letzten Mal in seinem Leben für einen Tag seine Geburtsstadt besuchte:

„Ich traf Brecht 1950 in der Karlstraße wieder. Es ist die Straße, durch die wir oft gemeinsam ein Stück Wegs gegangen sind. Einige Minuten unterhielten wir uns über vergangene Zeiten. Dabei versicherte er mir, daß er sich meiner wohltuend erinnere: ,Wenn du nicht gewesen wärst, der Müllereisert und ich, wir wären damals glatt verhungert.' Mein Vater war Bäckermeister; wir hatten eine Bäckerei in der Ludwigstraße. Morgens, bevor ich in die Schule ging, half ich im Geschäft etwas aus. Brecht kam auf seinem Schulweg täglich hier vorbei und kaufte sich bei uns seine Frühstückssemmel. Da während des Krieges die Brotmarken knapp waren, gab ich Brecht und Müllereisert, mit dem ich damals schon lange kameradschaftlich verkehrte und durch den ich Brecht kennenlernte, oft zusätzliche Brotmarken, mit denen sich beide noch etwas besorgen konnten.

Obwohl ich jünger bin als Brecht und ins St.-Stephan-Gymnasium ging, hatte ich zur Brechtklasse im Realgymnasium guten Kontakt, zumal unser Religionslehrer in St. Stephan, Pater Dr. Sauer, aushilfsweise auch in einigen Klassen des Realgymnasiums Französischunterricht erteilte. Ich weiß, daß Brechts Einstellung ihm oft Schwierigkeiten mit den Lehrern eintrug, besonders in Deutsch und Latein. Brecht lag mit Prof. Ledermann, dem Deutschlehrer im Realgymnasium, stets quer. Aber das lag gewiß auch an der miserablen Pädagogik, die in bezug auf uns nur vaterländische und kriegsfördernde Ziele im Auge hatte. Auch ich habe mich häufig über diese faden Oberlehrerspießer geärgert.

Einige Hausaufgaben der Brechtklasse sind mir noch in Erinnerung, weil wir darüber gesprochen haben, so der Aufsatz über Schillers *Wallensteins Lager*. Brecht hatte geschrieben, daß sich das Lager im Vergleich zum heutigen Krieg wie eine Bierzeltidylle ausnehme. Diesen Brecht-Aufsatz hat Prof. Ledermann, wie ich erfuhr, in zynisch-abfälligem Ton vor der Klasse verlesen und mit der schlechtesten Note, einer Vier, zensiert. Brecht war derart erbost darüber, daß er stehenden Fußes zum Rektor ging und sich über die Zurücksetzung durch Prof. Ledermann beschwerte. Zu seiner Rechtfertigung sagte er, daß sein Aufsatz eine Deutscharbeit sei, im Deutschen aber habe Prof. Ledermann keine Fehler bemängelt. Deutschaufsätze aber müsse man nach dem Stilistischen bewerten, man dürfe nicht die im Aufsatz geäußerten Ansichten des Schülers beurteilen. Daraufhin hat Rektor Dr. Braun den ‚Fall Brecht‘ mit Professor Ledermann besprochen. Seine Meinung war, daß man die Interpretation des Stoffes nach der Art des Schülers Brecht gewiß nicht billigen könne, aber eine Drei verdiene der Aufsatz zumindest. Prof. Ledermann hat seine Benotung gezwungenermaßen revidieren müssen.

Wenn Brecht sich später auch wieder mit Schiller anfreundete, als Siebzehnjähriger war ihm Schillers Pathos verhaßt, vor allem lehnte er die patriotisch-idealistischen Leidenschaften in Schillers Dramen ab. Brecht zeigte damals seine antimilitaristische und antinationalistische Überzeugung immer deutlicher. Der Krieg mit seinen Auswüchsen und Auswirkungen beeinflußte ihn sehr stark. Er hatte in der Bleich nahe Berührung mit Fabrikarbeitern. Das war ein Arbeiterwohngebiet, wo er daheim war. Auch in der Familie hatte sich zwischen seiner und des Vaters Auffassung eine Kluft aufgetan. Obwohl der elterliche Hausstand recht einfach und ohne überhebliche Allüren war, die schlichte Wohnung der Brechts hätte ebensogut ein Werkmeister bewohnen können, verlangte der Vater familiär und nach außen hin respektierliches Benehmen von seinen Söhnen. Die ‚Spießerei‘, wie Brecht die bürgerliche Etikette nannte, stieß ihm immer wieder auf, besonders wenn aktuelle Ereignisse zur Sprache kamen. Als hervorragende Eigenart seines damaligen Wesens würde ich ein gefühlsstarkes Mitleiden am Elend anderer Menschen und ein ausgeprägtes Gespür für jene Leiden bezeichnen, die der Mensch sich selbst auferlegt."

Franz Feuchtmayr ging mit Brecht in eine Klasse:

„Einer unserer Mitschüler, Raimund Bauer, hatte in der achten Klasse ein Drama über Thomas Müntzer und den Bauernkrieg verfaßt. Seine Eltern wollten es schon während des Krieges drucken lassen und haben es, nachdem Raimund 1918 gefallen war, ihm zu Ehren nach dem Krieg veröffentlicht.

Bauer kam von Schorndorf zu uns in das Realgymnasium. Da Brecht bei uns und auch in anderen Klassen als Literaturkapazität unumstritten war, wollte Bauer sein Drama vorab nochmals von Brecht begutachtet wissen, bevor er es dem Drucker übergab. Brechts Urteil fiel vernichtend aus. Unglücklicherweise hatte Bauer seinen dramatischen Erstling in der von Brecht wenig geschätzten schillerschen Manier gestaltet. Die Kritik Brechts gegenüber Bauer war ein übler Verriß. Als Folge gab es zwischen Bauer und Brecht arge Mißstimmung. Bauer unterstellte Brecht Neid und Mißgunst. Es war mir damals schon gewiß, daß Bauer Brechts Urteil zu persönlich genommen hatte. Brecht war viel zu gesittet und freundlich, um etwa selbstsüchtig einen Mitschüler um verdienten Glanz zu bringen.

Einen Sturm im Wasserglas löste Brechts Aufsatz über *Wallensteins Lager* aus, den Prof. Ledermann uns aufgegeben hatte und worin Brecht die Schillersche Art zu argumentieren klar als ‚oberlehrerhaft‘ kennzeichnete.

Ein anderer Aufsatz behandelte das Thema ‚Warum lieben wir unser Vaterland?' Diese Arbeit brachte Brecht zu unser aller Verwunderung ein Lob ein, obwohl er kühne Überlegungen angestellt hatte: Wir liebten zwar unser Vaterland, das auch das Land unserer Muttersprache sei, müßten jedoch gleichzeitig anerkennen, daß auch andere Nationen große Männer hervorgebracht hätten, daß man auch in anderen Ländern gut leben könne und daß in Italien gewiß die Sonne schöner scheine als in Deutschland. Prof. Ledermann lobte Brechts Arbeit und betonte, daß Brecht als einziger in der Klasse das Thema begriffen habe.

In dieser Zeit gab es für Brecht nur zwei Benotungen in Deutsch, entweder er erhielt eine Eins oder eine Vier. Es kam immer darauf an, wie Brechts Eskapaden vom Lehrer aufgenommen wurden.

Schon als Siebzehn-, Achtzehnjähriger war Brecht ein eifriger Theaterbesucher. Mit Brecht war ich in dieser Zeit, bevor ich am 1. Dezember 1916 zum Militär einrücken mußte, mindestens vierzigmal im Theater, wobei Brecht sicher noch Theaterbesuche machte, von denen ich nichts wußte.

Ein Theaterbesuch war für einen Gymnasiasten keineswegs so einfach, wie es heute erscheinen mag. Vor allem brauchte man eine schriftliche Erlaubnis der Eltern, die von der Schulleitung bestätigt werden mußte. Wurde ein Schüler von einem Lehrer ohne diese Genehmigung im Theater angetroffen, so gab es Schwierigkeiten in der Schule. Eine Theaterkarte kostete damals für die Stehgalerie (ganz oben) 20 bis 30 Pfennige. Da wir bei Opern immer mit dem Textbuch ins Theater gingen, war die Galerie für uns sehr geeignet, denn dort brannten während der Vorstellung zwei Notlampen, und so konnten wir den Text oder die Partitur recht gut mitlesen.''

Karl Seidelmann berichtet über die allgemeine Einstellung und Stimmung der Schüler des Gymnasiums:

„1916 waren 44 Schüler der Schule beim Militär. Natürlich war die Kriegsbegeisterung in dieser Zeit nicht mehr so stark wie während der ersten Kriegsmonate. Aber die nationale Stimmung kurbelte man von Fall zu Fall durch Siegesfeiern und andere Veranstaltungen immer wieder neu an. Trotzdem wurden auch die von der Schulleitung veranstalteten Feierlichkeiten zunehmend lustloser und waren vielfach beeinflußt durch persönliches Leid. Die Siegesfeiern, die im Treppenhaus des Gymnasiums abgehalten wurden, ärgerten uns durch ihre zunehmende Geschmacklosigkeit. Die großen Worte der Lehrer klangen hohl, ihre Resonanz bei uns Schülern war mäßig. Auch stellte sich beim Singen vaterländisch-anfeuernder Lieder nicht mehr die erhoffte Begeisterung ein, einfach weil der Kriegsalltag den Idealismus zersetzte, was bei uns jedoch nicht zu irgendwelchen Schlußfolgerungen führte.

Am 8. November 1915 hielt Direktor Dr. Braun eine Siegesansprache anläßlich der Eroberung von Niš. Während er die verbündeten Heere mit großen Worten rühmte, sah man Tränen in seinen Augen, weil am gleichen Tag die Nachricht vom Tod seines Sohnes bei ihm eingetroffen war. Wir wußten das natürlich alle, dachten aber mehr an Spöttelei und an den schulfreien Tag, der mit der Siegesfeier verbunden war. Kaum einer von uns dachte an die Opfer, die die Siege kosteten."

Zu den vertrauten Freunden Brechts gehörte der zweieinhalb Jahre jüngere Otto Müller, der sich später Müllereisert nannte. Er war „weitaus der bestsituierte von uns allen, bewohnte allein eine große und vornehme Wohnung im Stadtzentrum und hatte einen schwerreichen

Erbonkel zum Vormund" (Münsterer, S. 27). Müller war einer der wenigen, die sich die Freundschaft des Dichters bis zu dessen Tode erhalten konnten. Unter dem ärztlichen Bulletin, das 1956 Brechts Tod bekanntgab, stand sein Name neben denen dreier weiterer Ärzte. – Müller hatte am 1. Dezember 1917 das Gymnasium von St. Stephan verlassen und war danach als Freiwilliger und Fahnenjunker dem 4. Feldartillerieregiment beigetreten. Seine Erinnerungen an den jungen Brecht bergen zwar einen zeitlichen Irrtum – die Klassenarbeit zu dem Thema „Dulce et decorum est pro patria mori" wurde nicht in der Sekunda, sondern in der Unterprima geschrieben –, sind jedoch sachlich außerordentlich aufschlußreich:

„Der erste öffentliche Fähigkeitsnachweis, eine hoffnungslose Lage durch logische Schlüsse zu meistern, gelang Brecht als unscheinbarer Tertianer. Bertolts schwacher Punkt war das Französisch. Sein Freund Max schwitzte im Latein. Für beide war die letzte Klassenarbeit ausschlaggebend, bei dem einen die ‚Comédies de Molière', bei dem anderen Cäsars ‚Bellum Gallicum'. Als Max seine Lateinarbeit mit einer 3–4 zurückerhielt und sein Geschick besiegelt sah, griff er zum Messer und entschabte einen der Fehler, erhob sich alsdann protestierend und forderte Gerechtigkeit. Der Professor hielt das Blatt mit der Linken gegen das Fenster, sah die schwache Stelle und ließ die Rechte auf Maxens Backe niedersausen.

‚So geht's nicht', erkannte Brecht. ‚Vielleicht aber umgekehrt!' Jedenfalls traf er seine Vorbereitungen. Sein Molière-Produkt erzielte acht Tage später auch nur ein knappes ‚Mangelhaft'.

Brecht aber zückte das Messer nicht. Er tauchte die Feder

in rote Tinte und malte zwei dicke Querbalken in seine
Arbeit. Dann erhob er sich und bat um Aufklärung. Was
hier falsch sei? Der Studienrat strich prüfend seinen Bart:
‚Ein Versehen, mein Sohn. Das ist kein Fehler!‘ – ‚Dann
darf ich aber wohl um eine Verbesserung meiner Note
bitten, da Sie mich irrtümlich benachteiligt haben.‘ Der
ahnungslose Studienrat konnte sich dieser Logik nicht
verschließen und änderte das Prädikat in ‚Genügend‘...
Schon in der Schule waren Brechts Leistungen von der
Sexta bis zur obersten Klasse lebhaft umstritten. In einigen Fächern glänzte er unter den Besten, in anderen
schaffte er zum Jahreszeugnis gerade noch eine schwache
3 und rutschte damit bei den gefürchteten Versetzungs-
konferenzen schlecht und recht durch.
Weit über dem Herkömmlichen standen seine Aufsätze –
auch die, denen der Lehrer manchmal ein grellrotes ‚Ungenügend wegen herausfordernder Bearbeitung‘ als Prädikat erteilte. Brecht war schon in der ersten ‚Sie‘-Klasse
eigenwillig genug, die gestellten Themen nach eigener
Überzeugung abzuhandeln, und geriet dadurch mit den
geheiligten Überlieferungen des Schulaufsatzes in Zen-
surkonflikte. Das Standardthema jeder Sekunda ‚Dulce
et decorum est pro patria mori‘ fand in seiner Klassenarbeit etwa folgenden Niederschlag:
‚Der Ausspruch, daß es süß und ehrenvoll sei, für das
Vaterland zu sterben, kann nur als Zweckpropaganda ge-
wertet werden. Der Abschied vom Leben fällt immer
schwer, im Bett wie auf dem Schlachtfeld, am meisten
gewiß jungen Menschen in der Blüte ihrer Jahre. Nur
Hohlköpfe können die Eitelkeit so weit treiben, von
einem leichten Sprung durch das dunkle Tor zu reden,
und auch dies nur, solange sie sich weitab von der letzten
Stunde glauben. Tritt der Knochenmann aber an sie

selbst heran, dann nehmen sie den Schild auf den Rücken und entwetzen, wie des Imperators feister Hofnarr bei Philippi, der diesen Spruch ersann' " (Müllereisert).

Ludwig Wiedemann, ein Klassengefährte Brechts bis zum Abitur, schildert die Episode mit dem Horaz-Aufsatz wie folgt:

„Im Herbst 1917 mußte ich nach dem Abitur, zusammen mit Walter Brecht, zum 3. Infanterieregiment einrücken. Obwohl ich einst als guter Turner mit einem Satz über die Palisadenwand springen konnte, war ich, als ich zum Militär kam, so schwach, daß ich kaum das Gewehr richtig mit einer Hand hochhalten konnte. Die damalige kritische Ernährungslage in Bayern hatte uns so weit entkräftet. Nach zwei Monaten kam ich an die Westfront. Auf einer Gulaschkanone sitzend, durfte ich mit nach vorn, in die Kampfzone, fahren. Dabei saß ich auf einer großen langen Kiste. Auf meine Frage, wozu diese Kisten an der Front gebraucht würden, antwortete mir der Versorgungssoldat, daß damit auf der Rückfahrt Tote von der Front nach hinten befördert würden. Bald danach, als ich auf Posten stand, vermittelte mir ein französischer Angriff erste Kriegserfahrung. Trotz der Schießereien hörte ich ein Schrillen: es war Gasalarm. Ich war aber noch ohne Gasmaske, weil ich als Frontneuling noch keine erhalten hatte. Bald merkte ich den süßlichen Gasgeruch. Ich preßte das Taschentuch vor Mund und Nase und rannte zurück. Zum Glück stülpte mir dabei ein älterer Kamerad die Gasmaske eines Toten über, so entging ich dem Tod fürs Vaterland.

Als das damals vorbei war, habe ich an meinen Mitschüler Eugen Brecht denken müssen, an seinen Antikriegsaufsatz nach einem Horaz-Vers. Auch ich hatte ja, wie Brecht, das klassische Aufsatzthema ‚Dulce et decorum est pro patria mori' behandelt. Es war im Jahre 1916. Ich schrieb damals in patriotischer Begeisterung, daß ich bereit sei, für das Vaterland zu sterben, in diesem Sinne schwärmte ich dann vom Heldentod. So dachten wir ja alle. Ganz anders hingegen äußerte sich Brecht in seinem Aufsatz. Wir staunten damals über seinen Mut. Aber gleichzeitig begriffen wir es nicht, was ihn dazu bewegt haben konnte, seinen Aufsatz derart abzufassen."

Auch Groos erinnert sich der Episode:

„Unser Lateinlehrer Konrektor Dr. Gebhard, ein ehrwürdiger Altphilologe, wurde von Brecht und auch von uns allen sehr geachtet. Er war einer der ganz wenigen Lehrer, die Brechts Andersgeartetsein begriffen. So beschäftigte sich Dr. Gebhard im Unterricht oft mit Brecht, sie unterhielten sich wie Ebenbürtige, Dr. Gebhard sprach dabei mit Brecht ohne jede Überheblichkeit, Brecht wurde von ihm voll anerkannt. Er war auch der einzige Lehrer, bei dem Brecht mit Eifer im Unterricht mitarbeitete. Zu den Übersetzungen des Horaz konnte Brecht oft ganz neue Wendungen vorschlagen, und Dr. Gebhard hörte man dann zustimmend sagen: ‚Gar nicht schlecht, so könnte man es auch machen.' Gerade deshalb war wohl die Entrüstung Dr. Gebhards, nachdem er Brechts Aufsatz mit dem Thema des Horaz-Verses durchgesehen hatte, so bemerkenswert. Brecht schrieb damals, in dieser soldatischen Hochstimmung am Gymnasium, daß es keineswegs süß und ehrenvoll sei, fürs Vaterland zu sterben, nur Hohlköpfe könnten so denken.

Der Auftritt Gebhards ist mir noch gut in Erinnerung. Brecht saß im Klassenzimmer ganz hinten links, nahe beim Fenster. Mit gesenktem Kopf ließ er die rektorale Zurechtweisung über sich ergehen, schmal und unscheinbar stand er da, wie es einem schuldbewußten Schüler

K. Realgymnasium Augsburg.

Jahreszeugnis.

Eugen Brecht,

Sohn des *Kistenfabrikant Herrn Berthold Brecht*

in *Augsburg* , K. Bez.-Amts

geboren am *10. Februar 1898* zu *Augsburg* , K. Bez.-Amts

protest. Konfession, hat im Schuljahre 19*15/16* die *sechste* Klasse, Abt. —, besucht

Sein Fleiß hat im ganzen entsprochen, seine Leistungen
waren öfters auch nur in allgemeinen zufriedenstellend.
Sein Betragen war nicht tadelsfrei. Wegen Nachahmung
gegen die Schülzucht wurde er vom Lehrerrat gegen
ihr eine Schülstrafe ausgesprochen.

Seine Fortschritte sind:

in der Religionslehre	*gut,*
in der deutschen Sprache	*gut,*
in der lateinischen Sprache	*gut,*
in der französischen Sprache	*genügend,*
in der englischen Sprache	*genügend,*
in der Mathematik	*genügend,*
in der Physik	*genügend,*
in der Naturkunde	
in der Chemie	*genügend,*
in der Geschichte	*gut,*
in der Geographie	
im Zeichnen	*genügend,*
im Turnen	*gut.*

Die Erlaubnis zum Vorrücken in die nächsthöhere Klasse hat er *erhalten.*

Vermerk in:

Bemerkung: Nach § 20 Abs. 2 der Schulordnung hat der Vermerk die Folge, daß der Schüler aus der nächsten Klasse nicht vorrücken darf, wenn er im gleichen Fache abermals die Note „ungenügend" erhält.

Augsburg, am 1*5.* Juli 191*6.*

Der K. Rektor

Braun

Gebühr 50 Pfg.

Notenskala:

1 = sehr gut.
2 = gut.
3 = genügend.
4 = ungenügend.

Der Klaßleiter

Schirmer

Brechts Jahreszeugnis 1915/16

anstand. Gebhard donnerte, wie es einer wagen könne, der da glaube, ein Dichter zu sein, sich an Horaz zu vergreifen. Schon einmal habe die Schule einen Dichter dimittieren müssen. Wir wußten natürlich alle, daß damit Ludwig Ganghofer gemeint war, der 1871/72 vom Realgymnasium Augsburg verwiesen worden war. Gebhard schrie: ,Geben Sie mir sofort mein Buch zurück!' Er hatte Brecht vorher in väterlicher Freundschaft aus seiner Privatbibliothek ein Buch geliehen. Nicht allein der Ärger über den kühnen Inhalt des Aufsatzes war es, der Gebhard derartig erregte, es war, wie er meinte, die Beleidigung, die Brecht dem Horaz angetan habe. Was die Lehrerschaft allgemein damals derart in Aufruhr versetzte, war wohl auch ihr schlechtes Gewissen. Sie alle schwärmten uns ja täglich vom Heldentod als einer großen Tat vor, und so bezogen sie den Ausdruck ,Hohlköpfe' wahrscheinlich direkt auf sich.

Man wollte Brecht 1916 allen Ernstes wegen des Aufsatzes aus der Schule entlassen. Daß Brecht die Anstalt dennoch weiterbesuchen durfte, verdankte er insbesondere dem zu jener Zeit einunddreißigjährigen Benediktinerpater Romuald Sauer von St. Stephan, der als Studienrat Eduard Sauer bekannt war. Dr. Sauer gab am Gymnasium für Lehrer, die im Kriege waren, aushilfsweise Französischunterricht in der 5. und 6. Klasse. Er war es, der im Lehrerkollegium sein Votum für den Schüler Brecht abgab. ,Ein durch den Krieg verwirrtes Schülergehirn' soll er, den Achtzehnjährigen entschuldigend, gesagt haben. Brecht erhielt daraufhin vom Lehrerrat nur eine Schulstrafe wegen Verstoßes gegen die Schulsatzung. Die Strafe wurde natürlich im Jahreszeugnis vermerkt. Aber das war besser, als vom Gymnasium verwiesen zu werden.

Für den Pater war der junge Brecht ein Bekannter aus der Nachbarschaft. Der zwölfeinhalb Jahre Ältere war in der Frühlingsstraße aufgewachsen. Sicher war sein Eintreten für den Brechtsohn vor allem nachbarliche Konzilianz. Von der Intervention des Paters im Lehrerkollegium hat Brecht erst nachträglich erfahren. Dr. Sauer war einer der wenigen Lehrer des Gymnasiums, die er später noch eines Blickes und Grußes für wert erachtete."

Das Jahreszeugnis des Realgymnasiums, ausgestellt am 15. Juli 1916, vermerkt den Zusammenstoß Brechts mit der Lehrerschaft wie folgt:

„Sein Fleiß hat im ganzen entsprochen, seine Leistungen waren daher auch nur im allgemeinen zufriedenstellend. Sein Betragen war nicht tadelfrei. Wegen Verfehlung gegen die Schulsatzungen wurde vom Lehrerrat gegen ihn eine Schulstrafe ausgesprochen."

Marie A.

Im Jahre 1916 befreundete sich der achtzehnjährige Brecht mit der in Augsburg geborenen Schülerin Marie Rose Aman. Das Gedicht *Erinnerung an die Marie A.* zeugt von jenem Liebeserlebnis. Marie Rose Aman erzählt:

„Im Frühsommer 1916 wurde mir in einer kleinen Eisdiele Eugen Brecht vorgestellt. Ich war vom ersten Augenblick an beeindruckt von den ausgezeichneten Manieren des Gymnasiasten, von seinen Kulleraugen, die heimlich nach mir schielten. Davon hatten jedoch die Mitschülerinnen, die an meinem Tisch saßen, nichts bemerkt. Und tatsächlich steckte er mir noch zur gleichen Stunde einen Zettel zu, auf dem er mir ein Kompliment über mein langes Haar machte und mich eindringlich um ein Rendezvous bat.

Wir sahen uns hernach wie zufällig einige Male. Nach den Ferien holte mich Brecht täglich vom Englischen Institut ab, der höheren Mädchenschule. Man hatte uns natürlich bemerkt, dadurch bekam ich oft Vorhaltungen von den Schwestern. Sie duldeten es nicht, daß eine ihrer Schülerinnen von einem jungen Mann so augenfällig hofiert wurde. Auch mit meinen Eltern gab es Schwierigkeiten. Schließlich wurde ich wegen meines Verehrers zum Präses Steinhardt ins Gesellenhaus in der Frauentorstraße bestellt. Am darauffolgenden Tag sprach Brecht bei dem Geistlichen vor. Die Köchin wollte Brecht anmelden. Aber das war nicht nötig. Brecht betrat direkt hinter der Köchin das Zimmer des Präses. Eugen erklärte, daß es ihm Ernst sei mit mir, er wolle mich heiraten. Worauf der Präses erklärte, wenn sich das so verhalte, dann habe er persönlich nichts dagegen.

In der Nähe der Kahnfahrt, am Stadtgraben, erhielt ich damals von Eugen ganz plötzlich meinen ersten Kuß. Ich war darüber derart erschrocken und verstört, daß ich Brecht zurückstieß. Entschuldigend sagte ich dann, es sei Angst gewesen, weil ich nicht genau wüßte, ob ein Kuß Folgen haben würde. Da sagte Brecht: ‚Mein liebes Kind, du mußt zu deiner Mutter gehen und dich aufklären lassen. Mir kommt das nicht zu.'

In Schülerkreisen wurden damals über Brecht unmögliche Dinge verbreitet. So sollte er die Bibel und den Katechismus verbrannt haben. Ich habe darüber mit ihm nicht gesprochen.

Später besuchte ich Brecht einige Male in seiner Mansarde, die mir wegen ihres Boheme-Charakters noch in Erinnerung ist.

Einmal sagte mir Brecht, er werde mir später nur noch einen Hut jährlich genehmigen, mich dafür aber im Laufe der Zeit mit sieben Kindern überraschen.

Eugens Mutter mochte ich sehr, sie schenkte mir sofort ihr Vertrauen. Manchmal las ich ihr aus einem Buch vor."

Marie Rose hatte ein Album, in das Brecht einige Verse schrieb. Das Album und einige Briefe an sie sind während der Luftangriffe auf Augsburg im zweiten Weltkrieg verbrannt.

Oberprima

Mit der Klasse IX begann für Brecht am 19. September 1916 das letzte Jahr im Königlichen Realgymnasium zu Augsburg. Zwei Wochen vor den Osterferien, Ende März 1917, legte er das Kriegsnotabitur ab. Bereits Ende 1916 waren 16 Schüler der Klasse eingezogen worden. Damit befanden sich 21 Klassenkameraden Brechts im Militärdienst.

Leiter der Klasse IX war Prof. August Frobenius (Sen.), Lehrer in Chemie. Deutsch und Geschichte erteilte Dr. Richard Ledermann. Die Klassen VIII und IX wurden jetzt in allen Fächern gemeinsam unterrichtet. In Mathematik und Physik kamen seit Februar 1917 noch die Schüler von St. Anna hinzu, im Turnunterricht die Schüler von St. Stephan. Im Lehrplan stand u. a.:

Religionslehre (protest.): Johannesevangelium; Verfassung der Landeskirche; Glaubens- und Sittenlehre.

Deutsche Sprache: Schiller, „Maria Stuart", „Demetrius"; Kleist, „Hermannsschlacht", „Der zerbrochne Krug"; Goethe, „Torquato Tasso", „Götz von Berlichingen".

Hausaufgaben:

1. „Welche Gründe macht Maria Stuart in ihrer Unterredung mit Burleigh (I. 7) gegen ihre Verurteilung geltend?"
2. „Inwiefern hat sich Deutschland im gegenwärtigen Kriege als Meister der Organisation gezeigt?"
3. „Gedanken des deutschen Volkes an der Jahreswende 1916/17. Rückblick und Ausblick."
4. „Mit welchem Rechte wird Kleists *Hermannsschlacht* ein Charakterdrama genannt?"
5. „Der Lorbeerkranz ist, wo er dir erscheint,
Ein Zeichen mehr des Leidens als des Glücks (*Tasso*)".
6. „Inwiefern hat man die Kriegszeit mit Recht eine große, schreckliche, herrliche Zeit genannt?"

Außerdem gemeinsam mit Klasse VIII:

„Abschiedsbrief eines Kriegsfreiwilligen an seine Angehörigen."

„Unglück selber taugt nicht viel; doch es hat drei gute Kinder: Kraft, Erfahrung, Mitgefühl."

Lateinische Sprache: Tacitus, „Germania"; Cicero, 1., 2. und 3. Rede gegen Catilina; Horaz, Oden I: 1, 3, 10, 14, 22, 37, 38; II: 3, 10, 15; III: 1–6, 13; IV: 3, 5; Epoden 2; Satiren I: 1, 6; Episteln I: 2, 13, 20.

Französische Sprache: Molière, „Les Femmes Savantes"; Ausgewählte Essais (Velhagen).

Englische Sprache: Shakespeare, „Merchant of Venice"; „The Day of the Saxon" by Homer Lea.

Geschichte: Von der Französischen Revolution bis auf die neueste Zeit mit besonderer Berücksichtigung der bayerischen Geschichte.

Jungmannschaftsübungen fanden alle 14 Tage mittwochs und samstags statt. Aus der Brechtklasse IX beteiligten sich daran noch 2 Schüler. Im Wehrkraft- und Wandervogelverein war kein Schüler der Klasse IX mehr dabei.

Im Oktober 1916 besuchten die Klassen VIII und IX eine „Zum Besten der Augsburger Kriegsfürsorge" veranstaltete Ausstellung von Grabdenkmälern. Zwecks kunstgeschichtlicher Unterweisungen wurden der Dom, die Ulrichs-, Kreuz-, Anna- und Dominikanerkirche sowie das Rathaus und das Fuggerhaus besucht. Der Fall der rumänischen Landeshauptstadt Bukarest war Anlaß für eine Schulfeier am 9. Dezember 1916. Am Mai-Ausflug nahm Brecht nicht mehr teil.

Das Kgl. Kultusministerium übergab der Schule 92 Exemplare des Buches *Prinz Heinrich von Bayern. Das Lebensbild eines Frühvollendeten* von Dr. M. Pfeiffer zur Verteilung an würdige Schüler und solche, die bereits im Heer standen. Zum gleichen Zweck erhielt die Anstalt von einer Frau Kommerzienrat Claus die Schrift *Deutsche studierende Jugend! Was erwartet von Dir der Kaiser?* Zur „Bekundung ihres patriotischen Sinnes" beteiligten sich die Lehrer mit ihren Klassen an der Nagelung eines Kriegsschildes. In Augsburg war das Kriegsschild eine Holzsäule, auf der oben ein Engel angebracht war. Wer Geld für den Krieg spendete, durfte einen Nagel in die Säule einschlagen. Für größere Spendenbeträge wurde im oberen Teil der Säule ein Extraplatz frei gehalten. Die Nagelspende der Schule ergab im Juli 1916 361 Mark. Ferner beteiligten sich die Schüler an einer Goldsammlung, die Gegenstände im Wert von 2518 Mark und Goldstücke im Wert von 240 Mark einbrachte. Bei einer Altmaterialsammlung wurden 120 Kilogramm Weißblech und ähnliches gesammelt, eine Kaffeesatzsammlung brachte 53,5 Kilogramm ein.

Nach Ostern 1917 leisteten viele Schüler aus den Klassen V bis IX Kriegshilfsdienst in der Stadtverwaltung, im Handwerk und in der Landwirtschaft.

Freunde

Über Brechts Freundschaften und das Freundesleben in dieser und der folgenden Zeit gibt es zahlreiche Zeugnisse. Neher war im Krieg, doch nachdem er verschüttet gewesen war, kam er Ende Mai 1917 auf Urlaub und verrichtete vom 12. Juni an Garnisonsdienst, ehe er Anfang August 1917 wieder an die Front geschickt wurde. Gehweyer war noch da, mit dem Brecht 1914 Kriegsspendenkarten verfertigt hatte; bis zu seinem Militäreintritt Anfang 1918 war auch Müller noch da. Sie und Georg Geyer, Rudolf Prestel, Rudolf Hartmann, Max Hohenester und Otto Andreas Bezold bildeten den Freundeskreis, in den natürlich je nach Gunst und Anlaß auch andere Schulkameraden einbezogen wurden. Einer war nicht vom Gymnasium: der vier Jahre ältere Georg Pfanzelt, ein Spielkamerad aus der Bleich, den Brecht George oder Orge nannte, „klein, leicht hinkend und hintergründig, der Merck und Mephistopheles dieses Kreises, dessen süffisanten Einwänden Brecht zeitlebens großes Gewicht beimaß" (Münsterer, S. 25/26). Ihm widmete Brecht 1922 sein erstes Stück *Baal*, auf ihn beziehen sich mehrere Gedichte der *Taschenpostille* und *Hauspostille* von 1926 beziehungsweise 1927. – Im Herbst 1917 (Brecht war schon Student) trat der Gymnasiast Münsterer in den Freundeskreis.

In den folgenden Erinnerungen der seinerzeitigen Freunde und Gefährten Brechts gibt es vereinzelte Unschärfen. Der eine glaubt, schon im Frühsommer 1917 in Brechts

Freundeskreis auf Münsterer gestoßen zu sein, der andere erzählt Dinge, die womöglich nicht dem letzten Schuljahr Brechts, sondern seiner Studentenzeit zuzuweisen sind, usw. Spätestens an diesem Punkt zeichnen sich innerhalb der Möglichkeiten unseres Buchs gewisse Grenzen ab: Wir haben – ob in langen Gesprächen, brieflich oder (selten) am Telefon – Gefährten des jungen Brecht interviewt. Doch als wir das taten, waren die Interviewten ältere oder alte Menschen. Das Alter erinnert sich an Begebenheiten, Gesichter, Aussprüche, auch an Meinungen und Gesinnungen von einst, färbt sie ein, färbt sie um nach dem Maß des Erlebten, Erfahrenen, des Standpunkts – am geringsten erinnert es sich jedoch, sofern keine Notizen, Briefe oder Tagebücher vorhanden sind, des Zeitpunkts. Das Datum ist grau, Farbe hat allein das unvergeßne Ereignis. Wir können und wollen nur berichten, was wir ermittelten. Widersprüche im einzelnen sind uns bewußt – wir mochten sie jedoch, um den überhaupt möglichen Grad von Authentizität zu bewahren, nicht verschütten.

Widmung für Ernestine Müller

Wahrscheinlich Ende 1916 befreundete sich Brecht mit Ernestine Müller. Ihr widmete er mit den Worten „Meinem lieben Mädel zu Weihnachten 1916 Eugen Brecht" einen etwa 300 Seiten umfassenden Gedichtband mit dem Titel *Deutsche Liebeslieder*. Der von Walter Weihardt zusammengestellte und von Hugo Gugg ausgeschmückte Band vereinigte deutsche Liebeslieder vom 12. bis zum 20. Jahrhundert.

Ernestine war die Cousine des Schulfreundes Rudolf Hartmann. Der achtzehnjährige Brecht lernte das Mädchen bei Hartmann, der in der Müllerstraße 14 wohnte, kennen:

„In der Zeit, als Brecht mit Rudolf Hartmann ins Realgymnasium ging, war ich mit beiden befreundet. Ich ging zu St. Ursula in die Schule. In Erinnerung sind mir die beiden Brecht-Brüder auch vom Äußeren her. Walter war immer tipptopp gekleidet, im Gegensatz zu Eugen, der auch in seiner Kleidung oft ein wenig exzentrisch wirkte. Aber solange ich Eugen kannte, war er stets vornehm und aufmerksam als junger Mann. In der Schule, das wußten wir alle, war er sehr tüchtig. Ein Ausspruch Brechts aus dem Jahre 1917 ist mir noch wörtlich in Erinnerung: ‚Ich muß berühmt werden, damit ich den Menschen zeigen kann, wie sie wirklich sind.'"

Die Zuneigung Brechts zu Ernestine fand Niederschlag in einer Reihe ihr gewidmeter Gedichte, die, wie sie sagt, knapp dreißig Jahre danach im Bombenhagel des zweiten Weltkrieges verbrannten. Das einzige Gedicht, das noch in ihrem Besitz ist, trägt den Titel *Romantik*.

Zu Silvester 1916 schickte Brecht an Heiner Hagg folgende Einladung:

Lieber Heinz!

Es geht heute Montag abends 6^h in den Eisladen visa-vis der Heilig † Kirche in der Kreuzstraße. Réunion der Sylvesterspukgestalten. Hast Du Punschessenz? Nötig: Trinkbecher. (Schlitten.) Holz (im Rucksack).

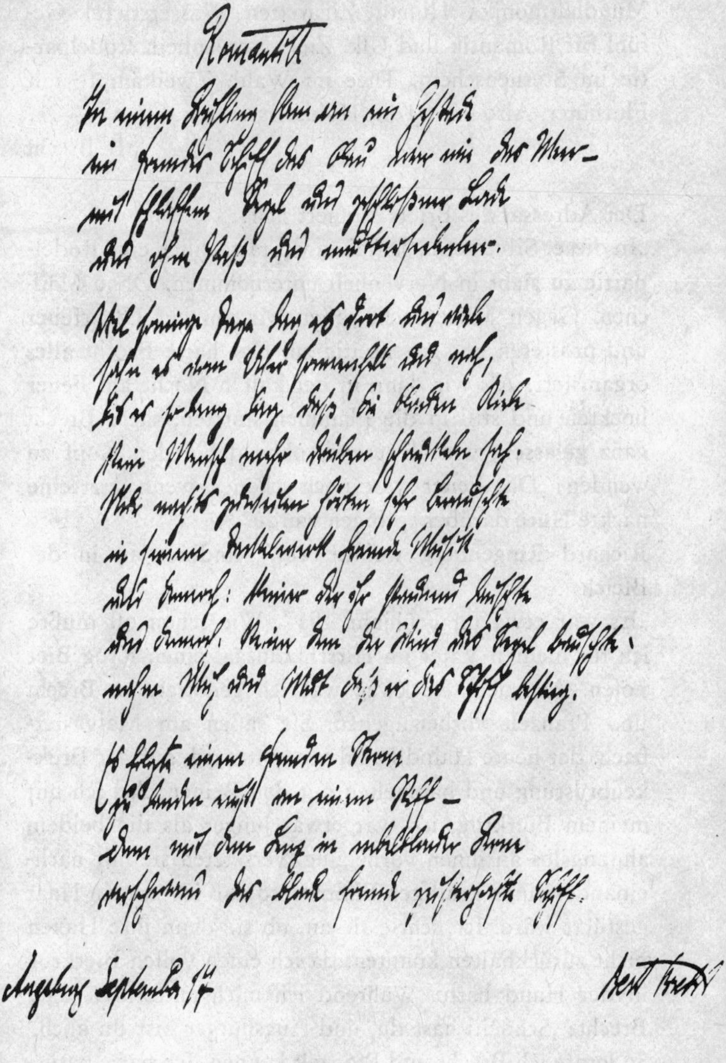

Romantik

Augsburg September 17

Bert Brecht

Handschrift des Gedichts „Romantik“

Mundharmonika. Humor. Zigaretten. Wasserstiefel. Gefühl für Romantik und Ulk. Ziel: Nervenheil. Rodelpartie im Sternenschein. Thee im Wald. Zweikämpfe mit Flurhüter. Also um 6 Uhr. Holdseligster!

B. Brecht

Der Adressat des Briefs erinnert sich:

„In dieser Silvesternacht haben wir tatsächlich eine Rodelpartie zu siebt in Nervenheil unternommen. Ohne Mädchen. Gegen Mitternacht saßen wir um ein Lagerfeuer und prosteten uns gegenseitig zu. Das hatte Brecht alles organisiert. Als wir dann in der kalten Nacht am Feuer hockten und still in die Flammen starrten, sagte Brecht ganz gelassen, wie abwesend, ohne dabei den Kopf zu wenden: ‚Das Feuer wäre noch schöner, wenn jetzt eine nackte Hure darüber springen würde.‘ "

Richard Ringenberg wohnte von Kindheit an in der Bleich:

„Es war etwa im Frühjahr 1917. Wie schon oft mußte ich für meinen Vater im Hirschbräusaal einen Krug Bier holen. Auf dem Rückweg war ich genötigt, an Brecht und Pfanzelt vorbeizugehen. Sie saßen am Malvasierbach, der heute Haindlkanal genannt wird, auf der Brückenbrüstung und baumelten mit den Beinen. Als ich mit meinem Bierkrug, ich war etwas jünger als die beiden, ahnungslos an ihnen vorbeiging, versetzten sie mir nacheinander einen kräftigen Fußtritt, so daß ich um ein Haar gestürzt wäre. Ich schrie sie an, ob sie denn ihre Haxen nicht zurückhalten könnten, da ich einen vollen Bierkrug in der Hand hätte. Während ich mich entfernte, sagte Brecht: ‚Schneid hast du, und Augsburger bist du auch.‘ So lernte ich Brecht und Pfanzelt kennen. Ich hatte natürlich weiterhin ein wachsames Auge auf die beiden. Nach diesem Vorfall aber war mir Brecht wohlwollender gesonnen und hatte später nichts dagegen, wenn ich bei ihnen stehenblieb und zuhörte, wie er sich mit Pfanzelt unterhielt. Sie hatten eine ganz eigene Art zu blödeln, die sehr viel Geist erforderte und kaum wiederzugeben ist. Pfanzelt wohnte in der Klauckestraße 20. Er war vier Jahre älter als Brecht und ruhiger. Er hatte einen Klumpfuß und wurde deshalb auch nicht zum Militär eingezogen. Während der Sommerabende spazierten die zwei bis in die Nacht am Ufer des Stadtweihers entlang, die Frühlingsstraße auf und ab, und diskutierten. Einmal sah ich, wie Brecht auf Pfanzelt einsprach und aufgeregt gestikulierte. Ich hörte sodann Brecht rufen: ‚Wer das nicht versteht, der kann mich überhaupt nicht begreifen!‘ Auch erinnere ich mich noch, daß Brecht stehenblieb und mit dem Fuß aufstampfte und Pfanzelt anschrie: ‚Nein! Ich habe recht!‘

Wenig später sah ich sie einmal auf dem Geländer des Stadtgrabens sitzen und die *Ballade von den Selbsthelfern* singen, so wurde dieses Lied von Brecht genannt. Pfanzelt war sehr musikalisch. Er konnte gut Klavier und Gitarre spielen. Aus dem Stegreif vertonte er mit Brecht zusammen, singend und mit der Gitarre Melodien spielend, Texte von Brecht. Pfanzelt liebte hauptsächlich klassische Musik. Bei seinem Talent war es schade, daß er als städtischer Verwaltungsbeamter seinen Lebensunterhalt verdienen mußte. Ich war ein Jahr mit ihm in einer Behörde zusammen tätig, dabei lernte ich ihn näher kennen.‟

Auch Friedrich Mayer wuchs mit Brecht in der Bleichstraße auf:

„Eugen Brecht hatte originelle Angewohnheiten. So konnte ich immer wieder beobachten, wie er plötzlich in die Jackentasche griff, einen Zettel hervorzog und sich etwas notierte. Er hatte stets Papier und Bleistift bei sich. Wenn ihm im Gespräch oder beim Lesen ein interessantes Wort auffiel, so schrieb er es sich sogleich auf und legte die beschriebenen Zettel in einem Zettelkasten ab. Beiläufig erklärte er mir dazu einmal, daß ihn die Einfälle überfluteten und er sie oft nicht rasch genug festhalten könne, obwohl er bedächtig sprach und schrieb. Wenn er zum Beispiel etwas diktierte, tat er es sehr zurückhaltend, so, als überlegte er sich jedes Wort.

Brecht war ein Peripatetiker, Aristoteles wurde viel genannt. Im Gehen hätte er die meisten Einfälle, sagte er einmal. In seinem Zimmer ging er zumeist auf und ab, oder er promenierte mit Freund Pfanzelt auf der Frühlingsstraße am Schwanenteich entlang. Dann spazierten sie immer in einem Rundgang vorbei an Brechts Wohnhaus bis zum Fünfgradturm und wieder zurück. Der Fünfgradturm ist ein Reststück der ehemaligen Stadtbefestigung. Damals sagte Brecht überschwenglich, daß er sich diesen Turm später als Dichterstube reservieren lassen werde.

Über seine Verse und deren Entstehung sprach Eugen oft und ohne Geheimnistuerei. Manchmal formte er das Vorgetragene mit uns unmittelbar auf der Straße um und notierte sich den neugefundenen Text auf einem Zettel. Manche Schulkameraden und auch andere verstanden seine Theorien und was ihm dabei vorschwebte nicht immer, deshalb suchte er auch immer wieder neue Zuhörer. Sein Scharfsinn setzte bei seinen Anhängern Verstand und Urteilskraft voraus. Er sagte, daß er sich abmühe, eine Sprache zu finden, die auch die einfachsten Menschen verstehen könnten. Die Einfachheit des Ausdrucks hatte es ihm besonders angetan: ,Ihr wißt ja nicht, was es heißt, bis etwas so einfach formuliert ist, da sitze ich manchmal tagelang daran.'

Etwas kindlich Einfaches fand er faszinierend, weil sich solche Texte jeder merken könne. Da nannte er mir einmal als Beispiel die Volkslieder *Die lustigen Holzhackerbuben, Die Tiroler sind lustig* und das Kinderlied *Wer will unter die Soldaten.* Ein anderes Mal äußerte er sich über ein Gedicht eines Schulkameraden: ,Ein Dichter muß in Bildern denken und dann diese Bilder beschreiben, nicht umgekehrt.'

Einmal saß ich lange mit Brecht auf dem Eisengeländer des Schwanenteiches. Wir unterhielten uns übers Theater. Er war damals als Neunzehnjähriger ganz besessen von der Idee, daß Theater, nach Schillers Forderung, eine moralische Wirkung besitzen müsse. Solche Gedanken wolle er in der Jetztzeit verwirklichen, dafür wolle er eintreten.

In das Bleichviertel, wo wir wohnten, kam regelmäßig ein Ausrufer mit einem Handwagen und verkaufte Fegesand. Wenn dieser Mann in die Bleichstraße einbog und Brecht hörte den Ruf ,Feeegsand! – Feeegsand!', dann kam er sogleich auf die Straße heruntergesprungen und sprach mit dem Sandverkäufer. Beide schienen aneinander Gefallen gefunden zu haben. Mit dem Milchmann war es ähnlich. Da kamen die Frauen mit ihren Kannen und Töpfen aus den Häusern und holten Milch oder Sahne. Schon stellte sich der achtzehnjährige Brecht dazu, redete mit ihnen oder hörte dem Milchmann und den Frauen zu, wie da miteinander getratscht wurde. Die Umgangssprache hatte es ihm angetan. Von den Ausdrücken und Redewendungen der Handwerker, Straßenhändler und Viehtreiber (die es ja damals noch gab) war er magisch angezogen.

Unter den frühen Arbeiten Brechts gibt es das Gedicht *Von der Unschädlichkeit des Alkohols*. Als ich es las, fiel mir ein Kindervers ein, den wir damals in der Bleich immer aufgesagt haben, weil er den gleichen Rhythmus hat wie das Gedicht:

> Es war einmal ein Mann,
> Der hatte einen Schwamm,
> Der Schwamm war ihm zu naß,
> Da ging er auf die Gaß.

Ich war erstaunt, wie verdichtet bei Brecht die einfache Sprache des Volkes und der Kindheit wiedererscheint."

Franziska Pfanzelt, die spätere Lebensgefährtin des „Orge", war von 1917 bis 1923 in der Leihbücherei Steinicke beschäftigt. Sie war eines der „lustigen Steinicke-Mädels", von denen Münsterer berichtet und mit denen der Brecht-Kreis angebändelt hatte:

„Wir waren drei Mädels in der Leihbibliothek: Käthe Hupfauer, das Fräulein Grassold und ich. In dem Laden in der Ludwigstraße hatten wir einen Buchbestand von ca. 4000 Bänden, darunter Klassiker, Romane und Erzählungen. Wir waren sehr modern sortiert. Zu den fleißigsten, wenn auch nicht zu den gutzahlenden Kunden gehörten Bert Brecht und seine damaligen Freunde, darunter Otto Bezold, Herr Münsterer und mein späterer Mann. Die jungen Herren hatten meist kein Geld, insbesondere schien Brecht sich mit Geld nicht viel zu beschäftigen, er war auch sehr bescheiden. Wenn er zu uns kam, schaute er sich verschiedene Bücher an und las sie oft gleich im Laden. Wie ich mich erinnere, bevorzugte Brecht damals Kriminalromane und die Lektüre van de Veldes. Meist brachte er die Bücher jeweils schon nach einem Tag zurück und nahm neuen Lesestoff mit. Sein Leschunger war gewaltig, so daß es oft schwer wurde, seine Wünsche zu erfüllen. Wir hatten noch eine sehr schöne Filiale am Königsplatz. Dort führte eine kleine Treppe in einen Kellerraum hinab, wo vom Inhaber eine kleine, aber gut sortierte Erotikabibliothek unterhalten wurde. Diese Bücher lieh der Chef nur an bestimmte Kunden aus. Übrigens war er Mitglied einer Augsburger Loge.

Wir drei Mädels hatten uns im Laufe der Zeit mit der Brechtclique recht eng befreundet. Wir waren schließlich eine richtige verschworene Gemeinschaft. Wir gingen zusammen ins Theater, machten Landpartien, besuchten den Plärrer, durchzogen in ausgelassener Stimmung die Straßen der nächtlichen Altstadt und gingen zum Kahnfahren. Einmal blieb unser Kahn im Sumpf des Stadtweihers stecken, und so mußten wir notgedrungen durch den Schlamm ans Ufer waten.

Als durch die Inflation 1923 das Geld kaputtging, mußte Herr Kathan seine Leihbibliothek erheblich einschränken. Nur die Hupfauerin blieb noch bei ihm. 1927 hat sie dann das Geschäft für einige Jahre selbst übernommen."

Hagg erzählt:

„Im Frühsommer 1917 bummelte ich viel mit Brecht und den anderen Freunden umher. Irgendwie schien uns im dritten Kriegsjahr vieles sinnlos zu werden. Aber wir hatten einen heftigen Drang zum Leben, und Brecht bestärkte uns darin.

Er hatte mitunter eine Hündin dabei, die auf den Namen Ina hörte, der Hund gehörte wohl der Familie Brecht. Wenn wir abends zu unseren kleinen Abenteuern zusammenkamen, da waren bei Brecht Gitarre und Lampion obligatorisch. Harrer spielte Violine, Pfanzelt war ebenfalls mit einer Gitarre ausgerüstet, oder er dirigierte uns, andere spielten Mundharmonika oder summten die Melodie einfach so mit, ich wurde meist zum Lampionträger bestimmt. Da waren Hartmann, Bezold und Harrer dabei und natürlich Pfanzelt. Neher war bereits beim Militär.

Das schwache Geschlecht hörte unseren Gesangsvorträgen ganz gern zu, sie ermunterten uns meist noch zu Zugaben. Oft bildete sich auch ein ganzer Kreis, der besonders dem Gesang Brechts zuhörte.

Ein typisches Brechtlied, das bei derartigen Gelegenheiten gesungen wurde, war die *Serenade:*

Jetzt wachen nur noch Mond und Katz,
Die Mädchen alle schlafen schon,
Da trottet übern Rathausplatz
Bert Brecht mit seinem Lampion.

Wenn schon der junge Mai erwacht,
Die Blüten sprossen für und für,
Dann taumelt trunken durch die Nacht
Bert Brecht mit seinem Klampfentier.

Und wenn ihr einst in Frieden ruht,
Beseligt ganz von Himmelslohn,
Dann stolpert durch die Höllenglut
Bert Brecht mit seinem Lampion.

Auch erinnere ich mich noch eines Liedes aus dieser Zeit, das jetzt unter dem Titel *Beschwerdelied* bekannt ist.

Da war auch die Marie [Aman], sie wohnte im Thäle, dort brachten wir ihr einmal ein nächtliches Ständchen. Ein andermal spielten wir der Tochter des Dom-Mesmers ein Abendständchen. Brecht wußte, daß das Mädchen bereits verlobt war, hatte aber aus irgendeinem Grunde die fixe Idee, dem Bräutigam die Braut auszuspannen. Die Mesmerstochter zeigte sich tatsächlich am Fenster, doch zu Brechts Überraschung erschien neben dem Mädchen auch ihr Bräutigam, er war empört und beschimpfte uns entsetzlich.

Die Melodien zu den Brechttexten erfand vielfach auch der jüngere Bruder Walter, sie wurden von Eugen dann übernommen. Walter konnte gut Klavier und Gitarre spielen. Eugen hatte, wie ich mich entsinne, ebenfalls etwas Klavier- und Geigenunterricht erhalten. Aber er hatte wenig Spaß an langweiligen Übungsstunden und gab den Unterricht wieder auf."

Hohenester urteilte später über Brechts Gesang: „Die meisten seiner Lieder entstanden zum Spiel selbstersonnener Melodien auf der Klampfe. Er sang nicht schön, aber mit einer hinreißenden Leidenschaft, trunken von seinen eigenen Versen, Einfällen und Gestalten wie andere von Wein, und machte die, die ihm zuhörten, wiederum trunken, wie nur Jugend sein kann" (Hohenester).

Während des letzten Schuljahrs und danach besuchte Brecht mit seinen Freunden abends häufig einfache Wirtschaften. Dort sang er zur Gitarre die von ihm verfaßten oder bearbeiteten Bänkellieder. Obwohl die Gymnasiallehrer zum Teil davon wußten, ließen sie ihn gewähren.

Xaver Schaller besuchte mit Walter Brecht die Oberrealschule:

„Gablers Taverne war damals abendlicher Treffpunkt der Brechtclique. Es war eine Kneipe am mittleren Lech, eine der üblichen Schenken, die bei Brecht später Fuhrmannskneipen hießen.

Wir von der Oberrealschule verbrachten zeitweilig unsere

Spätnachmittage bei Gablers. Eines Tages war Eugen Brecht da und schaute sich den Betrieb an, dann zog er mit seiner Blase bei uns ein. Brecht ließ sich mit seinen Freunden für mindestens zwei Jahre in Gablers Taverne nieder. Die Freunde waren Pfanzelt, Neher, Bezold, Münsterer, Hagg, Bayerl und Müllereisert. Oft waren auch Mädels dabei. Brecht erschien meistens mit der Bie. Unser Aufenthalt bei Gablers war ein kleines Nebenzimmer. Es lag etwas höher als das große ebenerdige Schankzimmer und war durch einige Stufen zu erreichen. Die Gäste, Handwerker und Fuhrleute, verkehrten in der ebenerdigen Gaststube. Unser Domizil, das Nebenzimmer, war ein langer schmaler Darm, ausgestattet mit groben Bauernstühlen und Holztischen. An der Decke und zum Teil an der Wand hing ausgestopftes exotisches Getier.

Die Wirtsleute, das Ehepaar Gabler, zählten schon fünfundsechzig oder siebzig Jahre. Sie bemutterten uns so richtig, weil sie Spaß an uns Jungen hatten. Auch wenn sie uns zuweilen Butter- und Rettichbrote zum Bier spendierten, so kostete die Halbe am Schluß keinen Pfennig mehr.

Brecht war natürlich meist erst abends anwesend, wenn die jungen Schüler bereits daheim sein mußten. Da gab es dann allerhand Umtrieb. Ich kann mich noch an Kostümfeste bei Gablers erinnern, wir nannten sie Brechtfeste. Brecht hatte meistens seine Gitarre dabei und sang seine Balladen und Lieder. Trotzdem war der Alkoholkonsum der Clique sehr mäßig, bis auf wenige Ausnahmen. Einmal kletterte einer von uns um Mitternacht angeheitert auf das steile Dach der Taverne. Die Finanzierung der Brechtfeste wurde jeweils von einem Freund des Brechtkreises übernommen. Die Clique sorgte immer für Atmosphäre, es wurden Gedichte vorgetragen und ausgetauscht, man sprach darüber, und nicht selten wurden dazu auch gleich Melodien ersonnen.

Was die Wirtsleute Gabler auszeichnete, war eine gewisse Nachsicht und Verständnis für die Jugend. So hat mir in einer heiteren Laune Frau Gabler auf der großen Herdplatte in der Küche das Walzertanzen beigebracht. Gablers Taverne und Brecht waren in jener Zeit für mich ein Begriff."

Hans Werner Sörgel, 1916/17 in der Klasse VIII, saß neben Brecht in der Schulbank:

„Gewisse bürgerliche Äußerlichkeiten, die uns unerschütterlich schienen, mißachtete Brecht schon in jenen Jahren. So fiel mir auf, daß er öfters unsaubere Hemdkragen trug und auch sonst recht nachlässig gekleidet war. Bei der Stellung des Vaters und der gewiß vorhandenen Fürsorge der Mutter erschien mir das unverständlich. Ich glaube, daß Brechts Auftreten damals in einem widersprüchlichen Zusammenhang mit seiner inneren Moralität, seinem sozialen Sauberkeitsbedürfnis stand und daß diese Haltung als eine spartanische Äußerung zu verstehen war. Auch hatte er die Gewohnheit, den Kopf, der zum Körper eigentlich etwas zu groß wirkte, immer leicht nach vorn zu strecken, so, als ob er kurzsichtig wäre. Seine ganze Art ließ ihn mir mitunter einigermaßen eigenartig erscheinen. Einmal fragte er mich, ob ich Rimbaud kenne, und er erzählte mir dann wie von einer Neuigkeit: ‚Ich habe die Farben der Vokale entdeckt.‘

Was mir Brecht als Klassenkameraden besonders in Erinnerung hält, war seine Eigenschaft, uns immer zünftige Unterhaltungen zu offerieren, er hatte immer etwas Neues im Kopf."

Die Mansarde

Das Mansardenzimmer im zweiten Stock des Hauses
Bleichstraße 2, das Brecht als Schüler bewohnte, behielt
er auch während seiner Münchener Studienzeit, und tage-
weise bewohnte er es noch später. Johann Harrer hat
Brecht mehrmals in seiner Mansarde besucht. Das von
ihm beschriebene Bild des Baal und der von ihm erwähnte
Totenschädel gehören allerdings nicht dem Jahr 1917 an.
Münsterer erzählt, daß Otto Bezold für Brecht aus einem
Karner zwei Totenschädel entwendet hatte, deren schönsten Brecht in seiner Mansarde zur Schau stellte (Münsterer. S. 81/82). Der Dichter bedankte sich für den Freund-
schaftsdienst, den ihm Bezold erwiesen hatte, mit der
„Ballade von meinem Totenschädel. Bez gewidmet für
den Schädel am 3. September 1918". Harrer erzählt:
„In seiner Dachkammer besuchte ich damals Brecht öfters. Wenn ich bei den Brechts nach Eugen fragte, wurde
mir vom Dienstmädchen oder von Fräulein Roecker in
einer etwas blasierten Art gesagt: ‚Er ist wieder oben!'
Wie ich dann hörte, war Fräulein Roecker damals nicht
besonders gut auf Eugen zu sprechen, weil sie den Da-
menbesuch, den er zuweilen tagsüber empfing, nicht dulden wollte. Seinen Eltern bin ich bei meinen Besuchen
nie begegnet. Das Dachzimmer hatte eine Doppeltür und
war in einen größeren Wohnraum und ein kleineres
Schlafgemach unterteilt. An der inneren Tür prangten
mit einer Nadel angeheftet *Zwölf Suren für meine Besucher*. Da wurde der zum Eintritt Gewillte ermahnt,
Voreingenommenheit und Beschränktheit abzulegen, und
freimütig verlangt, er solle hier Erleuchtung und Begabung nicht vergessen.
Das Zimmer hatte eine schräge Wand. Darunter stand

ein eisernes Bettgestell. Gegenüber der Tür war das Fenster mit Blick zur Bleichstraße. Im Zimmer konnte man vor lauter Papierkram, der auf dem Fußboden lag, kaum sitzen oder gehen. Es sah immer unaufgeräumt aus, als ob Brecht gerade aufgehört habe zu arbeiten. Wenn er jedoch etwas suchte, dann fand er es in dem für andere unübersehbaren Wust von Büchern, Zeitungsausschnitten und Manuskripten sofort. Wie er das aus den Blätterablagen immer sogleich herauszufinden wußte, konnte er mir nie erklären. Mir blieb das unvergeßlich.

In einer Ecke des Zimmers stand lange ein Notenständer mit einer aufgeschlagenen *Tristan*-Partitur, dazu ein Taktstock. Bert erzählte mir, er müsse nach seinen dichterischen Gedankenflügen dirigieren, um sich zu besänftigen. Ich habe ihn allerdings niemals dirigieren sehen. Aber der Notenständer hat uns sehr beeindruckt. An der eisernen Bettstelle hing eine Gitarre. Die Wände des Zimmers waren vielfach mit Bildern und Zeichnungen seiner rasch wechselnden Ideale bedeckt. Einige Zeit schwärmte er leidenschaftlich für Napoleon. Dessen Konterfei und Schlachtpläne aus der napoleonischen Zeit hingen an den Wänden des Zimmers. Dann wiederum war Nietzsche, ein andermal Hauptmann oder Wedekind, mit dazugehörigen Motiven von Neher mit Kohle gezeichnet, zu sehen. Einmal hängte er seine eigene Gipsmaske auf, die er sich bei einem Bildhauer hatte abnehmen lassen, der im Hof des Johannisvereins wohnte. Dazu mußte sich Brecht, wie er mir sagte, die Haare ganz kurz scheren lassen. Es sei eine unangenehme Prozedur gewesen. Von Neher stammte ein Bild, das sich Brecht an der Decke angeheftet hatte. Schon wenn er morgens aufwachte, fiel sein Blick unwillkürlich auf das Bild an der Decke. Es war die Zeichnung, die den syrischen Gott Baal darstellte, einen brutalen mongoloiden Typ mit einer roten Schnapsnase, rein äußerlich gesehen ein verkommenes Subjekt. Brecht war davon wie hypnotisiert, er starrte die Zeichnung immer wieder an. Auch die Lieder, die er mir und Pfanzelt vorsang, erschienen mir alle zu exzentrisch, was ich damals allerdings nie zu sagen gewagt hätte. Brecht war uns einfach überlegen. Nach 1918 zierte den Tisch ein Totenschädel, der auf einer großen Bibel lag. Ich war in St. Stephan im Sinne der Klassiker erzogen worden und hatte natürlich für eine solche Herausforderung wenig Verständnis."

Kriegshilfsdienst

Gemeinsam mit seinen Klassenkameraden Georg Geyer, Rudolf Hartmann und Ludwig Lang meldete sich Brecht zum Kriegshilfsdienst im Heimatgebiet. Diese Freiwilligenmeldung berechtigte zum vorzeitigen Abschluß der Schule und zur Zulassung zum Kriegsnotabitur, bei dem weniger strenge Anforderungen gestellt wurden als bei einem normalen. Im Vorjahr waren zwei Schüler der Klasse IX, die sich weder zum Kriegshilfsdienst noch zum Militär gemeldet hatten und das reguläre Abitur ablegten, vier Tage lang, am 19., 20., 21. und 23. Juni, außergewöhnlich rigoros geprüft worden.

Am 20. April 1917 mußte sich Brecht zum Kriegshilfsdienst melden. Zunächst wurde er auf einem städtischen Amt mit Schreibarbeiten beschäftigt. Die zunehmend schwierigere Ernährungslage auch in Augsburg veranlaßte die Behörden, den jungen Mann aus der Verwaltungsarbeit herauszunehmen und ihn als Hilfskraft der Gärtnerei Häring in Augsburg zu überstellen. Nun mußte Brecht Bäume ausschneiden und junge Bäumchen versetzen.

Walter Brecht leistete im Sommer 1917, bevor er zum Militär eingezogen wurde, ebenfalls Kriegshilfsdienst. Auf dem Einödhof im Donauried, einer ehemals moorigen Niederung beiderseits der Donau nach Donauwörth zu, arbeitete er einige Wochen bei einem Bauern. Hier besuchte ihn auch Bruder Bertolt einige Male.

Die knapp achtzigjährige Olga Sutor besitzt zwei Fotografien: auf der einen sind Bertolt und Walter, auf der anderen ist nur Walter zu sehen. Das zweite hat eine Widmung: „Zur Erinnerung an den Sommer 1917 W. Brecht." Olga Sutor erzählt:

„Walter kam als Kriegshilfsdiensthelfer zum Kartoffelklauben zu uns. Er war sehr fleißig und anstellig. Hier lernte er das Kutschieren und Mähen. Er wurde buchmäßig als Oberknecht geführt, weil er so geschickt war. Wir hatten damals 200 Tagwerke, 15 Rösser und 80 Stück Vieh.

Einige Male kam auch Eugen zu uns. Da blieb er dann einige Tage hier. Eugen war ganz anders als Walter. Er hatte eine ruhigere Art. Mit dem Rucksack auf dem Rükken und ein blaues Hüterl auf dem Kopf, so kam er zu Fuß von der sechs Kilometer entfernten Bahnstation Tapfheim herüber. Von hier aus machte er Wanderungen, oder er schrieb etwas auf. Unter den drei Linden draußen neben der Hofeinfahrt auf der Bank saß Eugen oft stundenlang mit Papier und Bleistift. Und hier, auf diesem Kanapee, saß Walter gerne, und auf diesem Stuhl der Vater. Die Familie Brecht besuchte uns immer wieder, sie blieb meist einige Tage hier. Herr Direktor Brecht kam besonders gern zum Fischen."

1917 war Brecht auch einige Zeit am Tegernsee. Mehrere seiner Briefe an Neher tragen den Absender „Tegernsee, im September 17". Er wohnte in einer Villa, die dem

Kommerzienrat Kopp gehörte, zwischen Tegernsee und Rottach-Egern, an der Schwaighoferstraße 178 (später Nr. 27). 1966 wurde das Haus abgebrochen.

Der Sohn des Kommerzienrates, Dr. Conrad Kopp, erinnert sich:

„Bertolt Brecht war im Sommer 1917, während der großen Ferien, mein Hauslehrer in der Villa meines Vaters am Tegernsee. Ich bin 1903 geboren und war wie Brecht Schüler des Realgymnasiums. Mein Vater wußte mich gern beaufsichtigt, deshalb hatte ich öfters Hauslehrer. Ich war besonders in Latein schwach, hier konnte mir Herr Brecht sehr helfen. Er gab mir täglich vormittags in mehreren Fächern Nachhilfeunterricht, nachmittags tollten wir uns aus, fuhren Kahn, schwammen oder gingen spazieren. Herr Brecht lief meistens mit seinem Schopenhauer unterm Arm herum. Ich sah ihn nur in einer Knickerbockerhose mit Sportmütze und Brille. Nach den großen Ferien reiste er wieder nach Augsburg zurück. Von meinem Vater wurde er gut bezahlt. Vermittelt wurde Herr Brecht von Rudolf Hartmann, dessen Vater empfahl Brecht meinem Vater, und so wurde er aufgefordert, zu uns zu kommen.

Ich erinnere mich, daß Herr Brecht im gemischten Chor des Gymnasiums mitwirkte. Es gab da einmal einen riesigen Krach während des Gesangsunterrichts, weil Brecht kleine Späße veranstaltete und auffallend lachte. Der Musiklehrer ging sofort zum Rektor. Doch verlief seine Beschwerde glücklicherweise im Sande."

Erstes Semester

Am 2. Oktober 1917 ließ sich Brecht an der Ludwig-Maximilians-Universität in München als Student der Medizin immatrikulieren. Für die Wahl des Studienfachs dürften mehrere Gründe maßgeblich gewesen sein. Einen familiären nennt Friedrich Mayer:

„Ich bin der festen Überzeugung, daß Brecht dem Wunsch seiner kranken Mutter entsprach, wenn er Medizin studierte. Er erklärte mir einmal, daß es seiner Mutter lieb wäre, wenn er herausbringen könne, was ihr wirklich fehle. Sie hoffe, daß er sie einmal werde heilen können, wenn er studiert habe. Eugen war zu seiner Mutter immer sehr rührend. Mehrmals sah ich, wie er sie sehr besorgt vom Garten ins Haus trug. Die Mutter konnte damals schon kaum noch laufen."

Im vierten Kriegsjahr bot ein Medizinstudium zudem den gewichtigen Vorteil, daß es die Einberufung zum Militär verzögerte. In der MAAZ vom 1. Juni 1917 stand ein Artikel *Heeresdienst und Medizinstudium,* der diesen Aspekt klar formulierte: „Bei dem großen Bedarf des Heeres an Ärzten und ärztlichen Hilfskräften hat die Heeresverwaltung an ... Medizinstudierenden ein besonderes Interesse ... Das Studium der Medizin hat sonach die weitgehende Förderung der Zivil- und Militärbehörden gefunden."

Das erste Semester erstreckte sich bis 2. Februar 1918. Brecht belegte folgende Vorlesungen und Seminare:

Adam, Karl, a. o. Prof.	Leben-Jesu-Forschung	1 Std.
Becher, Erich, o. Prof.	Allgemeine Geschichte der Philosophie (Seminar: Übungen zur Geschichte der Philosophie im Anschluß an die Vorlesungen)	1 Std.
Brasch, Walter, o. Prof.	Über Volkskrankheiten und ihre Bekämpfung	1 Std.
Broili, Ferdinand, a. o. Prof.	Entfaltung von Tier- und Pflanzenreich im Laufe der geologischen Perioden (Mollusken und Molluskoiden mit besonderer Berücksichtigung der Leitfossilien)	4 Std.
Janentzky, Chr., Priv.-Doz.	Literatur und Philosophie (Geschichte der deutschen Literatur im Zeitalter des Sturm und Drang. Übungen: Fragen aus dem Zusammenhang von Literatur und Philosophie)	1 Std.
Kutscher, Artur, a. o. Prof.	Stilkunde und Theaterkritik (Grund-	

[Kutscher, Artur, a. o. Prof.]	sätze literarischer Kritik und deutsche Stilkunde. Praktische Theaterkritik mit Berücksichtigung des Spielplans)	4 Std.
von der Leyen, Friedrich, a. o. Prof.	Ibsen, Björnson, Strindberg	1 Std.
Mayer, Heinrich, Priv.-Doz.	Religionspsychologie (Religiöse Entwicklung und Erziehung, Grundprobleme der Weltanschauung)	1 Std.
Martin, Rudolf, o. Prof., bzw. Birkner, Dr.	Allgemeine Anthropologie (I. Teil: Rassen und Völker der Vergangenheit und Gegenwart)	5 Std.
Willstätter, Richard, o. Prof.	Unorganische Experimentalchemie (Praktische Arbeiten im chemischen Laboratorium in den beiden unorganischen Abteilungen. Chemisches Praktikum für Mediziner)	5 Std.

Brechts erstes Quartier in München war ein Zimmer im 3. Stock der Maximilianstraße 43, bei einer Tante seines Freundes Neher. Im November 1917 bezog er ein Zimmer in der Adalbertstraße 12/1. Von dort erhielt Hagg folgende Postkarte:

Lieber Heinz, ich muß Dir doch einmal schreiben. Obwohl hier nichts los ist. Es wäre schrecklich wenn ich Zeit hätte darüber nachzudenken. Aber ich bin ins Rennen geraten. Von 8–11, von 12–1; von 3–½ 7; von 7–10½ im Laboratorium, Univers. und Theater. Täglich. Ich fresse alles Erreichbare hinein und lese unheimlich. Ich verdaue es dann beim Militär. †††. Freue mich nur auf Augsb. wo ich 1½ Tage faul sein kann. Hier komme ich aus einem System von Verspätungen nie heraus. Früh um 6 Uhr habe ich schon nz [nahezu] 24 Stunden Verspätung. Nachts 11 Uhr, 24+15 Std. Usw. Nächstens stehe ich in der Frühe einfach nicht mehr auf. Basta. Hoffe Dich in Augsburg wieder zu treffen. Das Leben ist eine Rutschbahn. Man muß sich um eine Stelle beir Kassah umschauen!!! Bitte, empfehle mich salbungsvollst D. Frl. Schwester, dem lieben Emil und sei gegrüßt von Deinem B. Brecht.
München 23. 11. 17
Adalbertstraße 12/1

Für Brechts Entwicklung gewann die Teilnahme an den Lehrveranstaltungen Artur Kutschers, insbesondere an den berühmt gewordenen Kutscherseminaren, besondere Bedeutung. Hier begegnete er dem späteren Nazibarden Hanns Johst, über den Kutscher in der MAAZ vom 6. November 1917 folgenden Panegyrikus veröffentlichte: „Der Dichter gehört in die Linie Lenz, Grabbe, Büchner, doch besitzt er neben der blühenden Sinnlichkeit und Gabe der Charakteristik die kräftige Struktur, die geistige Energie zu dramatischer Handlungsführung . . . Man hat das Gefühl, als erfülle Johst eine lang- und oftgetäuschte Hoffnung des deutschen Theaters.“
Brecht hielt über Johsts Roman *Der Anfang* ein Referat.

Hedda Kuhn, bis Anfang 1919 Medizinstudentin in München, erzählt:

„Im Herbst 1917 hielt ich im Kutscherkolleg einen Vortrag über Heinrich Manns Novellen. Vor den Studenten lobte mich Kutscher danach, eine neue Kritikerin sei entdeckt worden. Nach diesem Vortrag stellte mir ein Studienkollege Bert Brecht vor.

Wochen danach, es wird November oder Dezember 1917 gewesen sein, hielt Brecht einen Vortrag bei Kutscher über Johsts Roman *Der Anfang*. Brecht verriß in seiner Kritik diesen Roman. Er verglich Johst mit einem Läufer, der einen ungeheuren Anlauf nimmt, aber vor der Startlinie stolpert. Ein Anlauf sei der Roman, sonst nichts. Kutscher war außer sich. Es kam zu einem totalen Bruch zwischen Kutscher und Brecht. Kutscher warf Brecht im ersten Zorn einfach hinaus und nannte ihn einen Flagellanten und Proleten.

Kutscher, der mich nachher einige Male zu sich eingeladen hatte, ließ sich wegen Brecht nicht mehr umstimmen.

Johst zeigte sich damals bereit, Brecht in seinem Haus am Starnberger See zu empfangen, auch ich war dazu eingeladen. Aber Brecht wollte mit Johst allein sein. Er sagte mir: ,Johst ist ein Völkischer, da wird es heiß hergehen, das ist nichts für dich.'

Brecht hielt vorher im Seminar noch einen kurzen Vortrag über Reinhard Goerings *Seeschlacht,* wobei er den Titel ironisch erweiterte: ,oder die bekehrten Meuterer'. Aber Brechts Ausführungen hatten nicht so aufregende Folgen, er hatte Goering und nicht Johst zerpflückt.

Zur Semesterabschlußfeier am 29. Januar 1918 gab es im Kunstsaal Steinicke in der Adalbertstraße eine Johst-Uraufführung: *Der junge Mensch. Ein ekstatisches Szena-*

rium. Spielleitung hatte Karl August Kroth, der ‚junge Mensch‘ ist von Ernst Stimmel dargestellt worden.“

In seiner 1960 erschienenen Autobiographie hält Kutscher an dem seinerzeitigen Urteil über Brechts Referat fest:

„Bert Brecht flüchtete schüchtern und selbstbewußt mit Gedichten und einem Baal-Drama zu mir, nachdem mich sein Direktor [des Augsburger Gymnasiums] wegen beleidigender Zeitungskritiken über ehrsame Bürger vor ihm gewarnt hatte. Er hielt als erstes Semester ein so unmögliches, von schiefer Grundauffassung und beizender Kritik strotzendes Referat über Johsts Roman *Der Anfang,* wie ich es noch nicht erlebt hatte ... Brecht fuhr am nächsten Tag zu Johst und beichtete ihm, war auch mir gegenüber stets offen, aufmerksam und zutunlich und besuchte die Autorenabende mehrere Semester ziemlich regelmäßig, wie seine Eintragungen bezeugen“ (Kutscher, S. 73).

Ein Kutscher-Student jener Tage war auch Michael H. Siegel, der Brecht im Kutscherseminar erlebt hat, aber nicht mit ihm bekannt war:

„Ich habe Brecht nur in Kutschers Vorlesungen und im Seminar im Winter 1918 bis 1919 erlebt, kann mich aber nicht daran erinnern, ihn bei den literarischen Abenden im Hotel Union in der Barerstraße oder beim Kostümfest ‚1001 Nacht‘ im Steinickesaal, das war etwa im Februar 1919, gesehen zu haben.

Natürlich konnte keiner von uns auch nur entfernt ahnen, was aus dem Mann einmal werden würde, doch daß er eigenwüchsig und eigenwillig, um Lob und Tadel restlos unbekümmert, von seinen Meinungen bis zur Arroganz überzeugt war, das war schon sehr zu spüren. Er trug bereits damals seine Brechtmütze, aus Stoff noch, nicht aus Leder, blickte scharf, fast stechend, kalt beobachtend durch seine Brille. Das Haar trug er im Bürstenschnitt, und über der Stirn hatte er sich einen ca. anderthalb Zentimeter breiten Streifen ausrasiert, was bei den schnell nachwachsenden Stoppeln oft deutlich sichtbar wurde und irgendwie seine harte, scharfe Wesensstrenge zu unterstreichen schien. Seine Referate las er mit knarrender, deutlich artikulierender Stimme, ohne je eine Miene zu verziehen oder seinen Zuhörern ins Gesicht zu blicken. Beifall, Lachen, Scharren und Zischen, all das scherte ihn nicht. Die Augsburger Dialektfärbung war unverkennbar.

Ich hörte seine Kritik damals über Hanns Johsts *Der Anfang*. Einige Formulierungen sind mir noch in deutlicher Erinnerung: ‚Diese Arbeit riecht nach Lampenfieber und Schweiß' – ‚Der Roman von Hanns Johst bedeutet die Emanzipation des Problems der Form' – ‚Der Idealismus des Herrn Johst ist nicht himmelblau, er ist ultraviolett' (er sprach es ‚uldrafiolett' aus). Er erntete etlichen Beifall und viel Widerspruch, doch innerhalb der üblichen akademisch-schulischen Referate wirkte das seine wie ein Knallkörper. Die Folge war, daß bei einer Feier – es war wohl Kutschers Geburtstag – ein Song gesungen wurde, von dem mir noch die Verse geblieben sind:

In einer Stunde ein Rednerpaar
Viel schöne Worte verliert,
In einer Stunde wird das Problem
Der Form emanzipiert.

In Kutschers Seminarübungen
Da ist die Kritik nicht schlecht:
Da wird wohl über Hanns Johstens Werk
Empört der Stock ge-brecht.

Gesungen wurde der Text nach dem Refrain des Liedes *Im schwarzen Walfisch zu Askalon.*

Eine weitere Folge war eine Karikatur von mir in Kutschers Gästebuch (Abb. 58). So hatte Kutscher einmal in einer seiner ulkigen Reden sein Seminar als ‚Brutstätte junger Genies‘ bezeichnet, worauf ich ihn später als Henne auf ihren Eiern brütend zeichnete, deren einige mit Namen beschrieben waren, von denen man sich damals etwas erwartete, wie Branca, Stimmel, Zöllner, Johst, Stücklen, Roth, Knecht, Arnold Zweig, Zarek, Klabund, und ganz unten liegt ein kleines gepunktetes Ei, aus dem eben ein Entenküken hervorkriecht, mit der Aufschrift ‚Brecht‘.

Gleichfalls eine Karikatur von mir, spontan ins Gästebuch Kutschers anläßlich einer Semesterfeier im Februar 1919 skizziert, zeigt eine gezeichnete Leiste einiger Handpuppen, und unter der Zeichnung, rechts oben, ist der Namenszug ‚Bert Brecht‘ zu finden, darüber steht der Name ‚Hedda Kuhn‘ " (Abb. 59).

Bie Banholzer

Als Münsterer im Herbst 1917 erstmals in Brechts Mansarde vorsprach, traf er einen Besuch an: „. . . ein junges Mädchen, etwas blaß und roßmuckig, was ihr hübsches Gesicht aber eher noch verschönerte, war bei ihm; die Literaturhistoriker kennen sie unter den Decknamen Bie, Teddy und Paul Bitterswith, die Biographen Brechts als Mutter seines ersten Sohnes" (Münsterer, S. 17).

Paula Banholzer war die Tochter eines Arztes und besuchte die Maria-Theresia-Schule. Mit ihren Eltern und ihren Schwestern Blanka und Maja wohnte sie in einem Haus in der Sanitätskolonie Auf dem Kreuz.

Frieda Held war eine Schulfreundin der Bie:

„Auch Brecht lernte die Mädchen so kennen, wie es tausend andere junge Männer ebenfalls tun, er sprach Paula auf der Straße an. Allerdings erledigte er das sehr geschickt. Paula war schon einige Zeit mit Otto Müller befreundet, der später Müllereisert hieß. Es war eine völlig harmlose Jugendfreundschaft. Als Müller eines Tages mit Paula auf einer Straße in der Nähe des Hauptbahnhofs dahinbummelte, winkte ein junger Mann, der auf der anderen Straßenseite stand, ihn zu sich herüber. Dieser junge Mann war Brecht. Müller wurde von seinem Freund Brecht aufgefordert, ihn dem Mädchen vorzustellen und selbst von Paula Abstand zu nehmen. Von alldem erfuhr Paula natürlich erst viel später. Dann traf Brecht fast täglich irgendwo mit ihr zusammen. Einmal, es war auf dem Eisplatz, warnte ich Paula, weil Brecht auf sie zukam. Sie flüchtete in eine Umkleidehalle. Doch Brecht ließ sich nicht beirren, er folgte ihr nach und ging nicht mehr von ihrer Seite. Immer wußte es Brecht irgendwie einzurichten, daß er Paula traf. Diese Verfolgungen trieb er so hartnäckig, daß Paula mehrfach fragte, was er sich denn eigentlich davon erwarte, sie wolle von ihm nichts wissen. Dem Liebeswerben Brechts hat Paula noch lange widerstanden. Und auch später noch waren ihre Eltern dagegen, daß sie sich mit Brecht traf. Aber er siegte. Sosehr sie sich anfangs wehrte, mit der Zeit verliebte sie sich völlig in Brecht. Er war ja auch ein außergewöhnlich geistreicher junger Mann, der uns dazu noch durch gute Manieren und auch durch sein interessantes Aussehen sehr beeindruckte.

Mit seinen Freunden zog er oft während der Sommerabende vor das Fenster Paulas und brachte ihr ein Ständchen. Einmal hat er sich gar Sonntag nachmittags bei einem seiner Besuche auf das Trottoir gelegt, sie wohnte bei ihren Eltern im ersten Stock, um bequemer mit ihr reden zu können."

Hagg war einige Zeit Brechts Nebenbuhler:

„Ich sah Paula auf der Eisfläche, und da gefiel sie mir auf den ersten Blick. Ich sah dann, daß Brecht mit ihr bekannt war. Nichtsahnend bat ich ihn, er möchte mich ihr vorstellen. Er erklärte sich auch sogleich bereit und lief bald flott mit Paula über das Eis. Dabei lachten sie mir spitzbübisch zu. Ich wußte noch nicht, daß Brecht dem Mädel ebenfalls den Hof machte. Außerdem war ich nicht so in sie verliebt, daß ich Brecht nicht den Vorrang gelassen hätte. Aber was tat Brecht? Obwohl wir ja sehr viel zusammen waren und ich nur wenige Häuser von ihm entfernt wohnte, übersandte er mir per Post ein vierzeiliges Spottgedicht etwa des Inhaltes, daß es schön sein müsse, verliebt zu sein. Nun sei der Liebende unglücklich, da man seine Liebe verschmähe. Ihr Lächeln mache ihn erröten, aber das Lächeln sei einem anderen bestimmt. Warum nur, fragt er, schenkt sie ihre Liebe dem anderen? Tief unglücklich will er aus dem Leben scheiden, verwirft jedoch den Entschluß und lebt weiter.

Ich war damals natürlich etwas eingeschnappt, aber ernstlich böse war ich nicht. Ich war ja auch weiterhin während der Jahre, die Brecht in Augsburg war, mit ihm zusammen.

Ein sehr hübsches Streitobjekt war die Bie damals schon. Sie hatte öfter sehr adrette Dirndlkleider an, dazu eine rote Schürze. Für Brechts Ideen war sie immer bereit und aufgeschlossen. Mit ihm ging sie ins Kino und auch zuweilen mit ins Theater. Vor allem war sie ihm eine gute Zuhörerin. Ihr konnte er seine Pläne entwickeln, sie hatte Geduld. Denn wenn Brecht anfing zu sprechen, dann hörte er so schnell nicht wieder auf. Er war ein Überredungskünstler und bei Frauen geistreich und galant. Mit Handküssen war er stets zu Diensten. Er war ja auch aus einem guten Haus, da war das damals allgemein üblich."

Bie äußert sich:

„Der Brecht damals, das war schon meine große Liebe, meine erste große Liebe. Er war ein hochmoralischer Mensch. Und er äußerte kein unschönes Wort. Unter uns war er sehr beliebt. In seiner Art war Brecht warmherzig und verbindlich. Er konnte aber auch ein sehr großer Egoist sein. Wenn er Freunde um sich versammelt hatte, mußten sie ihm alle irgendwie dienlich sein.

Damals hat er sich stark für Religion interessiert. Da ich katholisch bin, begleitete er mich öfters in die Maiandacht in den Dom. Der Gehorsamszwang und die Glaubensstrenge im Katholizismus haben ihn arg beeindruckt. Er sagte mir, der Katholizismus sei konsequenter.

Obwohl mein Vater Direktor Brecht kannte, hätte er es nie geduldet, daß ich einen angehenden Dichter heirate. Einmal durfte ich ihn zum Kaffee zu uns einladen, da waren sie natürlich freundlich zu ihm. Bei mir wollte man's nicht haben, daß ich mich mit Brecht abgebe. So eine Berufswahl galt eben als unbürgerlich.

Wir hatten damals wenig Gelegenheit zusammenzusein. Ich durfte ja abends nicht ausgehen. Heute geht das alles viel unkonventioneller vor sich. Höchstens ins Theater konnte ich gehen. Aber auch da wurde ich meistens noch von den Eltern oder dem Dienstmädchen abgeholt. Im Metropol sah ich mit Brecht *Die Büchse der Pandora* von Wedekind. Brecht verehrte Wedekind sehr. Das Stück gefiel mir gut. Während der Aufführung sah mich meine Französisch-Lehrerin im Theater. Ich hatte natür-

lich Angst, ob sie mich in der Schule melden würde, da
ein Theaterbesuch nur in Begleitung der Eltern erlaubt
war. Die Lehrerin sagte jedoch nichts, weil sich Wedekind für eine Lehrerin wohl auch nicht ziemte."

Zweites Semester

Das zweite Semester erstreckte sich vom 15. April bis
28. Juli 1918. Der stud. „Phil. et Med.", als welchen sich
Brecht jetzt in der Quästur der Ludwig-Maximilians-Universität eintrug, belegte folgende Lehrveranstaltungen:

Graetz, Leo, o. Prof.	Experimentalphysik II, Mechanik, Akustik, Optik (Physikalisches Praktikum: a) Übungen in physi- kalischen Messun- gen, b) Übungen in physikalischen De- monstrationen)	5 Std.
Kutscher, Artur, a. o. Prof.	Praktische Übungen in literarischer Kritik über die Literatur der Gegenwart	2 Std.
Martin, Rudolf, o. Prof.	Systematische An- thropologie (Mor- phologie der mensch- lichen Rassen)	2 Std.
Rückert, Joh., o. Prof.	Deskriptive Anato- mie (Arbeiten für Geübte)	7 Std.

Strich, Fritz, a. o. Prof.	Geschichte der deut- schen Lyrik im 19. Jahrhundert (Übungen zum Problem der Form in der deutschen Dichtung. Übungen zur Einführung in die Stilprobleme der deutschen Dich- tung)	1 Std.
Willstätter, Richard, o. Prof.	Organische Experi- mentalchemie (Prak- tische Arbeiten im chemischen Labora- torium, gemeinsam mit Prof. Prandtl)	5 Std.

Brecht hatte während der Semesterferien sein Münchener Zimmer behalten. Bei Beginn des neuen Semesters übersiedelte er jedoch nach Schwabing, in die Kaulbachstraße 63a/2.

Am 30. März 1918 fand in den Münchener Kammerspielen die Erstaufführung von Johsts Tragödie *Der Einsame. Ein Menschenuntergang* statt. Am 17. April gastierten die Kammerspiele mit dem Stück in Augsburg. Regisseur war Otto Falckenberg, den Helden Christian Dietrich Grabbe spielte Erwin Kalser. Bekanntlich entwarf Brecht die erste Fassung seines *Baal* als Antithese zu dem als absolut idealistisch empfundenen Stück von Johst und stellte dem „dünnblütigen Dichterjüngling" des *Einsamen* seinen „erdverhafteten Vaganten" entgegen (Münsterer, S. 22).

Pauline Israng, damals Bürokraft in der Haindlschen Papierfabrik, berichtet:

„Auf Anordnung von Herrn Direktor Brecht mußte ich in einem leeren Zimmer mehrmals Sachen von dem jungen Herrn Brecht auf Maschine schreiben. Die Manuskripte diktierte er mir teils in die Maschine, teils mußte ich sie abschreiben. Die Titel *Baal* und *Spartakus* habe ich im Gedächtnis behalten. Ich erinnere mich, daß ich viele Durchschläge machen mußte. Einen behielt ich damals für mich, der mir aber im Laufe der vielen Jahre abhanden gekommen ist.

Brecht war stets höflich zu mir. Mehrere Male brachte er mir für die Schreibarbeit Blumen mit. Schließlich schenkte er mir ein Ullsteinbüchlein mit einer persönlichen Widmung auf der ersten Seite.

Von den in den Manuskript-Texten vorkommenden Ausdrücken war Herr Direktor Brecht nicht sonderlich erbaut, wobei ich allerdings den Eindruck hatte, daß er sich insgesamt über den Inhalt der Schreibarbeiten seines Sohnes nicht zu informieren schien. Wir, die Kolleginnen und ich, dachten uns natürlich unser Teil über die unverblümten und frechen Töne. Wir unterhielten uns auch darüber und schüttelten die Köpfe. Ich muß gestehen, daß ich bei bestimmten Stellen des Manuskriptes damals einfach entsetzt war. Die Schreibarbeiten abzulehnen aber hatte ich nicht den Mut. Was sollte ich machen? Auch gab es nicht immer soviel Arbeit im Büro, so daß mir die andersgearteten Schreibvorlagen etwas Abwechslung gaben. Daß er so ein berühmter Dichter werden würde, das ahnten wir allerdings nicht. Etwas später, als seine Theaterstücke im Theater aufgeführt wurden, sah ich sie mir an. Mich interessierte es, wie das Geschriebene auf der Bühne aussehen mag. Den Anfang von dem Drama

Leben Eduards des Zweiten weiß ich heute noch auswendig.

Einmal sagte er mir: ‚Wenn ich ein Theater gründe, kommen Liegestühle und Aschenbecher hinein.' Auf einem Maskenball sah ich Brecht 1923 zum letzten Mal. Er war nicht maskiert."

Eine Tagebuchnotiz des Freundes Otto Bezold vermerkt unter Dienstag, dem 21. Mai 1918, daß er am 18. und 19. Mai 1918 einer Sekretärin des Vaters seines Freundes Texte des *Baal* aus dem Manuskript in die Maschine diktiert habe, und bei den oft deftigen Stellen mit größerer Eile.

Brechts Kontakt mit den Augsburger Freunden blieb, wie dieses Zeugnis ausweist, auch während seiner Studienzeit erhalten. Heinz Deininger erzählt von gemeinsamen Bahnfahrten von München nach Augsburg:

„Der junge Brecht ist mir noch gut in Erinnerung. Mehrere Male bin ich mit ihm freitags im Studenteneilzug nach Augsburg gefahren. Brecht fuhr damals fast allwöchentlich von München nach Augsburg zu seinen Eltern. Im Abteil saß er zumeist auf einem Fensterplatz, vornübergebeugt in ein Buch notierend, die Mütze ins Gesicht gezogen und mit sich beschäftigt. Mit seiner Nikkelbrille machte er auf Betrachter einen asketischen Eindruck. Gelegentlich bat er mich, ich solle ihn auf die Station Hochzoll aufmerksam machen, damit er sich noch rechtzeitig vor Augsburg zum Aussteigen fertigmachen könne. Wenn er in München in den Zug eingestiegen war und einen Platz gefunden hatte, zog er schon ein Notatbuch mit schwarzem Leineneinband und rotem Schnitt hervor und fing an zu studieren und zu schreiben. Einmal gab er mir Gedichte zu lesen mit der Bemerkung, er wüßte gern, wie mir das gefällt. Die Verse gehörten seinem Frühwerk an, wahrscheinlich dem *Baal*. Mir hatten sie gut gefallen, obwohl ich den Sinn nicht ganz zu deuten wußte und deshalb auch nicht so antworten konnte, wie es Brecht vielleicht erwartet hatte. Er schien alles in Notizbücher aufzuschreiben, davon hatte er mehrere bei sich. Obgleich ich mit Brecht in einem freundschaftlichen Du verkehrte, sprach er während der Fahrt recht wenig mit mir."

Während der Semesterferien 1918 zog Brecht mit seinen Freunden oft sonntags in aller Frühe oder wochentags gegen Abend ins Griesle, in die Flußniederung beiderseits des Lechs vor den Toren von Augsburg. Brecht brauchte vom Elternhaus aus nur einige hundert Meter zu gehen, um an den Lech zu kommen. Wollte man jedoch auf die östliche Uferseite, mußte man die einen Kilometer entfernte Lechhauser Brücke überqueren. Das Griesle war damals noch unbebaut. Es gab dort, entlang der unregelmäßigen Uferpartien, verschlungene Trampelpfade, die von niederem oder höherem Weidengebüsch gesäumt wurden. Die kleinen Lechwehre bildeten zwar gefährliche, aber zum Schwimmen immer erneut herausfordernde Wasserstauungen.

Dem Jahre 1918 entstammt ein kleines erhalten gebliebenes Notizbuch Brechts, in das er die erste, allerdings unveröffentlicht gebliebene Zusammenstellung von Gedichten unter dem Titel *Lieder zur Klampfe von Bert Brecht und seinen Freunden. 1918* handschriftlich aufgezeichnet hatte. Wenn auch die meisten Gedichte von Brecht stammen, so ist augenfällig, daß er bereits damals künstlerische Arbeit als Gruppenarbeit verstand. So zeigt schon der erste Liedtitel den Freund mit an: „*Baals Lied* (Hat ein Weib fette Hüften...) Zusammen mit Lud am 7. 7. 18 nachts am Lech."

Rudolf Prestel berichtet:

„Mein Bruder Ludwig war sehr musikalisch, er spielte gut Klavier und Gitarre. Ludwig war zwei Jahre jünger als Brecht. Ich war öfter mit Brecht zusammen und hatte schon viel von ihm erzählt. Mein Bruder wollte Brecht ebenfalls kennenlernen, und eines Tages arrangierte ich das.

Obwohl Brecht eigentlich kein Instrument voll beherrschte, war er sehr musikalisch veranlagt, er liebte Musikdarbietungen sehr. Violine hatte er einmal zu lernen versucht, dann lernte er Pikkoloflöte, aber die technische Handhabung des Instrumentes machte ihm Schwierigkeiten, so gab er es ebenfalls wieder auf. Brecht liebte das Gitarrespiel, beherrschte selbst jedoch nur einige notwendige Griffe, aber zu Texten wußte er sofort Melodien zu erfinden. Oft saß er im Fenster seines Mansardenzimmers, den Rücken lehnte er an den Kreuzstock, die Beine hängte er zur Straße hinaus, so sang er seine Lieder, die er mit der Klampfe begleitete. Auf dem Klavier klimperte er mit einem Finger herum im Gegensatz zu seinem Bruder, der gut Klavier spielen konnte. ‚Ich spiele meisterhaft Grammophon‘, konnte Brecht scherzhaft sagen.

Bei Freund Pfanzelt begegnete ich Brecht öfters, wo er, ohne ein Wort zu sprechen, meinem Bruder und Pfanzelt, die gemeinsam Klavier spielten, zuhörte. Pfanzelt spielte ausgezeichnet Klavier, so ergab es sich, daß ab und zu musikbegabte Freunde bei Pfanzelt zusammenkamen und vor allem Beethoven spielten. Eine Zeitlang imponierte auch Wagner, aber Brecht lehnte bei einem Streitgespräch die *Meistersinger, Tristan* und *Walküre* ab. Einmal waren wir mit Brecht in einer Opernaufführung. Verwundert sah ich, wie er während der Vorstellung mit ausgestreckten Fingern dem Geschehen auf der Bühne folgte.

Plötzlich wendete er den Kopf und sagte, als ob er sich mir erklären müsse, es sei ihm gegeben, auch mit den Fingerspitzen Musik zu hören.

Mein Bruder war ein guter Bach-Pianist, noch heute analysiert er Bachkompositionen und spielt im häuslichen Flötenquartett. Brecht hat ihm damals den Bach für einige Zeit total verleidet, indem er behauptete, daß man Bach mit verändertem Takt und Rhythmus spielen müsse. Ludwig konnte und wollte dem nicht zustimmen. Dabei liebte und schätzte Brecht, wie ich wußte, die Bachsche Musik sehr. Brecht sagte, das müsse man alles einfacher bringen, damit auch das breite Volk mitempfinden könne.

Erinnern kann ich mich, daß Brecht einige Zeit auch im gemischten Schulchor im Gymnasium mitgesungen hat. Bei einem sentimentalen Volkslied begehrte Brecht auf: ‚Was muten Sie uns da zu!' Der Text dieses Liedes lautete etwa:

Soviel der Mai auch Blümlein beut
Zu Trost und Augenweide,
Ich weiß nur eins, das mich erfreut,
Das Blümlein auf der Heide.

Der Musiklehrer holte sogleich den Rektor ins Unterrichtszimmer, es gab einen Krach. Brecht blieb von da ab dem Schulchor fern. Auch an Gesangsproben der ‚Liedertafel', dem nur einem renommierten Personenkreis zugänglichen Gesangverein, nahm Brecht ein paarmal teil. Da wurde er vom damaligen Chorleiter, Herrn Berufsschuldirektor Max Vogt, offiziell begrüßt.

Während der *Baal*-Periode Brechts war ich nur noch selten mit ihm zusammen. Mein Bruder aber war damals noch mit dabei, zuweilen auch bei den Lechau-Streifzügen. Natürlich war ich auch einige Male in seiner Mansarde. Brecht las uns und speziell meinem Bruder immer wieder *Baal*-Verse vor. Gelegentlich begleitete ihn mein Bruder Ludwig dazu auf der Gitarre. Überhaupt mußte Ludwig oft stundenlang für Brecht Gitarre spielen. Es gibt auch ein Lied, bei dem Brecht [„Zusammen mit Lud am 7. 7. 18 nachts am Lech"] Ludwigs Mitwirkung verzeichnete. Wie mir bekannt ist, hat Ludwig noch zu den Gedichten *Evlyn Roe* und *Hanna Cash* Melodien komponiert, außerdem zu der Ballade *Heider Hei*, die ungefähr so begann:

Heider Hei saß bei Tine Tippe im Gras,
Und helle Sonne schien,
Da bat der Hei die Tine um was.
Und sie lachte sehr über ihn.
Und sie lachte sehr über ihn.

Tine Tippe ging in die Ehe
Und Heider Hei nach Amerika ..."

Der Klassenkamerad und Freund Georg Geyer war ein passionierter Klavierspieler:
„Brecht war oft bei mir zu Hause. Einmal spielte ich den Mittelsatz von Mozarts *Tod im Walde*, eine Sonate F-Dur, Köchelverzeichnis 280. Brecht saß gedankenversunken da und hörte zu. Als ich geendet hatte, stand er langsam auf, kam zu mir ans Klavier, nahm das Notenblatt und schrieb mit Bleistift die Worte neben den Titel:

Und er hauchte in seine Hand
Und roch an seinem Atem und er
Roch faulig. Da dachte er bei
Sich, ich sterbe bald.

Das Notenbuch mit dem Eintrag habe ich noch heute. Interessant ist auch, daß dieser Gedanke in dem *Sonett über schlechtes Leben*, etwa acht Jahre nach dem Notenbucheintrag, wieder aufgenommen wurde:

> Gespräche solcher Art sind nicht erbaulich.
> Ich hauchte in meine Hand schon hinterm Spind
> Und roch an meinem Atem: da roch er faulig.
> Da sagte ich mir selbst: ich sterbe bald.

Einige Male sah ich zu, wie Brecht zu Texten Melodien komponierte. Es ging letztlich ganz rasch. Aber es war so ungewohnt und regelwidrig wie alles, was Brecht tat. Er zog ganz hauchdünn die fünf Notenlinien, und dann machte er anstelle der üblichen Notenköpfe einfach nur kleine Kreuze mit nach unten gezogenen Strichen daran. So notierte er sich sozusagen die Melodien zu seinen Versen in Kurzform. Brecht konnte natürlich Noten lesen und schreiben, nur mit den Kreuzen statt der Noten schien es ihm schneller zu gehen. Dabei dokterte er monatelang an den Melodien herum, die später in der *Hauspostille* zusammengefaßt wurden."

Im August 1918 unternahm Brecht mit Gehweyer (der wenige Wochen danach an der Front fiel) einen mehrtägigen Ferienausflug in den Bayerischen Wald. Am 10. August 1918 schrieb er aus dem Zwiesler Waldhaus an Ernestine Müller in Augsburg einen siebenseitigen Brief, der sich im Besitz der Augsburger Staats- und Stadtbibliothek befindet:

Mein liebes Mädel!

Da ich von morgen ab wenig Gelegenheit dazu habe, schreibe ich heute schon. Beinah 12stündige Bahn-

fahrt... Kurzer Marsch. Jetzt allein mit Fritz in einem Bretterhaus, mitten im Wald. Ich schreibe auf einer Bank, Fritz tanzt um eine Maggisuppe und um Thee. Trübes Gewölk über uns. Vielleicht ein Gewitter die Nacht. Dann schläfst du ganz ruhig im Schein des jetzt voll werdenden Monds, oh wie rührend! u. ich bin von Wettern umtobt oh wie erschütternd! Der Wald rauscht immer um uns. Du müßtest da sein, mein kleines Mädel!...
Sonntag morgens ½ 5 Uhr auf dem Arber oben... Jetzt geht die Sonne auf.
Wir sind die ganze Nacht gewandert... Der Rucksack grub uns in die Erde. Und der Stock ging weiter, als die Füße nicht mehr mochten. Jetzt ists wundervoll. Ein großer Wind geht auf der Kuppe. Drunten graue Waldberge und der Mond sinkt hinunter wie eine oran[ge]gelbe Ampel, seidenverschleiert...
Gestern spielte ich Gitarre in einer Waldschenke u. wir kriegten Milch dafür u. Butter, die hier s e h r selten sind. Ich sang ganz richtig, viel besser als je daheim...
Vielleicht gehts heut noch in die böhmischen Wälder. Vielleicht komm ich auch morgen heim. Wie es mir gefällt. Sonne und Wind sind wunderschön. Es gibt nichts herrlicheres auf Erden. Aber ein warmes Mittagessen wieder einmal nach soviel kaltem ist auch etwas sehr sehr schönes. Und man darf nicht müd sein in Sonn u. Wind. Und das bin ich jetzt.
Jetzt ist die Sonne aufgegangen.
Viele viele Küsse Dein Bert Brecht!

Zwei Anekdoten aus dem Sommer 1918 erzählt Friedrich Mayer:
„Brecht begleitete im Sommer 1918 seinen Vater nach Stuttgart. Der hatte als Direktor der Papierfabrik dort

zu tun. Da der Vater nach Erledigung seiner geschäftlichen Obliegenheiten weiterfahren mußte, reiste Brecht junior mit einem Koffer des Vaters zurück nach Augsburg. Wohl aus Gedankenlosigkeit ließ Brecht den Koffer des Vaters im Zug stehen. Als tags darauf der Vater ebenfalls zurückkam und sich nach dem Koffer erkundigte, war dieser nicht zu finden. Dem Ärger des Vaters und seinen Vorhaltungen begegnete Brecht gelassen: ‚Erstens hätte dir das ebenso passieren können, zweitens hoffe ich, daß du den Koffer nicht zurückbekommst, drittens benötigt hoffentlich der neue Besitzer die Sachen dringender als du, und viertens kannst du dir ja leicht wieder neue Sachen besorgen.‘

Diesen Vorfall habe ich unmittelbar danach in allen Einzelheiten vom Großvater Brezing erzählt bekommen. Wegen seiner absurden Konsequenz blieb mir alles recht genau in Erinnerung.

Im Sommer 1918 nahm mich Pfanzelt einmal mit in Brechts Mansarde. Dort trafen wir bereits Besuch an. Neher, der seinen Fronturlaub in Augsburg verbrachte, war bei Brecht, außerdem ein junges Mädchen mit langem schwarzem Haar. Wie ich hörte, war es eine Gymnasiastin von St. Anna. Sie wollte Schauspielerin werden, deshalb war sie bei Brecht. Er gab sich viel Mühe mit dem Mädchen. Sie mußte, während wir zuhörten, immer wieder deklamieren. Brecht war bestrebt, aus ihr etwas herauszuholen. Sie konnte sich aber nicht so ausdrücken, wie er es hören wollte. Plötzlich verlor das Mädchen die Nerven, stürmte zur Tür hinaus, die Treppe hinunter und auf die Straße. Ihre Rolle, die sie auf dem Tisch in Brechts Zimmer liegengelassen hatte, packte Brecht, ging ruhig zum Fenster, rief das Mädchen und warf ihr vom zweiten Stock aus die Blätter auf die Straße nach. Hastig las das

Mädchen unten ein Blatt nach dem anderen von der Straße auf, während Brecht ihr von oben aus dem Fenster zusah und sich lachend ergötzte."

Militärkrankenwärter

Wie einer „Verfügung der Ersatzbehörde III, Instanz für den Bezirk des I. Armeekorps, Nr. 3500 II^a" zu entnehmen ist, wurde Brecht am 14. Januar 1918 gemustert. Hagg berichtet dazu:

„Ich hatte Asthma, deshalb war ich vom Militärdienst befreit. Ich kann mich erinnern, daß Brechts Vater nach der Musterung mehrmals Rückstellungsgesuche für den Sohn an die Militärbehörden einreichte und daß Brecht den Gesuchen des Vaters ein ärztliches Attest beilegte, das ihm ein Herzleiden bescheinigte. Vorteilhaft war dabei sein Studium als Mediziner in München. Mit Medizinern war man bei der Aushebung zum Felddienst nachsichtiger. Ich hatte damals mit Brecht einige Gespräche über das Thema, wie man den Militärdienst umgehen könne. Brecht sagte ganz offen, daß er unter gar keinen Umständen noch an die Front wolle. Obwohl er seit seiner Musterung Anfang 1918 mit einem Gestellungsbefehl zu rechnen hatte, war es für ihn eine ausgemachte Sache, daß er den Krieg überleben wollte."

Am 1. Mai 1918 richtete Brechts Vater ein „Gesuch um Beurlaubung" an den „Herrn Zivilvorsitzenden der Ersatzkommission Augsburg":

„Mein Sohn, Eugen Berthold Brecht, geb. 10. II. 1898 zu Augsburg, ist bei der Musterung als Sanitätssoldat d. g. v. F. [dauernd garnisonsverwendungsfähig Feld] ausgehoben worden. Derselbe besucht z. Zt. die Universität München und stelle ich hiermit das ergebene Gesuch, meinen Sohn zur Fortsetzung des Studiums für das laufende Semester geneigtest beurlauben zu wollen. Hochachtungsvollst! B. Brecht, Fabrikdirektor."

Der „Civilvorsitzende der Ersatzkommission für den Aushebungsbezirk des Stadtmagistrats Augsburg" beantwortete das Gesuch betreffs „Zurückstellung des Berthold Brecht" am 14. Mai 1918:

„Der im Betreff Genannte ist durch Beschluß der Ersatzkommission vom Heutigen bis *15. 8. 1918* zurückgestellt worden. J. V. Deutschenbauer."

Ein zweites Zurückstellungsgesuch des Vaters vom 21. Juli 1918 wurde am 15. August 1918 abschlägig beantwortet. Der Zivilvorsitzende der Ersatzkommission gab folgende Stellungnahme ab:

„Mit Zurückstellungsgesuch vom 1. 5. 18 hat Direktor Brecht um Zurückstellung seines Sohnes für das laufende Semester gebeten. Nunmehr sucht Genannter um weitere Zurückstellung des Reklamierten zwecks Vollendung des 3. Semesters nach. In ähnlichen Fällen wie x. Brecht befinden sich auch zahlreiche andere Studierende. Der Reklamierte ist erst 20 Jahre alt und g. v. F., ich beantrage daher *Abweisung* vorstehenden Gesuches."

Ein handschriftlicher Zusatz auf obigem Schreiben bestätigt die Abweisung des Gesuches:

„Sanitäts Amt I, A K vom 13. 9. 18

Mit dem Herrn Zivil- und Mil. Vors. wird Abweisung begutachtet.

Es wird beantragt, E. Brecht zum E/3.I.R. für Ableistung der 8wöchigen Waffendienstzeit einberufen zu lassen, um seine Überführung zu den San.Mannschaften zu ermöglichen."

Ein weiterer handschriftlicher Zusatz lautet:

„G. k. V. v. 21. 9. 18 Nr. 245049 N

Nicht genehmigt, da junger Jahrgang. Der Reklamierte ist einzuberufen."

In den Vorlesungsbelegen der Universität ist vermerkt, daß sich Brecht zum 1. Oktober 1918, einem Dienstag, zum Militärdienst abmeldete. Ein im Besitz der Staats- und Stadtbibliothek Augsburg befindlicher, handschriftlich beschriebener Zettel nennt als ersten Tag seiner Dienstzeit gleichfalls einen Dienstag:

„Hedda Kuhn, stud. med., Frauenlobstraße 2/0 [Vorderseite.] Bitte geben Sie meinem Freund Seitz das Billett. Ich kann nicht kommen. Ich werde am Dienstag begraben. Bert Brecht." [Rückseite.]

Den in der Einberufung vorgesehenen achtwöchigen Waffendienst brauchte Brecht nicht auszuüben. Eine im Besitz von Walter Brecht befindliche „Bescheinigung", ausgestellt vom „Reservelazarett Augsburg", weist aus, daß er als „Militärkrankenwärter vom 1. 10. 1918 bis 9. 1. 1919" diente, und bezeichnet seine Führung als „sehr gut".

Das Reservelazarett bestand aus einigen Baracken im Hof der Elias-Holl-Schule. Brecht war der Station D zugeteilt, einer Abteilung für geschlechtskranke Soldaten. Diese Abteilung wurde von dem Augsburger Hautarzt Medizinalrat Dr. Raff geleitet, der gegenüber dem Stadttheater seit Jahren eine Privatklinik unterhielt. Aussagen deuten darauf hin, daß er mit der Familie Brecht bekannt war. Wahrscheinlich verdankte Brecht dieser Bekanntschaft, daß er vom Waffendienst entbunden wurde und als Sanitätssoldat in Augsburg bleiben konnte.

Hagg erzählt:

„In der Station D des Lazarettes, wo Brecht Dienst tat, gab es, wie er mir sagte, neben den Geschlechtskranken auch Ruhr- und Cholerakranke, und unter den Geschlechtskranken wären sowohl Ledige wie Verheiratete, Angehörige der niederen wie der höheren Stände.

Über Brechts Aussehen als Soldat war ich oft erstaunt, er benahm sich meines Erachtens unmöglich. Ich sah ihn herumspazieren, die Hände in die Hosentaschen vergraben, damit hielt er die Hosen hochgezogen, dazu hatte er gelbe Halbschuhe an, manchmal war er ohne Jacke, nur mit einem Pullover bekleidet, meist ohne Kopfbedeckung, oder er hatte eine Art Reitgerte in der Hand, natürlich war er immer ohne Koppel, er war mehr Zivilist als Soldat. Ich habe mich wiederholt gefragt, wo Brecht den Mut hernahm, sich in einem derart unmöglichen Aufzug in der Öffentlichkeit zu zeigen.

Wir unterhielten uns auch über den Moralkodex der Gesellschaft, über die doppelte Moral der Menschen. Er sagte dazu, wenn er die Männer so im Lazarett liegen sähe, jeder Kranke erwiesenermaßen von einem galanten Abenteuer oder einem Seitensprung gezeichnet, da zeige sich ihm das Gesicht der Gesellschaft offen und ohne Verlogenheit. Unter den Geschlechtskranken muß es entsetzlich ekelhafte Gebrechen und Verseuchungen gegeben haben, wie mir aus den Gesprächen mit Brecht erinnerlich ist.

Erstaunlich war auch, daß Brecht tagsüber oft zu sprechen war. Er sagte mir, daß er dafür öfters über Nacht Dienst tun müsse."

Anekdotisches berichtet Müllereisert:

„Feldwebel und Unteroffiziere staunten nicht wenig, als der Reserve-Stabsarzt (Dr. Raff) den ‚Sani‘ Brecht, den weder Löwenkopf noch Tressen zierten, jovial mit ‚Herr Kollege‘ anredete. Solche Sonderbehandlung stieg dem jungen Protargol-Krieger gewaltig zu Kopf. Er fühlte sich bald als stellvertretender Chefarzt und umging die beschwerlichen Hürden militärischer Kleinvorschriften mit der vornehmen Lässigkeit. Dem schnauzbärtigen Spieß versetzte es jedesmal einen Stich, wenn Sanitätssoldat Brecht in gelben Halbschuhen durch die Lazarettpforte schlenderte. Als er eines Tages gar mit einem Spazierstöckchen einlief, sah der Mann mit zwölf Dienstjahren im Heer die Säulen der Weltordnung wanken.

Unbegreiflicherweise schien der höchste Disziplinvorgesetzte blind für solche Vergehen gegen die Grundsätze militärischer Ordnung zu sein – bis schließlich ein Sonderfall auch seinen Geduldsfaden zum Reißen brachte. Befehlsgemäß sollte Brecht allabendlich dem Chefarzt den Kranken-Rapport der ihm anvertrauten ‚Ritterburg' vorlegen. Er pflegte sich dieses Auftrages in einer Form zu entledigen, die ihm weder Zeit noch Mühe verursachte. Und das ging eine Weile gut, bis der Stabsarzt eines Abends selbst die Tür seiner dermatologischen Stadtpraxis öffnete und ein weibliches Wesen mit Schürze und Häubchen vor sich sah. Wenige Minuten später läutete bei Brechts das Telefon, und das gestrenge Familienoberhaupt hörte eine tiefe Stimme aus dem Apparat grollen: ‚Hier Stabsarzt Dr. Raff. Ich muß Sie bitten, Ihrem Sohn zu sagen, daß er die Abmeldungen persönlich bei mir anzugeben hat und nicht durch Ihr Dienstmädchen' (Müllereisert).

Rudolf Prestel war bis 1916 mit Brecht in einer Klasse: „Ich meldete mich im Sommer 1916 freiwillig zum Militär und wurde als Fahnenjunker dem 3. Bayerischen Infanterieregiment zugeteilt. Nach einer kurzen Ausbildungszeit kamen wir zum Fronteinsatz. Im Sommer 1917 wurde ich schwer verwundet, durch einen Granatsplitter verlor ich mein linkes Bein. Ich trage eine Oberschenkel-Prothese.

Ende Dezember 1917 kam ich, auf Krücken gehend, nach Augsburg zurück. Ich hatte das EK I erhalten. Im Oktober 1918 traf ich zufällig an der Bismarck-Brücke mit Brecht zusammen. Er fragte mich anteilnehmend, wie es mir ginge und was ich nun machen werde. Daraufhin wollte ich von ihm wissen, warum er sich noch immer in der Heimat aufhalte. Er sei Sanitätssoldat, damit tue er ja seinen Dienst, erklärte mir Brecht. Ich entgegnete entrüstet: ‚Aha, du leerst die Spucknäpfe aus?‘ Ich hielt Brecht für sehr feige und wollte, daß er sich schämen sollte, da er sich, wie ich glaubte, vor der Front drückte. Wochen vorher hatte mir Brecht folgenden *Psalm* in das Lazarett nach Erfurt geschickt:

> Eine kleine Weile wartet ihr Verzweifelten . . .
> Meint ihr, die Sonne sei untergegangen, weil ihr
>   blind seid?
> Seht, sie schien tausend Jahre: Nebel und Wolken
> Und Dunkel zwischen euch und der Sonne
> Sind der Dunst eurer Erde, sind der Qualm eurer
>   Tierheit.
> Aber die Sonne scheint ewig weiter und wenn
> Euere Flügel zerschlagen, immer könnt ihr
>   hinaufschauen . . .
> Die ewigen Sonnen sind ja für euch ewig.“

Novemberrevolution

Am 7. November 1918 brach in Bayern die Revolution aus. Nach einer Massenversammlung auf der Münchener Theresienwiese wurde Kurt Eisner zum Vorsitzenden des Arbeiter- und Soldatenrates und noch in der gleichen Nacht zum provisorischen Ministerpräsidenten von

Bayern ernannt. Die *Neue Augsburger Zeitung* schrieb darüber am folgenden Tag: „Ein unter Vorsitz Kurt Eisners gebildeter Arbeiter- und Soldatenrat hat die Herrschaft an sich gerissen. Im Verlauf der Nacht kam es zu schweren Ausschreitungen. Die Kasernen wurden gestürmt und demoliert. Der Hauptbahnhof ist von meuternden Truppen besetzt" (zitiert nach *Augsburger Zeitung* vom 8. November 1968).

Am Abend desselben Tages, an dem dieser Bericht erschien, versammelten sich Arbeiter und Soldaten von Augsburg im Ludwigsbau und wählten einen Arbeiter- und Soldatenrat unter Vorsitz des Redakteurs der *Schwäbischen Volkszeitung* Ernst Niekisch. Delegierte des Rats zogen auf das Rathaus. In einer nächtlichen Sitzung mit den Vertretern der Stadtverwaltung wurde eine friedliche Übereinkunft erzielt: Der Arbeiter- und Soldatenrat übernahm die militärischen und bürgerlichen Machtbefugnisse. Auf dem Rathaus wurde die rote Fahne aufgezogen. Am 9. November veröffentlichte der Arbeiter- und Soldatenrat in der *Neuen Augsburger Zeitung* einen Aufruf: „Die Gewalt ist in unseren Händen. Für Ruhe und Ordnung wird gesorgt. Unter keinen Umständen werden Ausschreitungen zugelassen. Gegen Plündernde und Raubende wird mit den schwersten Strafen eingeschritten. Die Sicherheit der Personen und des Eigentums wird verbürgt" (zitiert nach *Augsburger Zeitung* vom 8. November 1968).

Am 13. November erließ die Münchener Regierung unter Eisner eine Anordnung, wonach neben den Kasernenräten auch Lazaretträte als Vertretungen der Verwundeten zu wählen seien. Der Arbeiter- und Soldatenrat von Augsburg bestätigte am 28. November, daß sich ein Lazarettrat konstituiert hätte. Ihm gehörte Brecht für kurze

Zeit an. Zehn Jahre später äußerte er dazu: „Ich bekam einen Haufen Arbeit aufgehalst... verfügte dann aber sehr bald über meine Entlassung... ich unterschied mich kaum von der überwältigenden Mehrheit der übrigen Soldaten, die selbstverständlich von dem Krieg genug hatten, aber nicht imstande waren, politisch zu denken" (Brecht, S. 43 f.). In einem Brief vom 18. Juli 1966 bestätigte Niekisch Brechts Angaben: „Bert Brecht war Mitglied des Augsburger Arbeiter- und Soldatenrates, ist darin aber meines Wissens niemals besonders hervorgetreten."

Ein in der *Schwäbischen Volkszeitung* vom 13. Dezember 1918 veröffentlichter „Demobilmachungs-Plan" legte fest, daß die Jahrgänge 1896 und 1897 vorläufig nicht entlassen würden, und in bezug auf die folgenden Jahrgänge hieß es: „... überhaupt nicht entlassen werden die Jahrgänge 1898 und 1899." Gleichwohl konnte Brecht, womöglich durch Vermittlung seines unmittelbaren Vorgesetzten Dr. Raff, am 9. Januar 1919 den Dienst quittieren.

Münsterer erinnert sich: „... am 16. Januar ist Brecht bei mir, am Abend sind wir wieder beisammen und besuchen die Wahlversammlungen aller möglichen Parteien und landen endlich, in später Nacht, bei Fechenbach, dem Sekretär Kurt Eisners" (Münsterer, S. 89). Neher vermerkte am 18. Januar in seinen noch unveröffentlichten und im Besitz der Staats- und Stadtbibliothek Augsburg befindlichen Tagebüchern einen mit Brecht und Müllereisert unternommenen Besuch im Augsburger Tanzlokal Karpfen: „Dort war ein sehr schönes Orchestrion, das ein Bild hatte und immer wieder erleuchtet wurde." (In dem Brecht-Gedicht *Oh, ihr Zeiten meiner Jugend* aus dem Jahre 1919 wird ein „rot Orchestrion"

unter den Erinnerungsbildern an die „Jugend" genannt.)
Am Sonntag, dem 19. Januar, fand in Gablers Taverne
ein Brechtfest statt (Münsterer, S. 89). Hagg erzählt aus
diesen Tagen:
„Es war Ende Dezember 1918, da erzählte ich Brecht
von einem jungen Mädchen namens Lilly Krause. Ich
kannte sie schon einige Zeit. Sie war hübsch, von einfacher Art, hochintelligent und sehr bildungshungrig. Als
einzige Frau im ganzen Reich hatte sie damals die Bür-
stenmacher-Gesellenprüfung abgelegt. Anfang 1919 verheiratete sie sich mit Georg Prem und schloß sich, gleich
ihrem Mann, der Spartakistenbewegung an. [Prem spielte
wenig später im Leben Brechts eine zwar kurze, aber den
jungen Schriftsteller kennzeichnende Rolle.] Als ich
Brecht von Lilly erzählte, wollte er sie unbedingt kennenlernen. In Gablers Taverne kam es daraufhin im Januar 1919 zwischen dem Ehepaar Prem und Bert zu heißen politischen Debatten, die sich einige Male bis tief
in die Nacht erstreckten. Brecht bezeichnete sich dabei
als ‚unabhängiger Unabhängiger'. Anfang Januar 1919
besuchte ich im Ludwigsbau die große Wahlversamm-
lung der USPD, auf der der damalige Ministerpräsident
von Bayern, Kurt Eisner, sprach. [Die Versammlung
fand am 4. Januar statt.] Die Leitung der Versammlung
oblag der temperamentvollen Lilly Prem. Anläßlich der
Abstimmung der Versammlungsteilnehmer über den
Boykott bürgerlicher Zeitungen seitens der Arbeiter hatte
ich es mit vier anderen gewagt, entgegen den Erwartungen Lillys zu stimmen. Kurz entschlossen forderte sie die
Versammlungsteilnehmer auf, mich und die anderen vier
aus dem Saal zu weisen. Dabei schimpfte Lilly entrüstet
auf mich ein und spuckte sogar vor mir aus. Ich mußte
den Saal verlassen.

Ihre Feindschaft hielt aber nicht lange vor. Eines Tages, Ende Januar etwa, kam sie zu mir, entschuldigte sich kurz und bat mich sodann, ich solle mit zu ihrem Mann kommen. Obwohl ich insgeheim befürchtete, daß man mich irgendwo im Hinterhalt verprügeln würde, ging ich mit ihr. Sie brachte mich tatsächlich zu ihrem Mann. Wie erstaunt war ich nun, als mir Georg Prem eröffnete, er wolle von mir nur einige Auskünfte über finanztechnische Fragen im kommunalen Bereich haben. Er werde in der in Bälde zu erwartenden Räteregierung in Augsburg als Finanzminister arbeiten müssen, und da könne ich ihm als Bankangestellter gewiß einige Fragen beantworten und Ratschläge erteilen. Wir haben uns sodann lange über monetäre und wirtschaftspolitische Fragen unterhalten."

Emmi Lauermann erzählt von ihrer Begegnung mit Brecht:

„Ich bin in Augsburg geboren. Brecht lernte ich nach der Novemberrevolution kennen. Als neunzehnjähriges Mädchen war ich in jenen Tagen nicht nur links eingestellt, ich arbeitete auch freiwillig in den Reihen der revolutionären Bewegung in Augsburg mit. So habe ich unmittelbar mit dem Vorsitzenden des Soldatenrates, Leutnant Olschewsky, zusammengearbeitet. Desgleichen war mir der Stadtkommandant Edelmann (SPD) bekannt. Ich selbst war damals Mitglied der USPD in Augsburg.

Bertolt Brecht lernte ich in einer USP-Versammlung im Hirschbräusaal kennen. Er war mir bereits in einer vorausgegangenen Versammlung aufgefallen. Dort beobachtete ich einen etwa gleichaltrigen jungen Mann, der in einer Ecke des Saales in der hintersten Reihe saß und sich eifrig Notizen machte. Obwohl es in den Versammlungen immer hoch herging und sich viele zu Wort meldeten, schwieg der junge Mann beständig, ich sah ihn nur schreiben. Da mir das irgendwie verdächtig erschien, stellte ich in jener bewußten Versammlung im Hirschbräu den Unbekannten und fragte ihn direkt, weshalb er sich denn alles so eifrig aufschreiben müsse, was hier gesprochen werde. Nach einigen spitzen Worten hin und her kamen wir in eine Diskussion, und bald war ich überzeugt, daß sein auffälliges Interesse in unseren Versammlungen purem Wissensdurst entsprang.

Ich war damals, als junges Mädchen, eine himmelstürmende Revolutionärin. Wir Jüngeren wurden von den älteren Genossen zu politischen Agitationsarbeiten ebenso herangezogen wie zu internen Beratungen. So sangen wir Lieder zur Laute – das konnte ich besonders gut – mit gleichem Eifer, wie wir an Sitzungen des Soldatenrates teilnahmen oder Reden vom Balkon des Rathauses herab hielten, wie ich es damals getan habe. Im Januar 1919 konkretisierte sich bei uns die Meinung, daß es auch in Augsburg zu einer Regierungsbildung durch die Räte kommen müsse. Wohl aus einer solchen Denkweise heraus, die natürlich der allgemeinen revolutionären Lage entsprang, erklärt sich der folgende Vorfall:

Gegen Ende Januar 1919 war es, da ging ich durch die Karmelitergasse zu einem politischen Treff, als mir ganz überraschend Brecht, aus Richtung Heiligkreuzkirche kommend, begegnete. Nach einer kurzen Begrüßung und der Bekundung der gleichen politischen Sympathien durchfuhr mich ganz spontan ein Gedanke. Ich fixierte wohl etwas länger als üblich sein Gesicht und sagte dann: ‚Hör mal, du gehörst doch voll zu uns. Du solltest mitmachen. Wir übernehmen die Regierung, wir wollen die Machtübernahme!‘

Wahrscheinlich werde ich Brecht mit der ganzen Glut

meiner jungen Augen angeschaut haben, denn er zog seine Sportmütze, die er damals schon trug, tief in die Stirn, so daß die Augen schier hinter dem Mützenschild verschwanden. Dann fuhr ich in etwa fort: ‚Wir brauchen dich, du solltest Kulturbeauftrager werden.' Und ich erläuterte nun detailliert mein ‚Angebot' und sagte bedeutungsvoll: ‚Das ist soviel wie Minister!' Brecht schaute mich mit seinen kleinen dunklen Augen, vor denen eine schmalgefaßte Brille saß, ganz durchdringend von oben bis unten an. Dann blieb sein Blick auf meiner zum Handschlag vorgestreckten und bereiten Hand haften, noch schwieg er einige Augenblicke, plötzlich verzog sich sein Gesicht in ein schmunzelndes Lachen, und mit einer weitausgreifenden Armbewegung schlug er mit einem einzigen Wort ‚Einverstanden' in meine Hand ein. Auch ich antwortete, allerdings mit tiefernster Miene, ‚Einverstanden!'. So drückten wir uns einen Moment lang die Hand, wobei ich hinzufügte, daß er bald Näheres hören werde. Dann trennten wir uns.

Wie der Geschichte zu entnehmen ist, kam alles bald anders. Die Räterepublik wurde zusammengeschossen. Nach dem Handschlag mit Brecht im Januar 1919 bin ich, infolge der damaligen Geschehnisse, nicht wieder mit ihm zusammengetroffen. Während der folgenden Zeit gehörte ich einer Sing- und Spielgruppe an, die gelegentlich eine Art Konkurrenzgruppe zum Brechtschen Kreis bildete. Dabei war ich unter der Jugend durch meinen Gesang und das Lautenspiel bekannt geworden. Offenbar erregte meine musische Begabung Brechts Aufmerksamkeit, denn zweimal wurde ich von seinem Freund Pfanzelt aufgefordert, ihn in seinem Zimmer mit meiner Laute zu besuchen. Daß es nicht dazu kam, habe ich meinem damaligen Freund zu verdanken, der wohl die Tücken

eines solchen Besuches für ein eben zwanzigjähriges Mädchen in männlicher Weisheit vorausahnte. So wartete
Brecht damals auf mein Lautenspiel vergebens."

Kriegsnotsemester

Am 15. Januar 1919 begann ein von der Universitätsleitung für ehemalige Soldaten angesetztes Kriegsnotsemester. Es erstreckte sich bis 15. April 1919. Brecht
fuhr am 20. Januar nach München und traf sich mit Neher, der dort bereits wohnte und studierte. Am 24. Januar meldete er sich von Augsburg nach München ab.
Eine am 4. März an Hagg gerichtete Postkarte nennt im
Absender die Paul-Heyse-Straße 9. In der Quästur trug
sich Brecht, auch in den folgenden Semestern, als stud.
med. ein. Er belegte folgende Vorlesung:

Freitag, Gustav,	Bau, Verrichtungen	
a. o. Prof.	und Gesundheits-	
	pflege des mensch-	
	lichen Auges	1 Std.

Der Universität liegt folgender Antrag Brechts vor:
„Unter Verzicht auf Anrechnung des Zwischensemesters
bitte ich, mich von der Belegung weiterer Vorlesungen
entbinden zu wollen.   gez. Bert Brecht
Genehmigt 25. 6. 1919
der derzeitige Prorektor gez."
Brecht wurde Anfang 1919 mit einem persönlichen Problem konfrontiert: Seine Augsburger Freundin Bie Banholzer erwartete von ihm ein Kind und wurde im Februar
von ihren Eltern nach Kimratshofen bei Kempten im All-

gäu geschickt. Immer wieder wird jetzt bezeugt, daß Brecht um jeden Preis Geld verdienen wollte. Eine Bahnfahrt nach München am 27. Januar wird in Nehers Tagebuch so festgehalten: „Bert faßte im Zug die Idee zu einem Roman, der ihm 1000 Mark eintragen solle."

In Nehers Tagebuch steht weiterhin, daß man „einige Tanzlokale" besuchte, um für den bevorstehenden „Kutscherabend" Walzer tanzen zu lernen. Die Semesterfeier bei Artur Kutscher fand am 3. Februar statt. Brecht besuchte sie mit Hedda Kuhn und Neher. In Kutschers Gästebuch stehen unter der von Siegel gezeichneten Handleiste Brechts und Hedda Kuhns Namen.

Am 6. Februar besuchte Brecht die von der USPD veranstaltete Trauerfeier zu Ehren der ermordeten Rosa Luxemburg und Karl Liebknecht. Die Gedenkrede hielt Gustav Landauer. Wie Elisabeth Hauptmann erklärte, gehörte Brecht in dieser Zeit kurzfristig der USPD an. Diese Angabe wird von Richard Schatz, einem Augsburger Jugendfreund Brechts, bestätigt: „Ich sah Brecht während der Studienzeit viel in München, ich war wie er Student. Während der Münchener Räterepublik waren wir in München oft zusammen. Wir waren beide links eingestellt. Eine andere Alternative zu den militaristischen Kräften gab es für uns nicht. Damals war Brecht sogar Mitglied der USPD."

Am 14. Februar sprach Brecht mit Neher beim *Simplizissimus* vor und bot das Gedicht *Der Himmel der Enttäuschten* mit einer Zeichnung Nehers an. Die Arbeiten wurden nicht angenommen. – Am Sonnabend, dem 15., und am Sonntag, dem 16. Februar, war Brecht wieder in Augsburg. Gemeinsam mit Neher besuchte er den erkrankten Müllereisert. Wie Nehers Tagebuch ausweist, wurde über „Spartakismus und Sozialismus" diskutiert. Von Augsburg aus fuhr Brecht drei Tage zu Bie nach Kimratshofen. Am 19. Februar traf er wieder in München ein.

Zwei Tage später, am Freitag, dem 21., wurde der bayerische Ministerpräsident Kurt Eisner ermordet. Riesige Demonstrationen und eine Protestversammlung des Arbeiter- und Soldatenrates am Deutschen Theater beantworteten das Attentat. In Augsburg, wo Brecht das Wochenende vom 22. bis 23. Februar verbrachte, hatte die Ermordung Eisners Unruhen ausgelöst. Das *Nachrichtenblatt des Augsburger Arbeiter- und Soldatenrates*, die einzige in diesen Tagen in Augsburg erscheinende Zeitung, meldete am 25. Februar in einem zusammenfassenden Bericht, daß sich „Heißblütige" nachmittags auf dem Königsplatz versammelt hätten, durch die Straßen Augsburgs demonstrierten und die Räume der *Neuen Augsburger Zeitung* stürmten, „um dort buchstäblich gründlich alles kurz und klein zu schlagen ... gegen 9 Uhr war die ganze innere Stadt rein aus dem Häuschen". Eine Matrosenabteilung des Arbeiter- und Soldatenrats versuchte, die Ordnung aufrechtzuerhalten, wurde beschossen und erwiderte das Feuer. Drei Menschen wurden getötet, viele verwundet. Über Augsburg wurde der Belagerungszustand verhängt. Neher schrieb unter dem 22. Februar: „Es war kein anderes Bild wie in München, höchstens schlimmer und harmloser. Raudis hatten in der Nacht vorher sämtliche Läden in der Bürgermeister-Fischer-Straße und Bahnhofstraße erbrochen und beraubt. Es war geschossen worden – sonst war nichts los. Eine Menge Leute, die sich die Revolution ansahen mit tumben Gesichtern." Brecht schloß sich mit den Freunden einem Trauerzug für Eisner an. Am 23. Februar, dem sogenannten Revolutionssonntag, trafen sich Brecht und Neher in Gablers Taverne.

Am 24. Februar – Brecht war, von Augsburg kommend, wieder in München – besuchte Münsterer den Freund in seinem Studentenzimmer, einer „bravbürgerlichen, mit Plüschmöbeln ausstaffierten Stube zu ebener Erde" (Münsterer, S. 93). Er lernte Brechts neues Stück kennen, das den Titel *Spartakus* trug und „Geld bringen" sollte. Nach Nehers Aufzeichnungen war das Stück in der zweiten Januarhälfte angefangen worden. Am 13. Februar gratulierte Neher dem Freund zum Abschluß der Arbeit.

Am Abend des 26. Februar kam Bie für drei Tage nach München. Gemeinsam mit Neher ging man in die Aufführung von Strindbergs *Totentanz I*, führte Gespräche über die Zukunft und immer wieder über das Drama *Spartakus*. Münsterer erzählt, daß das Stück im März Lion Feuchtwanger vorgelegt wurde (Münsterer, S. 93). Wie es dazu kam, berichtete Marta Feuchtwanger in einem Brief vom 9. Mai 1968:

„Brecht verkehrte im Münchner Boheme-Café Stephanie. Eines Tages, so erzählte es mir Brecht, sei er ins Stephanie gekommen, sein Spartakus-Stück in der Tasche, und dort habe er den Schauspieler Arnold Marlé getroffen. Kurzentschlossen sei er an dessen Tisch getreten und habe ihn gefragt, was man mit einem solchen Stück anfangen solle. Marlé, in eine Zeitung vertieft, habe, ohne aufzuschauen, gesagt: ‚Gehen Sie zu Feuchtwanger.' ... Etwa Anfang 1919 brachte Brecht das Stück zu Lion."

Als Feuchtwanger 1927 nach Großbritannien reiste, schrieb er „für Engländer" ein Brecht-Porträt, in dem er das erste Zusammentreffen mit dem Verfasser des *Spartakus* schilderte: „Um die Jahreswende 1918/19, bald nach Ausbruch der sogenannten deutschen Revolution, kam in meine Münchener Wohnung ein sehr junger

41. 4. 3. 19.

Lieber Heinz,

[handschriftlicher Brieftext]

Dein p. Bert Brecht

Brief Brechts an Heiner Hagg (4. März 1919)

Mensch, schmächtig, schlecht rasiert, verwahrlost in der Kleidung. Er drückte sich an den Wänden herum, sprach schwäbischen Dialekt, hatte ein Stück geschrieben, hieß Bertolt Brecht. Das Stück hieß *Spartakus*. Im Gegensatz zu der Mehrzahl der jungen Autoren, die, wenn sie Manuskripte überreichten, auf das blutende Herz hinzuweisen pflegen, aus dem sie ihr Werk herausgerissen hätten, betonte dieser junge Mensch, er habe ein Stück *Spartakus* ausschließlich des Geldverdienstes wegen verfaßt" (Theaterwelt, S. 165).

Rudolf Frank, Regisseur der zwanziger Jahre, damals neben Direktor Otto Falckenberg Spielleiter und Dramaturg an den Münchener Kammerspielen, vermerkte in seiner Rückschau: „Den jungen Brecht sah ich zum erstenmal bei Feuchtwangers auf der Chaiselongue, wo er Tag für Tag, Band für Band zu seiner Anregung und Belehrung das Konversationslexikon las. Dann schrieb er Szenisches oder auch jene makabren Balladen, die er nachts mit Gitarrenbegleitung vortrug, hart, dünn und böse" (Frank, S. 265).

Dazu schrieb Marta Feuchtwanger am 9. Mai 1968:

„Direktor Falckenberg von den damaligen Kammerspielen, dem Lion das Stück empfohlen hatte, sagte, daß der Titel *Spartakus* aus politischen Gründen ungeeignet sei. Da saßen wir nun zusammen und überlegten und machten Titelvorschläge, bis mir etwas einfiel, ich schlug den Titel *Trommeln in der Nacht* vor, und schließlich wurde er gutgeheißen."

In einem weiteren Brief vom 28. Mai 1968 äußerte Marta Feuchtwanger, „daß Brechts Vater ganz zu Anfang der zwanziger Jahre, vielleicht schon 1920, zu Lion kam und fragte, ob sein Sohn als Schriftsteller wohl begabt genug sei, um das Medizinstudium aufgeben zu können. Als

Lion das bejahte, schickte der Vater seinem Sohn weiterhin den monatlichen Scheck."

Die *Trommeln in der Nacht* wurden am 29. September 1922 in den Münchener Kammerspielen unter Falckenbergs Regie uraufgeführt. In der Druckfassung trug das Stück die Widmung: „Der Bie Banholzer".

Am 18. März 1919 besuchte Brecht einen Rezitationsabend des Schauspielers Ernst von Possart. Die *Neue Augsburger Zeitung* berichtete zwei Tage später über die Veranstaltung:

„Am Dienstag scharte sich im Ludwigsbau um den getreuen Eckhard anläßlich eines Rezitationsabendes ein großer Kreis seiner Verehrer und solcher, die es werden wollten, und schon nach dem Vortrag der *Legende vom Hufeisen*, der ersten Goetheschen Dichtung, hatte der unübertreffliche Meister einer heute noch vorbildlichen Sprachtechnik die Alten wie die Jungen im Zauberbann seiner wortbildnerischen Kunst ... Den *Erlkönig* von ihm zu hören, bedeutet eine Verzichtung auf Vertonung; denn das Gedicht wird hier von selbst zur Musik. So ihn das profane Gedächtnis im Stiche ließ, genossen wir *Gott und die Bajadere* zweimal ..."

Hohenester erinnert sich des Abends:

„In eine wahre Bestürzung versetzte Brecht den großen Possart, als dieser einmal zu einem Vortragsabend im Dienste der Wohltätigkeit nach Augsburg kam. Der ‚Knabe' Brecht, wie er Possart wohl erscheinen mochte, meldete sich als damals noch fast gänzlich Unbekannter eine halbe Stunde vor Vortragsbeginn bei dem Künstler in ‚Drei Mohren' und forderte ihn im trockensten Ton und mit der größten Selbstverständlichkeit der Welt auf, statt einer ‚abgeleierten Schillerschen Ballade', die des Rhapsoden Paradestück war, seinen *Geierbaum*

vorzutragen. Possart hat natürlich abgelehnt" (Hohenester).

Auch Schaller hörte Possarts Deklamationen:

„Ich war mit Brecht im Ludwigsbau, als Possart Gedichte
rezitierte. Wir haben uns noch oft über seine Vortragsart
lustig gemacht, wobei es Brecht besonders Possarts stark
ausgedehntes ‚Mahadööh' angetan hatte.

An einem Abend übermütiger Jugendlaune erlebte ich
Brecht, wie ihn nur wenige kennenlernten. Nach der
Novemberrevolution statteten wir regelmäßig einigen
der übelsten Schankwirtschaften in Augsburg nächtliche
Besuche ab. So passierte es in dem Kellerlokal Gambri-
nus, unten am Judenberg, daß wir mit Schiebern und
Schwarzhändlern, die dort mit leichten Mädchen ihr Geld
durchbrachten, in einer überraschend vorgenommenen
Polizeirazzia verhaftet und mit ins Polizeipräsidium gebracht wurden. Wir hatten alle Überredungskunst auf-
zubieten, bis man uns glaubte, daß wir keine Schwarz-
händler waren.

Eines Abends war die ganze Blase wieder unterwegs.
Ich kann mich noch an Neher und Pfanzelt erinnern, und
natürlich war Brecht obenauf. Schließlich landeten wir
im Prostituierten-Domizil Sieben Hasen in der Bäcker-
gasse. Es ging hoch her. Unversehens stand eine der
Amüsierdamen auf dem Tisch und sang unter großem
Beifall anzügliche Lieder. Ich kann mich noch eines
Kehrreims erinnern, der immer wieder von allen in
Hochstimmung mitgesungen wurde: ‚Ich hab ein Bü-
schel Haar am Bauch, ich glaub, ich bin ein Aff.' Wir
waren natürlich alle in gehobener Laune. Da griff Brecht
zur Gitarre und sang den Mädchen und den anderen Gä-
sten Goethes *Der Gott und die Bajadere* vor. Je weiter
Brecht das Geschick der indischen Tempeltänzerin vor-

trug, mit seiner aufreizend-krächzenden Stimme und dem ungewöhnlichen Rhythmus, um so stiller wurde es in der Schenke, wie in einer Leichenhalle standen sie alle und hörten Brecht singen. Als er geendet hatte, brach ein Beifallsgeschrei über Brecht herein, spontan nahm ein Mann seinen Hut und sammelte für den Sänger, alles stürmte auf Brecht ein, und er mußte seinen Vortrag wiederholen."

Von einem anderen Auftritt Brechts erzählt Ludwig Kasberger, der in der Bleich aufwuchs:

„Oft stand Brecht auf der Brücke am Schwanenteich, nahe der elterlichen Wohnung. Die Ellbogen hatte er auf das Brückengeländer gestützt, so stierte er ewig lang auf die Wasserfläche hinunter. Ab und zu schrieb er etwas auf einen Zettel. Dabei ließ er sich durch nichts ablenken. Auf das Geländer gelehnt, las er oftmals auch ein Buch. Die Brücke wurde nachts von einer Straßenlaterne beleuchtet. Mitunter nutzte Brecht sogar das Laternenlicht. Die Nachbarn, die das sahen, wußten von seinen Dichterplänen und dachten sich schon nichts mehr dabei. Die meisten Leute lächelten mitleidig über den ‚spinneten Kerl'.

Im Frühjahr 1919 traf ich Brecht einmal beim Friseur. Das Geschäft war voller Kunden, und alle warteten geduldig. Plötzlich stand Brecht auf, stellte sich vor die Wartenden und fragte sie, ob er ihnen zur Abwechslung etwas Künstlerisches vortragen dürfe. Da niemand widersprach, setzte er sich sogleich auf einen höheren Hocker und begann, aus einem seiner Hefte, die wie Schulhefte aussahen, vorzulesen. Ich glaube mich zu erinnern, daß es aus dem *Baal* war. Ich war jedenfalls sehr verblüfft und erstaunt. Die anderen Kunden des Friseurs hörten, teils interessiert, teils mit offenem Munde, dem jungen Mann zu. Als Brecht geendet hatte, erntete er sogar Beifall. Er befragte auch direkt die Leute, wie es ihnen gefallen habe. Die meisten Anwesenden waren einfache Arbeiter aus der Bleich, die nicht recht wußten, was sie Brecht antworten sollten. So endete die Episode im Friseurladen mit allgemeiner Heiterkeit.

Mir sagte er einmal: ,Man darf nicht nur Auch-Dichter sein wollen. Das ist wie in einer Zentrifuge, wer sich nicht in der Mitte der Drehbewegungen halten kann, wird nach außen geschleudert. Wenn Sie Beamter werden wollen, dann dichten Sie bald nicht mehr.' "

Einen bis zum Frühjahr 1919 reichenden zusammenhängenden Bericht über Brechts Studienzeit gibt Hedda Kuhn:

„Meine Eltern lebten in Rastatt. Ich studierte anfangs in München Medizin. Bertolt Brecht lernte ich bereits Ende 1917 im Kutscher-Seminar kennen. Er fuhr damals von München aus oft nach Augsburg, weil es zu Hause mehr zu essen gab. Brecht aß am liebsten Pfannkuchen [in Süddeutschland ein dünner, in einer Pfanne gebackener Eierteigfladen]. Ich wußte in München einige Gaststätten, wo man ohne Marken etwas bekam. Bald nachdem wir uns kennengelernt hatten, wurde ich von Brecht nach Augsburg eingeladen und verkehrte viel im Elternhaus. Frau Brecht, sie war bereits sehr krank, konnte ich zuweilen nur kurz sprechen, sie hatte immer große Schmerzen und stand deshalb viel unter linderndem Morphiumeinfluß.

Brechts Vater erhoffte von mir, daß ich seinen Sohn beim Medizinstudium festhalten könnte, seiner Mutter sollte ich versprechen, Bert nie zu verlassen; was ich ihr natürlich nicht versprechen konnte. Ich hatte Bert nicht einmal meinem Vater vorzustellen gewagt, da er immer, wenn er wenige Tage von zu Hause weg war, einen schmutzigen

Hemdkragen und unreine Fingernägel hatte und sich insgesamt arg boheme zusammenrichtete. Das machte er natürlich absichtlich. Seine Mutter hatte deshalb viel Sorgen mit Brechts äußerer Ordentlichkeit. Brecht liebte und verehrte seine Mutter sehr. Deshalb mochte er auch die Roecker nicht, weil diese mehr zum Vater hielt.

Brecht trank immer viel Tee, den er von der Familie während des Krieges nach München geschickt bekam oder den man ihm in Augsburg mitgab. Der Vater hatte als Direktor der Papierfabrik in München gute Beziehungen, er besorgte die Kohlen zum Heizen und beschaffte meistens auch die Zimmer. So hatte mir Brechts Vater auch das Zimmer in der Adalbertstraße 42 besorgt und die Kohlen dazu; ich war in Untermiete bei Oberbibliothekar Däumling.

Mit Brecht war ich noch lange per Sie, was auch der Zettel zeigt [s. S. 139], wo Brecht Herrn Seitz auffordert, zwei Theaterkarten bei mir abzuholen. Brecht wollte mit Bie in München ins Theater gehen, und da ich Theaterbeziehungen hatte, habe ich die Karten besorgt.

Brecht benahm sich in Gesellschaft oft daneben, darauf war er meist noch stolz, oder er saß stumm da wie ein Stoffel. Er hatte keine Manieren. Brechts Sprache war wunderbar. Er sagte mir, daß er das seiner Großmutter verdanke, der Frau Brezing, die ihm so ausgezeichnet aus der Bibel vorlesen könne.

Er hat mir oft Bücher gegeben, die ich lesen sollte, da er sie schätzte. Das machte er immer so. Wenn ihm ein Buch imponierte, veranlaßte er auch seine Freunde, es zu lesen. Ich habe heute noch Bücher von Brecht, so Rainer Maria Rilkes *Aufzeichnungen des Malte Laurids Brigge* vom Inselverlag, den *Tausch* von Claudel, die Erinnerungen des Daniel Drew, *Der Mann, der Donners-*

tag war von Chesterton und *Madame d'Ora* von Jonas Lie. Sein Lieblingsroman war von Kipling *Das Licht erlosch,* auch liebte er Rimbauds Gedichte, Villon und Wedekind, letzteren hatten wir ja in München gemeinsam erlebt. Wir hatten uns in jenen Tagen versprochen, daß wir, jeder für sich, den ersten Sohn nach Wedekind Frank nennen wollten. So kam es, daß Brechts Sohn mit Bie Frank hieß, und auch ich ließ meinen ersten Sohn Frank taufen.

Melodien zu seinen Gedichten machte Brecht selbst und trug sie auch vor. Er konnte sehr hoch und tief singen. Ich erinnere mich noch an *König Nicolo* mit einer Melodie, die heute nicht mehr verwendet wird; oder auch an den *Blinden Knaben*. Brechts Urteile waren hart, so nannte er damals Bernard Shaw einen seichten Burschen.

Im Winter 1918/19 hatte ich Brecht mit Otto Zarek [damals stud. jur., dann Dramaturg an den Kammerspielen in München] bekannt gemacht. Er war Berliner, sein Vater lebte nicht mehr, Geld war auch nicht viel vorhanden. In München, in meinem Zimmer in der Adalbertstraße, haben wir, Zarek, Brecht und ich, eine Art Sängerwettstreit veranstaltet. Jeder hatte eine Szene über Karl V. zu schreiben. Zarek tat sich leicht, weil er nur etwas aus seinem gleichnamigen Stück zu nehmen brauchte. Auch Brecht hatte etwas geschrieben, darin hatte er an dem Kaiser kein gutes Haar gelassen. Ich wollte deshalb Brecht den Lorbeer zusprechen, aber wir erzielten keine Einigung. Wo die damals geschriebene Szene von Brecht geblieben ist, weiß ich nicht.

Ich erinnere mich, daß Brecht damals eine Wolfshündin hatte, die auf den Namen Ina hörte. Diese Hündin hing sehr an Brecht, sie zwängte sich immer dazwischen, wenn jemand mit Bert sprach.

Brecht studierte an der Universität kaum Medizin, eigentlich studierte er nie Medizin. Er wollte nur nicht an die Front, lieber wollte er Sanitätssoldat werden. Er hatte eine panische Angst vor Geschlechtskrankheiten. Darüber hörte er Vorlesungen. Mir sagte er einmal, wenn er einem Mädchen fest in die Augen schaue und frage, ob es krank sei, dann gebe das Mädchen zu, ob es krank sei. Als Sanitätssoldat hatte Brecht in Augsburg Furchtbares gesehen, wie er mir sagte, damals war er stark von Depressionen heimgesucht. An der Uni hörte er Vorlesungen von Max Weber über Nationalökonomie, auch über Entbindungen bei Prof. Döderlein. Nach dem Krieg studierte Brecht nicht mehr ernstlich. Er schrieb täglich. Er hatte gar keine Zeit zum Studieren. Zumindest weiß ich das genau bis zum Frühjahr 1919. Er schrieb in seinem Zimmer von morgens 6 bis 12 Uhr mittags, dann holte er mich oder Freunde zumeist von der Uni ab, um in einen Bräu oder zum Essen zu gehen.

Man darf sich durch Einschreibungen an der Uni nicht täuschen lassen. Brecht schrieb sich für viele Fächer ein, das ist ein alter Trick, um sich das Geld nach kurzer Zeit unter einem Vorwand wieder auszahlen zu lassen. Seinem Vater gegenüber hatte er die Quittungen und somit ein Alibi. Brecht hatte im Frühjahr 1919 bereits *Baal* und die *Trommeln* geschrieben. Ab und zu besuchte er natürlich Vorlesungen, wenn ihn etwas besonders interessierte. Auch wollte er bei Prof. Muncker oder Geiger seinen Dr. phil. machen, seinem Vater zum Trost, sagte er. Er erfuhr aber, daß dafür Prüfungen in drei Fächern nötig waren, das lehnte er ab. An gelegentliche und unsystematische Kollegbesuche Brechts erinnere ich mich noch, so bei den Professoren Kraeplin/Psychiatrie, Isserlin/Psychoanalyse, Sauerbruch/Chirurgie, Döderlein/Gynäkologie, auch an Wölfflin/Kunstgeschichte, Muncker/ Literatur, v. Aster, Geiger, Kutscher und Strich.

Ich hatte, bevor ich Brecht kennenlernte, selbst geschrieben. Aber Brecht hat es mir bald verleidet. Er sagte etwa: ,Deine Gedichte sind Musik, aber ich verstehe sie nicht.' Ich mußte vielfach seine Sachen korrigieren, aber das machte mir bald keinen Spaß mehr. Er hatte damals öfter Fehler im Versfuß. Wenn er es selbst vortrug, fielen die Fehler nicht auf. Auch andere Freunde Brechts hörten entweder mit Schreiben auf, oder sie eigneten sich den Brechtduktus an.

Frank Warschauer studierte damals ebenfalls in München. Seine Mutter, die früh an Leukämie verstarb, war ehemals in Berlin eine gute Pianistin. Sie hatte reiche Verwandte und bezog von daher eine Rente. Warschauer war später Filmkritiker. Brecht wohnte, als er 1920 und 1921 nach Berlin reiste, bei Warschauer in der Eislebener Straße 13. Das hatte ich vermittelt.

Zur Bekanntschaft Brecht und Feuchtwanger weiß ich, daß Brecht den damals schon bekannten Lion Feuchtwanger mit seinen *Trommeln-* und *Baal*-Manuskripten einfach aufgesucht hat. Brecht sagte mir, daß Feuchtwanger in seinem *Thomas Wendt* aus *Spartakus* gestohlen habe. Brecht kommentierte das damals so: ,Er hat ein Automobil gestohlen, das er nicht fahren kann.'

Von seinem *Baal* weiß ich bestimmt, daß das Stück im Frühjahr 1919 von Schwanneke und Steinrück angenommen worden war. Brecht erzählte mir damals einige Äußerungen, die in der entscheidenden Spielplansitzung gefallen seien. Ein Spielleiter habe gesagt: ,Nun kommt wieder so ein Berliner Jude, und wir sollen sein Stück spielen.' Darauf habe Steinrück entgegnet: ,Sie irren, Brecht ist ein Altbayer aus Augsburg.'

Durch Warschauer hatten wir, Brecht und ich, einmal die Bekanntschaft des Schriftstellers Franz Ferdinand Baumgarten gemacht und waren gemeinsam von ihm eingeladen worden. Als wir ihn dann besuchen wollten und an der Tür seiner Münchner Wohnung klingelten, öffnete der Diener und sagte bedauernd, daß sich sein Herr soeben erschossen habe. Wie man später hörte, soll Baumgarten von irgendeiner Seite erpreßt worden sein, man vermutete wegen Homosexualität.

Brecht hat mir damals ein Heft geschenkt, worin die *Kleinbürgerhochzeit* aufgeschrieben war. Dieses Brecht-Manuskript hat mir in den zwanziger Jahren ein Redakteur von Ullstein namens Heinz Mühsam unter einem Vorwand abgebettelt und nie mehr zurückgegeben."

Von Brechts Freundschaft mit Hedda Kuhn zeugt das 1920 entstandene Gedicht *Von He*.

Räterepublik

In München trat am 19. März 1919 der neugewählte Landtag zusammen. Er nahm ein Ermächtigungsgesetz an, das einem Kabinett unter der Leitung des Mehrheitssozialisten Hoffmann umfassende gesetzliche Vollmachten erteilte, und stimmte dann seiner Vertagung zu. Zwei Wochen später, am 3. April, fand im Augsburger Ludwigsbau eine öffentliche Versammlung statt. „In der Diskussion sprach ein USPD-Redner, Hans Frank. Er schloß seine Ausführung mit der Forderung, die bayerische Räterepublik zu gründen. Kaum waren seine Worte verhallt, da sprangen an verschiedenen Tischen Versammlungsbesucher auf, entfalteten rote Fahnen und ließen die Räterepublik hochleben" (Niekisch, S. 64). Anderntags verfügte der Arbeiter- und Soldatenrat die Umgestaltung der Stadtverwaltung. Der Oberbürgermeister, der Magistrat und die Gemeindebevollmächtigten wurden abgesetzt, der Stadtkommandant Hans Edelmann übernahm die Vollzugsgewalt.

Eine aus der Versammlung des Vorabends gebildete Delegation unter Olschewsky fuhr nach München und unterbreitete dem Kabinett Hoffmann eine von Georg Prem abgefaßte Resolution, die die Ausrufung der Räterepublik in Bayern forderte. Gegen den Widerstand der KPD unter Eugen Leviné, der die politischen Voraussetzungen für eine Räteherrschaft als nicht gegeben erkannte und vor provokatorischen Aktivitäten sozialdemokratischer Führer warnte, wurde am 7. April die Räterepublik proklamiert. Die bayerische Landesregierung unter Hoffmann floh nach Bamberg, stellte sich unter den Schutz des in Ohrdruf gebildeten konterrevolutionären Freikorps Epp und ersuchte die Reichsregierung um bewaffnete Intervention.

Valentin Baur, seinerzeit einflußreiches Mitglied des Augsburger Arbeiter- und Soldatenrates, erzählt:

„Bert Brecht war während der Räterepublik nicht mehr im Augsburger Arbeiter- und Soldatenrat vertreten. Ich sah ihn jedoch damals gelegentlich. Er hatte Umgang mit einigen Spartakisten im Arbeiter- und Soldatenrat, insbesondere schien er sich mit der ‚Leiterin der revolutionären Frauen' in Augsburg, der attraktiven Lilly Prem, angefreundet zu haben. Sie war gewähltes Mitglied des Arbeiter- und Soldatenrates [ihre Wahl erfolgte laut ANN am 7. April 1919]. Mit Wendelin Thomas, dem Chefredakteur des *Volkswillen*, agitierte sie in Versammlungen und auf dem Rathaus für die Bewaffnung der Augsburger Arbeiter Wenig später beteiligte sie sich als Krankenschwester an den Kämpfen gegen die Truppen

General Epps, der über Augsburg gegen München zog. Brecht nahm meines Wissens an den Osterkämpfen in Augsburg gegen Epp nicht teil."

Auf Lilly Prem bezieht sich Brechts *Ballade von der Höllenlili* in dem Stück *Happy End*. Von dem revolutionären Elan der jungen Frau zeugt ein am 9. April 1919 in den ANN erschienener Aufruf:

„Frauen Augsburgs! Bürgerinnen der freien Räterepublik!

Die Würfel sind gefallen. Unser geliebtes Bayernland ist freie Räterepublik geworden, und nach langer, dunkler Nacht erscheint die ersehnte Morgenröte einer neuen Zeit.

Genossinnen, Schwestern! Reichen wir uns die Hände zu einem freudigen Zusammenarbeiten, verwandeln wir den alten Parteihader zu einem bewußten Klassenkampf. Noch glaubt die Bourgeoisie ihr Spiel nicht verloren, noch arbeitet die Reaktion im Verborgenen. Nörglern und Zweiflern gebt kein Gehör, glaubt nicht jenen, die da gegen die Räterepublik hetzen, es sind bezahlte Elemente des Kapitalismus.

Frauen des Proletariats! Wollen wir wieder unter die Geißel des Kapitalismus kommen, sollen unsere Kinder Sklaven desselben werden? Niemals! Deshalb habt Vertrauen zu den jetzigen Führern, die unser Bestes wollen, die bereit sind, ihr Leben für unser Wohl einzusetzen.

Schon haben wir Frauen im Arbeiterrat mit Sitz und Stimme, die unsere Interessen vertreten können. Gebt Anregungen für das Volkswohl und arbeitet fleißig mit an dem wirtschaftlichen Ausbau unserer Heimat.

Arzt und Apotheke sowie Bäder werden für Minderbemittelte frei sein. Bald wird mehr folgen! Habt Geduld und harrt noch eine kleine Weile aus, wie ihr 4 ½

Jahre ausgeharrt habt. Bedenkt, das Glück unserer Kinder steht auf dem Spiel! Wir wollen freie Menschen sein und bleiben.

Also schließt die Reihen und laßt uns geschlossen an der Seite unserer Männer für die heilige Sache kämpfen.

Seid einig und treu!

Im Namen der revolutionären Frauen Augsburgs: Lilly Prem".

Marie Rose Aman verließ mit Brechts Hilfe die Stadt: „Wir waren noch immer freundschaftlich verbunden, er war mir jederzeit behilflich. So war er mir gefällig, als ich anläßlich der Aprilunruhen 1919 in Augsburg zu meinen Verwandten außerhalb der Stadt reisen wollte. Für Eisenbahnfahrten war damals eine besondere Erlaubnis erforderlich. Bert konnte mir diesen Erlaubnisschein binnen wenigen Stunden beschaffen, was sonst kaum möglich war. Brecht war in den Tagen der Revolution stark linksorientiert, zu den Spartakisten hatte er gute Verbindungen. Über den Ausgang der Revolution äußerte er sich niedergeschlagen, er schien mir enttäuscht über das Resultat."

Wie Neher und Münsterer bezeugen, begann Brecht im April 1919 mit der Umarbeitung seines *Baal*, die zur zweiten Fassung des Stücks führte. Am Karfreitag, dem 18. April 1919, wurde anläßlich einer Totengedenkfeier des Augsburger Turnvereins, zu dessen Vorstand Karl Brecht, der Onkel, gehörte, erstmals eine Dichtung Brechts, das 1915 verfaßte, in einen Prolog und einen Epilog gegliederte Gedicht *Karfreitag*, vorgetragen. Die Feier fand in der vereinseigenen Turnhalle statt, die mit einer „Palmengruppe, Lorbeerkranz und Opferflamme" geschmückt worden war. Die eben zitierte *Neue Augsburger Zeitung* vom 19. April berichtete:

„Die Beteiligung war zahlreich. Der Leiter der Sänger-
riege, Herr Lehrer W., leitete die Feier mit einem stim-
mungsvollen Vorspiel auf Harmonium ein. Der von
Herrn Berth. Brecht verfaßte und von Fräulein Vera-
Maria Eberle vom Stadttheater vorgetragene Vorspruch
brachte die Erinnerung an die Gefallenen mit dem Sterben Christi in Verbindung."

Der Rezensent würdigte anschließend die „trefflichen
Worte" des Vorstands, einen weiteren Gedichtvortrag,
die Darbietungen eines Streichquartetts und fuhr fort:

„Sodann sprach Fräulein Eberle den von Herrn Brecht
verfaßten Ausklang, der die biblische Erzählung von den
Emmausjüngern und dem auferstandenen Heiland in sin-
niger Weise mit dem unauslöschlichen Fortleben der Helden in der Erinnerung ihrer Angehörigen und Kameraden verglich."

Brecht stand seinem „Debut" distanziert gegenüber.
Münsterer erinnert sich der sarkastischen Bemerkung,
daß, wenn man eine Feier für die gefallenen Krieger ver-
anstalte, „dann doch auch eine Feier für die gefallenen
weiblichen Mitglieder des Vereins abgehalten werden
müsse" (Münsterer, S. 96).

Am Ostersonntag, dem 20. April 1919, wurde Augsburg
von etwa 2000 Mann der auf München marschierenden
konterrevolutionären Truppen besetzt. Tags darauf erlag
auch der letzte, an der verbarrikadierten Oberhauser
Wertachbrücke geleistete Widerstand. Den flüchtigen
Georg Prem verbarg Brecht in seiner Mansarde vor dem
weißen Terror. Prem sagte dazu:

„Es ist wahr, ich habe mich nach den Osterkämpfen 1919
in Augsburg in Brechts Kammer in der Bleichstraße ver-
bergen können und dort zwei Nächte geschlafen. Brecht
schlief damals nicht in seinem Bett, er war anderwärts

zu Gast. Während der dritten Nacht wurde ich von einem Mann, der schon in den Kriegsjahren Deserteure aus Deutschland über die Grenze in die Schweiz geschleust hatte, abgeholt und ohne Zwischenfälle in die Schweiz gebracht. Meine Frau Lilly kam wenig später unbehelligt nach. Von den Schweizer Behörden wurde ich jedoch nach einem Jahr ausgewiesen und nach Deutschland abgeschoben. Da ich von Augsburg aus wegen meiner revolutionären Tätigkeit noch immer verfolgt wurde, stellte ich mich alsbald den Augsburger Polizeibehörden. Ich wurde daraufhin in Lichtenau als Untersuchungshäftling inhaftiert.

Mein Prozeß, der am 3. März 1920 in Augsburg stattgefunden hatte, rollte nun – wie in den vorangegangenen Prozessen gegen die damals führenden Genossen der Räterepublik in Augsburg Olschewsky, Böhrer, Hörath, Berger und den mutigsten Genossen Rupert Färber – die Ereignisse vom Vorjahr erneut auf. Insbesondere spielte dabei die von mir abgefaßte Resolution nach Forderung der Ausrufung der Räterepublik in Bayern eine Rolle. Da ich das humanistische Gymnasium besucht hatte und eine Zeitlang in einem Internat gewesen war und in Augsburg als Buchhändler gelernt hatte, war ich zur Ausarbeitung und schriftlichen Fixierung der revolutionären Erklärungen bestimmt worden. Damals gingen wir von der Nachricht aus, die wir vertraulich erhalten hatten, daß die Regierung Hoffmann in München zurückgetreten sei und wir sofort handeln müssen. Leider war die Nachricht vom Regierungsrücktritt in München nur ein Gerücht, dem wir aufgesessen waren und das nur zweckbestimmt von einer politischen Gruppierung in Augsburg ausgestreut und behauptet worden war. Während der Kämpfe über Ostern in Augsburg wurde ich an der südlichen Stadtseite zum Parlamentär eingeteilt, der mit den in der Übermacht gegen uns stehenden Epp-Truppen, den ‚Weißen‘, wie man die Regierungstruppen nannte, verhandeln sollte. Ich wurde von den Weißen sofort verhaftet, konnte aber in dem Durcheinander der letzten Stunden bald wieder entkommen und fand schließlich ein Versteck in der Kammer von Brecht, den ich Anfang 1919 kennengelernt hatte.

Mit Brecht hatte ich, zusammen mit meiner Frau, in Gablers Taverne mehrere Male politische und philosophische Gespräche geführt. Brecht war sehr an der revolutionären Entwicklung interessiert, er war mir und meiner Frau trotz harter Diskussionen sehr wohlgesonnen. Auch war Brecht mehrfach als Beobachter und Zuhörer bei den Beratungen des Arbeiter- und Soldatenrates anwesend, aber nicht aktiv tätig.‘‘

Über den Prozeß gegen Prem berichteten die ANN am 4. März 1920:

„In mehr als fünfstündiger Verhandlung hatte sich gestern vor dem hiesigen Volksgerichte der am 19. März 1892 in Amberg geborene verheiratete ehemalige Buchhandlungsgehilfe Georg Prem von hier zu verantworten, als der letzte jener ‚Führer‘, die während der kurzen Zeit nach Eisners Tode bis zu den unheilvollen Ostertagen in Augsburg auch bei der Räteregierung eine Rolle spielten . . .

Nach der Anklage liegt Prem, der am Ostersonntag als ‚Parlamentär‘ beim Pulvermagazin von den Regierungstruppen gefangengenommen wurde, dann aber wieder entfloh und sich erst am 21. Januar d. J. der hiesigen Staatsanwaltschaft stellte, zur Last, daß er unter Anwendung von Gewalt die Verfassung eines Bundesstaates zu ändern versuchte . . .

Einzelheiten, auf die sich die Anklage zu stützen vermochte und in denen Prem geständig war: Am 3. April fand im Ludwigsbau eine große öffentl. Versammlung zwecks Ausrufung der Räterepublik statt... Bei einer am Tage vor der Versammlung verfaßten Resolution, die dann auch wirklich zur Annahme gelangte, hatte Prem die Abfassung übernommen und die Resolution dem Geheimkomitee unterbreitet. Schon vorher war er Mitglied des sog. Zwölferrates bzw. des revolutionären Arbeiterrates geworden...

Die Anklage stellt sich selbst auf den Standpunkt, daß bei Prem egoistische, gewinnsüchtige Motive nicht vorlagen... Der Sachverständige Dr. V. Schmidt bezeichnete ihn trotz seiner Intelligenz, die über das Durchschnittsmaß hinausgehe, als nicht voll zurechnungsfähig, jedoch nicht straffrei im Sinne des § 51 RStGB... Das Urteil lautete auf 2 Jahre Festungshaft unter Anrechnung von 40 Tagen der erlittenen Untersuchung. Bewährungsfrist wurde versagt."

Brechts Fluchthilfe kam im Prozeß nicht zur Sprache.

Nehers Tagebuchaufzeichnungen dokumentieren diese Tage in Augsburg wie folgt:

„Sonntag, 20. April
Kanonendonner weckte uns auf. Ostern!
Man glaubte kaum, daß Ostern ist. Weiße Garde gegen rote Garde. Bruderkrieg...
Ostermontag, 21. April
Spartakus kämpft noch in Oberhausen und Lechhausen und hält sich.
Es ist schön – schön, unendlich schön.
Bert besuchte ich, ich konnte mich längere Zeit mit ihm unterhalten und wir sprachen von Kunst und über Politik.

Baal wird fertig und gedeiht. Es ist schön.

Baal tanzt. Baal frißt. Baal verklärt sich.

Es wird hin und her geschossen. Granaten explodieren um Häuser – und Vater meint, ich sollte mich freiwillig zur weißen Garde melden.

Das geht nicht, werde ich nicht können. Ich will nicht alles aufschreiben, was ich heute über Roheit der Regierungstruppen erfahren habe. Alles fürs Wohl der Bürger. Gemeinheit, Dummheit und Roheit . . .

Prem kleidete sich heute um bei Bert und entkam.

Dienstag, 22. April

Arbeite am Baal weiter. Baal gedeiht. 14 Bilder sind fertig . . . Ich war gestern mit Bert zusammen, dem die Bilder gut gefallen, sich sehr dafür interessiert, der jetzt wie es scheint Feuer und Flamme zu seinem und meinem Baal ist. Prima . . .

Otto Müller besuchte mich als Volkswehrmann, todmüde und eine[n] Streifschuß am Oberschenkel. Der Arme, ihm geht es schlecht, weil ihn Bert beleidigt hat: daß Bert nämlich nicht an seinem Leichenbegräbnis sein will.

Mittwoch, 23. April

Es geht gut . . . dann kam Bert und Georg [Geyer] und besuchte mich. Bert sprach von Spartakus und von Baal, von seiner Arbeit und der Sommersinfonie und war gut gelaunt . . ."

Am 2. Mai 1919 wurde auch in München die Räteherrschaft niedergeschlagen. Wie Nehers Tagebuch ausweist, gehörte Walter Brecht – wie Otto Müller – der konterrevolutionären Volkswehr an. Unter dem 8. Mai heißt es: „. . . dann bei Bert, der seinen Baal korrigierte und seinen Bruder besucht hatte, der sich an den Kämpfen beteiligt hatte. Es geht ihm gut, nur scheint er auf gefahrvollem Posten zu stehen." Am 19. Mai vermerkte Neher: „Im

Zug traf ich Bert und seinen Bruder, der bei der Volkswehr ist. . . . Walter Brecht erzählt Geschichten, die sehr
nett waren. Es sind Erlebnisse im Kampf mit Spartakus."
Hedda Kuhn berichtet dazu: „Walter Brecht war beim
Freikorps Epp und war bei der Einnahme Münchens
1919 mit dabei. Brecht sagte mir später, daß sich sein
Bruder bald distanziert habe, da er nicht habe ahnen können, wie die Weißen sich gebärdeten."

In Nehers Tagebuch steht unter dem 26. April 1919:
„Bert ritt spazieren und der Gaul stürzte und Bert wurde
verwundet, erhielt Schrammen, hatte aber Glück. Ich
muß ihn heute besuchen."
Frieda Held erzählt:
„Während meiner Kinder- und Jugendzeit wohnte ich in
der Bleich, Frühlingsstraße 9ª. Ich sah Brecht damals,
gleich nach dem Ende des ersten Krieges, wenn er in
Augsburg war, fast täglich gegenüber dem Haus seiner
Eltern am Ufer des Stadtgrabens stehen. Er hatte in
jenen Tagen oftmals eine Reithose an, man sagte, daß
er reiten lernen wollte. Wenn er am Stadtgraben entlang-
ging oder dort stand, dann hielt er zumeist die Hände
auf dem Rücken verschränkt, oder er klatschte sich mit
einer Reitpeitsche ab und zu gegen die Wade. Auch
lehnte er am Eisengeländer des Grabens und starrte tief-
sinnig stundenlang in das träge Wasser. Ich habe mich
damals dummerweise über diese seine Art aufgeregt, weil
er in meinen Augen eben ein gar so spinneter Uhu war.
Mit der Bie war ich befreundet, weil ich mit ihr in die
gleiche Schulklasse ging, und so lernte ich durch Bie auch
Brecht noch näher kennen. Ich erinnere mich noch gut,
wie er vor uns Mädchen höchst eindrucksvoll den Nietz-
sche-Spruch zitierte: ‚Wenn du zum Weibe gehst, vergiß

die Peitsche nicht.' Ich fand das sehr unpassend. An Selbstvertrauen aber ermangelte es Brecht nicht. So sagte er schon damals zu seinen Freunden: ,Wenn ich mein erstes Auto besitze, werdet ihr alle noch mit Fahrrädern herumfahren.' "

Am 6. Mai 1919 erschien in der MAAZ folgende Verlautbarung:

„An den bayerischen Universitäten sollten am 6. Mai die Vorlesungen ihren Anfang nehmen ... Nach einer Verfügung des Kultusministeriums ... bleiben sämtliche bayerischen Hochschulen bis auf weiteres geschlossen. Die ausfallenden Wochen werden den Studenten als Studienzeit angerechnet. Die Rektorate wurden von der Regierung ersucht, in einem öffentlichen Aufruf auf die ungeheure Gefahr aufmerksam zu machen, in der sich unser Bayernland befindet. Es gilt unverzüglich, Studenten und Professoren auf kurze Zeit für die Freikorps zu gewinnen ... Neben der Volkswehr hat das Ministerium für militärische Angelegenheiten auch die Bildung von Freiwilligenkorps zugelassen. Diese Freiwilligen-Formationen sollen im allgemeinen den Namen des Ortes tragen, an dem sie aufgestellt werden. Die Verwendung dieser Formationen bestimmen die Generalkommandos."

Für Brecht wurden die ausfallenden Wochen zusätzlicher Feriengenuß. In Nehers Tagebuch heißt es:

„Sonntag, 4. Mai – Abends Plärrer. Lichter. Schön.

Freitag, 9. Mai – Abends: Plärrer mit Schiffschaukeln. Die Mädchen in der Schaukel mit Bert um die Wette fahren: wer kommt höher hinauf? Wer? Es wird geschaukelt ... es ist unglaublich schön und voll Körper, warm und geschmeidig und voll Kraft.

Samstag, 10. Mai – ... Dann zu Bugro, die absagt; wir wollten sie für Samstagabend und Sonntag auf den Plärrer. Um 3^h sollte ich mit meiner Schwester Mar. [Marietta] dahin kommen. Es regnete aber und die ganze Geschichte fiel ins Wasser. Bert war unwillig. Abends mit Marietta + Bert zum Schiffschaukeln.

Sonntag, 11. Mai – Bert geht mit meiner Schwester und mir zum Schiffschaukeln. Es gefiel ihm, besonders der Ma., die sich schon auf den nächsten Plärrer freut."

Den Plärrer gibt es in Augsburg, alljährlich im Frühjahr und Herbst, noch heute. Der Plärrer ist eine aus den Jahrmärkten hervorgegangene Rummelplatzveranstaltung mit volksfestähnlichem Charakter am Fuße des Gesundbrunnenberges, zwischen Freibad und Wertachspinnerei. Auch während des ersten Weltkrieges wurde das Volksfest nicht nur fortgeführt, man verlängerte sogar die Dauer der Veranstaltung von einer auf zwei Wochen, wobei allerdings den Schaustellern die Auflage erteilt wurde, nichts darzubieten, „was sittlich verletzen oder dem Ernst der Zeit widersprechen" könnte (Plärrerakte).

Für den jungen Brecht war der Plärrer „das große Kulturereignis" (Münsterer, S. 41). Knoblach berichtet:

„Brecht war regelmäßig mit Frauen auf dem Plärrer. ‚Dort lernt man die Welt kennen, wie sie wirklich ist', sagte er mir einmal. In ihrer ganzen Ausgelassenheit wollte er die Menschen erleben. Brecht sah dabei auch hinter die Kulissen der Schaubuden. Eine Zeitlang war er fast täglich auf dem Rummelplatz. Auch viele der Schausteller kannte er. Das waren für ihn Menschen ohne Vorurteile und ohne Hemmungen, die ihr Leben ohne konventionelle Bindungen zu leben verstanden. Diese Welt gab Brecht sehr viel. Er liebte die Volksfeste. Wir besuchten nicht nur den Plärrer. Da gab es alljährlich noch das Friedberger Volksfest, die Lechhauser Kirchweih und im August alljährlich die Jakober-Kirchweih in Augsburg, kaum 500 Meter von der elterlichen Wohnung Brechts entfernt. Die Jakober-Kirchweih hatte nicht den Umfang des Plärrers, aber als ältestes Augsburger Volksfest ist sie noch heute bei den Bewohnern des östlichen Augsburgs sehr beliebt. Die Jakobermusik drang in den warmen Augustnächten bis in das Mansardenzimmer Brechts.

Attraktionen auf den Volksfesten waren damals in Augsburg noch die Moritatensänger. Der Einleitungsvers, der jeweils wiederkehrte, ist mir noch deutlich in Erinnerung:

> Menschen, höret die Geschichte,
> Die erst kürzlich ist geschehn,
> Die ich treulich euch berichte,
> Laßt uns dran ein Beispiel nehm'.

Zu jedem ihrer schauerlich-moralisierenden Berichte, die zu monotoner Drehorgelmusik gesungen wurden, zeigten sie mit einem Stock auf salbungsvoll gemalte Leinwandbilder, die an einem dünnen Holzpfahl aufgehängt waren. Auch an einige Titel ihres Repertoires erinnere ich mich noch: da gab es *Die Räuberbraut, Wahnsinn und Mutterliebe, Die grausame Mordtat des Heinrich Thiele und dessen Hinrichtung,* natürlich fehlte dabei nicht *Die schöne Försterstochter,* die sich mit dem braven Jagdgehilfen das Leben nimmt, da sie einen bösen alten Oberförster heiraten soll. Jeder Augsburger, der damals den Plärrer besuchte, kannte auch den Bänkelsänger mit dem Stelzfuß aus Hamburg. Der sang noch echte Volkslieder wie das folgende:

> Mein großes Glück, mein einziges Verlangen
> Wär, Afrika auf hoher See zu sehn,

Da kam ein Fürst aus fremden Vaterlanden,
Der kaufte mich und noch sechs Deutsche drein.

Nach dem Wort ,Vaterlanden' spuckte er jedesmal braune Kautabaksbrühe aus. Seine Tochter ging dabei mit Vaters Hut in der Hand durch die Menge und kassierte.

Auf Brecht übten auch die Schiffschaukeln eine besondere Anziehungskraft aus. Da schwärmte er dafür, obwohl er das Hinundherschaukeln nie richtig vertragen konnte. Ihm wurde immer sofort schlecht, auch war er etwas ängstlich veranlagt. Um so verrückter sind wir hochgekurvt, Hartmann, die anderen Freunde und auch die Bie. Sie war mutig, bis zum oberen Anschlag konnte sie schaukeln. Brecht war trotzdem vom Schiffschaukeln immer begeistert. Er hat darüber auch einige Gedichte geschrieben."

Unter dem 24. und 25. Mai 1919 vermerkte Neher in seinem Tagebuch: „Bert ist verreist, schade." Einer Aussage von Hedda Kuhn ist zu entnehmen, daß er in Ulm war:

„Nach der Räterepublik studierte ich ein Semester Medizin in Freiburg. Mein Vater hatte wegen der Unruhen in München Bedenken und wünschte, daß ich nicht in München bleiben solle.

Brecht schrieb mir sodann nach Freiburg und forderte von mir, daß wir uns auf halbem Weg träfen. So hatten wir ein Rendezvous in Ulm, wobei ich den weiteren Weg zurückzulegen hatte.

Wir hörten damals in Ulm einen Vortrag von Rudolf Steiner [im *Ulmer Tagblatt* am 26. Mai 1919 mit dem Thema *Die Kernpunkte der sozialen Frage* angezeigt], verließen aber noch vor Ende des Vortrages den Saal, weil Steiner uns nicht viel geben konnte, und gingen an der Donau spazieren."

Armin Kroder, jünger als Brecht, war mit dem Brechtintimus „Lud" befreundet:

„Ich besuchte 1919 die Oberklasse des Anna-Gymnasiums. Meine besondere Liebe galt der Musik. Mit Lud war ich bereits bekannt, er wiederum war ein Freund Brechts. Kennengelernt habe ich Brecht durch Lud. Es war im Jahre 1919, da sagte ich einmal zu Lud, daß ich gern eine kleine Oper oder ein Oratorium komponieren möchte, es fehle mir dazu aber ein Text. Da nahm mich Lud mit zu Brecht in die Bleichstraße. In der Mansarde, wo Brecht wohnte, stand ein großer Tisch, der vollbeladen war mit Zetteln, Manuskripten und Mappen. Während Brecht eifrig die abgelegten Papierstöße auf dem Tisch durchstöberte und das meiste dabei auf den Boden warf, fragte er, mehr zu sich selbst als zu uns: ‚Ja, was können wir denn nur dem Herrn Kroder zum Komponieren geben – was können wir ihm nur geben?' Endlich zog er aus einem der letzten Stöße ein zehnseitiges Schreibmaschinenmanuskript hervor: ‚Hier wäre etwas, ja, das könnten Sie vertonen.'

Es war ein richtiges Oratorium, wie ich es mir gewünscht hatte. Brecht hatte es schon Jahre vorher zu Papier gebracht. Er erzählte mir von Hans Pfitzners Musikdrama *Palestrina*, das er in München gehört hatte, und kommentierte: ‚So kann man es nicht machen', was er mehrfach betonte, ‚darum schrieb ich mein Oratorium, das auch eine Verklärung zum Gegenstand hat.' Ich versuchte, Brecht zu verstehen, konnte aber seinen Gedanken nicht so schnell folgen. Ich bat ihn deshalb, ob er mir nicht noch einige seiner Lieder vorsingen wolle. Da langte sich Brecht die über dem Bett hängende Gitarre, warf sich, wie er dastand – mit Jacke und Schuhen –, aufs Bett und begann zu singen.

Ich hörte selten einen Mann so interessant und wundervoll melodisch vortragen, sich mit ein paar gewählten Akkorden begleitend. Brecht war wirklich musikalisch.

Ich traf ihn noch mehrmals im Stadtgarten während der Konzerte am Sonntagnachmittag. Es war dabei üblich bei den Zuhörern, daß man um das Orchester in großem Bogen hin und her promenierte. Als mich Brecht dabei wiedersah, blieb er bei mir stehen und sprach mit mir über das Oratorium, zwischendurch sang er mir beiläufig Melodien vor, die mir zeigen sollten, wie er sich die Komposition dachte. So, wie er sich das vorstellte, wagte ich mich nicht an eine Vertonung, mir erschien wohl seine Erwartung zu hoch, so blieb das Oratorium unvertont liegen."

Das von Münsterer den Jahren 1916/1917 zugewiesene *Oratorium* teilen wir nach der in Kroders Besitz befindlichen Durchschrift mit (s. S. 278–283).

Drittes Semester

Die ANN meldeten am 16. Mai 1919 aus München: „Das Sommersemester 1919 wird nach Verfügung des Ministeriums und nach Maßgabe des ausgegebenen Vorlesungsverzeichnisses vom 15. Juni bis 28. August 1919 durchgeführt." Wie der *Familien-Bogen-Augsburg* ausweist, meldete sich Brecht bereits am 12. Juni 1919 von Augsburg nach München ab.

Die MAAZ berichtete am 13. Juni 1919:
„Die Studienverhältnisse im Sommersemester besprach

eine vom allgemeinen Studentenausschuß einberufene Versammlung im Auditorium maximum der Universität. Prof. Dr. Kisch wies einleitend darauf hin, daß seitens der Universitätsbehörden alles getan worden sei, um die Studieninteressen der Studenten zu wahren; der Kompromißvorschlag – 4 Tage Studium, 2 Tage Militärdienst – mache konzentrierte Arbeit notwendig. Hauptmann Goetz forderte die Studentenschaft auf, in Hinsicht auf die Gefahr eines Einmarsches der Polen und neuer Putschversuche im Innern auf das Sommersemester ganz zu verzichten. Die der Reichsregierung zu Gebote stehenden Truppen seien angesichts der Verhältnisse viel zuwenig. Herr Ferfel vom Kriegsteilnehmerverband brachte einen Antrag ein, eine Kommission einzusetzen, die bestimmt, inwieweit jeder einzelne sich zum Waffendienst zur Verfügung stellen solle. Die Versammlung lehnte den Antrag nach lebhafter Aussprache ab und beschloß, sich auf den Boden des Kompromißvorschlages zu stellen. Es wurde der Hoffnung Ausdruck gegeben, daß dieses Provisorium nur von kurzer Dauer sein möge und daß baldigst der volle Studienbetrieb wieder aufgenommen werden könne; im Falle der Gefahr sollen die Vorlesungen vollständig eingestellt werden."
Brecht belegte folgende Vorlesungen:

Frank, Otto, o. Prof.	Experimentalphysiologie (Nerven, Muskeln, Kreislauf, Sinnesorgane. Physiologisches Praktikum, Anleitung zu wissenschaftlichen Untersuchungen) 6 Std.

Kutscher, Artur, a. o. Prof.	Die deutsche Literatur der letzten 40 Jahre, Impressionismus und Expressionismus (Stilentwicklung der Literatur und bildenden Kunst als Repetitorium der deutschen Literaturgeschichte. Praktische Übungen in literarischer Kritik über Gattungen und Stile unserer neueren Dichtung) 4 Std.
Mollier, Siegfried, o. Prof.	Entwicklungsgeschichte der Wirbeltiere und des Menschen (Mikroskopisch-anatomische Übungen. Wissenschaftliche Arbeiten im Anatomischen Institut) 6 Std.
Strich, Fritz, a. o. Prof.	Übungen zu stilgeschichtlichen Problemen 1 Std.

Am 30. Juli 1919 wurde Brechts und Bie Banholzers Kind geboren. Im Geburtsregister des Standesamtes Kimratshofen (jetzt: Altusried) heißt es:
„Kimratshofen, am 1. August 1919
Vor dem unterzeichneten Standesbeamten erschien heute,

der Persönlichkeit nach bekannt, die Hebamme Walburga Frick, wohnhaft in Kimratshofen Haus Nummer 12, und zeigte an, daß von der Paula Banholzer, ledige Arztentochter, katholischer Religion, wohnhaft in Kimratshofen Haus Nummer 12, zu Kimratshofen am dreißigsten Juli des Jahres tausendneunhundertneunzehn nachmittags um sieben Uhr ein Knabe geboren worden sei und daß das Kind die Vornamen Frank Walter Otto erhalten habe.

Vorgelesen, genehmigt und unterschrieben: Walburga Frick".

Ein standesamtlicher Zusatz besagt:

„Laut Protokoll des Amtsgerichtes Augsburg vom 1. Oktober 1919 und 19. Februar 1920 hat sich der stud. med. Bert Brecht (Familienname sehr unleserlich/Dorn) in München, Paul Heysestr. 9/IV als Vater des von der led. Arztentochter Paula Banholzer, wohnhaft in Augsburg, am 30. Juli 1919 außerehelich geborenen Kindes Frank Otto Walter Banholzer bekannt. Kimratshofen, 8. April 1920/Der Standesbeamte: Dorn".

Hagg teilt dazu folgendes mit:

„Brecht sprach mich eines Tages, etwa Anfang 1919, an und fragte mich, ob man über Bie und ihn rede. Ich antwortete, daß man sage, die Bie sei von ihm schwanger. Da entrüstete sich Brecht plötzlich und behauptete felsenfest, daß das nicht wahr sei. Bis es dann soweit war, daß Bie für einige Zeit verschwand und schließlich einen ledigen Sohn gebar. Die katholische Taufe erfolgte sogleich in Kimratshofen im Allgäu. Von dieser Taufe existiert ein Bild [Abb. 77].

Ich habe Frank gesehen, er sah Brecht sehr ähnlich, besonders aber dem alten Herrn Brecht. Opa Brecht mochte seinen Enkel sehr gern, und dieser ging auch ebensogern zu seinem Opa. In den zwanziger Jahren hat sich auch Helene Weigel Franks angenommen. So war er, wie ich hörte, längere Zeit bei einer Schwester der Frau Weigel in Wien, er kam aber 1933 wieder nach Augsburg zurück. Frank wurde kaufmännischer Angestellter und blieb unverheiratet, er fiel 1943 in Rußland.

Bie verheiratete sich am 1. März 1924 mit einem Kaufmann."

Walburga Frick war mit Blanka, der Schwester der Bie, in Immenstadt/Allgäu zur Schule gegangen und daher mit Bie bekannt geworden:

„Durch Blanka wurden wir mit Bie und den Eltern bekannt. Als Bie damals schwanger wurde, sollte das in Augsburg nicht bekannt werden, da die Bie noch so jung war, deshalb kam sie zu uns nach Kimratshofen, in das Haus meiner Eltern. Das war sicher drei bis vier Monate vor der Entbindung. Bert Brecht war immer wieder in Kimratshofen, um Bie zu besuchen, auch nach der Geburt noch.

Ich war damals schon Hebamme, deshalb konnte Bie im Haus meiner Eltern, wo ich wohnte, entbunden werden.

Wir suchten dann gleich nach einem Platz für den Frank. Ein Nachbar, der Distriktwegmacher Xaver Stark, nahm das Kind die ersten Jahre in Pflege.

Die Taufe damals wurde in der Gaststätte Fäßle in Kimratshofen gefeiert, die Wirtschaft war gleich neben dem Haus meiner Eltern."

Frank Banholzers Taufe fand am 2. August 1919 nach katholischem Ritus in der Pfarrkirche zu Kimratshofen statt. Otto Müllereisert und Caspar Neher waren Taufpaten. Das Kind erhielt die Vornamen von Frank Wedekind, Walter Brecht und Otto Müllereisert.

Nachdem es die ersten drei Lebensjahre in Kimratshofen bei dem Wegmacher Stark in Pflege war, wuchs es danach bei einem Bauern in Friedberg bei Augsburg auf. Frank Banholzer kam am 13. November 1943 bei Porchow in der Sowjetunion durch die Explosion einer in ein Kino einschlagenden Fliegerbombe ums Leben.

Nehers Tagebuch vermerkt, daß Brecht am 23. und 24. August 1919 wieder in Kimratshofen war: „Mit Bert, Orge und Müllereisert bei Bie. Orge spielt in Kimratshofen Orgel und Bert singt dazu *Luzifers Abendlied* und *Baals Choral.*"

Am 2. September zeigte Brecht seinem Freund Neher eine Ballade, die unter dem Titel *Apfelböck oder Die Lilie auf dem Felde* in der *Taschenpostille* von 1926 und der *Hauspostille* von 1927 erschien und die der bürgerlich-sentimentalen Moral, wie sie sich in dem Lied von der *Rasenbank am Elterngrab* aussprach, mit anarchischem Nonkonformismus begegnete. In der den Postillen vorangestellten *Anleitung zum Gebrauch der einzelnen Lektionen* erklärte Brecht wahrheitsgemäß, daß „Apfelböck . . . 1919 durch einen von ihm an seinen Eltern begangenen Mord bekannt" wurde. Aus Anlaß der Verurteilung des Mörders gab die *Bayerische Staatszeitung* vom 27. November 1919 folgenden zusammenfassenden Bericht:

„*Ein Elternmörder.* Vor dem Volksgericht München hat sich am 25. November der im Jahre 1903 in München geborene Hilfsarbeiter Joseph Apfelböck unter der Anklage zu verantworten, seine beiden leiblichen Eltern im Juli d. J. mit Vorbedacht getötet zu haben. Apfelböck ist der einzige Sohn der Fabrikarbeiterseheleute Apfelböck. Seine Lehrer der Volksschule stellten ihm das Zeugnis eines denkfaulen und lügenhaften Burschen aus. Nach der Entlassung aus der Volksschule war er bis Ende 1918 in einer Munitionsfabrik beschäftigt, trat dann im Jahre 1919 in einen elektrotechnischen Betrieb ein und wurde im Juni d. J. erwerbslos. In dem jungen Apfelböck wurde der Gedanke, Kinoschauspieler zu werden, rege. Die Mutter trat mit Entschiedenheit gegen diese phantastischen Pläne ihres Sohnes auf. Am 26. Juli abends besprach Apfelböck wieder mit seiner Mutter seine Kinopläne. Die Mutter schimpfte darüber. Als Apfelböck, hierüber erbost, vom Schlafzimmer gegen die Küche sich wandte, lief ihm die Mutter nach, weil sie offenbar vermutete, der Bursche wolle wieder fortgehen. Da kam dem Angeklagten der Gedanke, seine Mutter zu töten. Er zog eine Flobertpistole aus der Tasche und schoß aus allernächster Entfernung auf seine Mutter. Die Kugel drang der Frau ins Herz und führte ihren sofortigen Tod herbei. Die Leiche legte der Mörder anfangs ins Bett, dann auf den Boden unter das Bett, damit der heimkommende Vater sie nicht gleich bemerke. Eine halbe Stunde nach der Ermordung der Mutter kam der Vater etwa gegen halb 10 Uhr nach Hause. Er aß und trank noch eine Zeitlang in der Küche in Gegenwart seines Sohnes und schaute gegen halb 11 Uhr noch auf dem Küchenbalkon nach seinen Kaninchen. Als er wieder in die Küche hereintrat, schoß der Bursche auf seinen nichtsahnenden Vater und versetzte ihm dann mit einem am Tisch liegenden Messer 5 bis 6 Stiche in die Brust, bis dieser zusammenbrach und alsbald verstarb. Die Kugel war dem Vater in den Unterleib gedrungen. Die Leiche schleppte der Mörder in das Schlafzimmer und ließ sie dort liegen. Dann wusch er das Blut in der Küche auf und machte sich an die Durchsuchung der Leichen nach

Geld und nach dem Schlüssel zu dem Geldbehältnis. Ursprünglich glaubte der Angeklagte, daß ein Geldbetrag von mehreren hundert Mark vorhanden sein müsse, er fand aber bei dem Vater nur 4 Mark und in der Kommode nur etwa 50 Mark. Dann schlief der Angeklagte in der Nacht auf dem Küchendiwan bis früh 5 Uhr. Auch die nächsten Wochen verblieb der Angeklagte mit den Leichen in der Wohnung. Als der Leichengeruch immer stärker wurde, schlief er auf dem Küchenbalkon. Den Leuten, die nach den Eltern fragten, erklärte Apfelböck, die Eltern seien nach Niederbayern gefahren, um ein Anwesen zu kaufen. Der Bursche empfing dann noch mehrmals in der Wohnung den Besuch von Freunden. In der Nacht zum 18. August wurde Apfelböck am Rotkreuzplatz von Schutzleuten angehalten. Er erklärte, er müsse auf einen Dr. B. warten, der ihn herbestellt habe. Bei der Durchsuchung der Wohnung wurde dann das scheußliche Verbrechen entdeckt ... Nach kurzer Beratung verkündete das Gericht folgendes einstimmig gefaßte Urteil: Der Angeklagte Joseph Apfelböck ist schuldig zweier Verbrechen des Mordes und wird hierwegen zur Gefängnisstrafe von 15 Jahren verurteilt. Im Hinblick auf die Schwere der Verfehlung wird dem Angeklagten die Zubilligung einer Bewährungsfrist versagt ... Der Angeklagte nahm das Urteil völlig stumpf und teilnahmslos entgegen."

Noch vor der Veröffentlichung in der *Taschen*- bzw. *Hauspostille* wurde Brechts *Apfelböck*-Ballade 1920 in der ersten und einzigen Nummer der von Hardy Worm herausgegebenen Zeitschrift *Das Bordell* gedruckt. Worm schrieb dazu am 19. Mai 1969:

„Ich benötigte einige Tage, um mir meine literarischen ‚Jugendstreiche' ins Gedächtnis zurückzurufen. Zu ihnen gehört sicherlich die Herausgabe der Zeitschrift *Das Bordell*, deren erste und einzige Nummer einen Beitrag Brechts, nämlich die *Apfelböck*-Ballade, enthielt. Die Schrift, die ich eine groteske Publikation nannte, erschien in einer Auflage von 5000 Exemplaren und wurde einige Wochen nach ihrem Erscheinen beschlagnahmt. Max Herrmann-Neiße, der damals schon seit Jahren verstorbene Hugo Kersten, der heute in New York lebende Umschlagzeichner Ludwig Wronkow, ich und ein Zeitschriftenhändler wurden wegen Verbreitung unzüchtiger Schriften angeklagt. Obgleich Kurt Tucholsky und Alfred Kerr in ihren schriftlichen Gutachten den unzüchtigen Charakter der Publikation bestritten und für ihren literarischen Gehalt eintraten, wurden ich und der Umschlagzeichner zu geringfügigen Geldstrafen verurteilt. Max Herrmann-Neiße wurde freigesprochen. Das Umschlagbild sowie zwei Seiten mit Gedichten von Kersten mußten entfernt, d. h. die restlichen Exemplare mußten eingestampft werden.

Brechts *Apfelböck* erregte beim Gericht keinen Anstoß, jedenfalls trug es nicht zur Erhebung der Anklage bei. Soweit ich mich erinnere, berichteten Berliner Zeitungen kurz über den Prozeß.«

Zum gleichen Sachverhalt schrieb der in New York lebende Ludwig Wronkow am 2. Februar 1968 im *Aufbau* (New York) einen Artikel *In Memoriam Bertolt Brecht*:

»Am 10. Februar wäre Bertolt Brecht 70 Jahre geworden. Wir bringen zu diesem Tage eines seiner frühesten Gedichte, das er 1921 in dem Berliner Kabarett ‚Wilde Bühne‘ zur Laute sang.

Seine ‚Uraufführung‘ jedoch hatte dieses Gedicht im Kriminalgericht Moabit erlebt. Fünf preußische Richter trugen es abwechselnd vor. Sie sahen aus wie Tiere, die ein Zoo wegen Überalterung entlassen hatte.

Damals saß im Berliner Polizeipräsidium ein Professor Emil Brunner, Schullehrer aus Pforzheim, der von Amts wegen ‚Schmutz- und Schundliteratur‘ bekämpfte. Er war der Urheber des Prozesses gegen die Aufführung von Schnitzlers *Reigen*. Einer der vielen anderen ‚Brunner-Prozesse‘ richtete sich gegen eine Zeitschrift, die der Journalist Hardy Worm herausgegeben hatte und in der sich Beiträge des ‚Oberdadas‘ Johannes Baader sowie von Max Herrmann-Neiße und das Gedicht *Apfelböck* von Brecht fanden. Das Titelbild dieser Zeitschrift hatte ich gezeichnet.

So standen wir denn vor Gericht (Bertolt Brecht war nicht gekommen). Der damals sehr bekannte Strafverteidiger Klee beantragte die Vorlesung des Heftes. Und die fünf Richter lasen nun, was der ‚Oberdada‘ geschrieben hatte: ‚Auf dem blauen Rinnstein sitzt ein gelber Elefant und legt ein grünes Ei, ein blaues Ei sitzt auf einem grünen Elefanten und legt einen gelben Rinnstein. Ein gelbes Ei sitzt auf einem blauen Rinnstein und legt einen grünen Elefanten...‘ Dann kam das Gedicht *Apfelböck* von Bertolt Brecht. Das war 1920. Zwei Jahre später erhielt er den Kleist-Preis für sein Drama: *Trommeln in der Nacht*.“

Im Oktober 1919 wurde Brecht Theaterkritiker in der Augsburger Tageszeitung *Volkswille*, dem Organ der „Unabhängigen Sozialdemokratischen Partei Deutschlands für Schwaben und Neuburg“. Chefredakteur und Herausgeber der Zeitung war der USPD-Reichstagsabgeordnete Wendelin Thomas, den Brecht durch die Prems kennengelernt hatte.

Als erste von Brechts Kritiken wurde bisher die am 21. Oktober 1919 erschienene Besprechung der Aufführung von Ibsens *Gespenstern* durch das Augsburger Stadttheater angesehen. Bestimmte Indizien lassen jedoch die Vermutung zu, daß die am 13. Oktober 1919 unsigniert erschienene Kritik der am 27. September erfolgten Aufführung von Max Halbes *Jugend* und der am 8. Oktober erfolgten Aufführung von Björnsons *Über unsere Kraft* auch schon von Brecht geschrieben wurde. Die von Werner Hecht innerhalb der achtzehn verbürgten Theaterkritiken beobachtete „Zweiteilung in der Beurteilung" findet sich auch hier: „Für theatralische Einfälle und Lösungen wird der Schauspieler verantwortlich gemacht, für die geistige Durchdringung des Drameninhalts der Regisseur" (Hecht, S. 19). Die Kritik, in der auch einzelne pointierte Wendungen gegen die Regiekonzeption auf Brecht verweisen, hatte folgenden Wortlaut:

„Stadttheater: *Jugend* von Halbe und *Über unsere Kraft* von Björnson.

Der Inhalt von Halbes Liebesdrama *Jugend* ist der: Zwei sehr junge Menschen lieben sich in schöner natürlicher Sinnlichkeit, ohne an später zu denken, ohne vernünftig zu sein, und dann kommt die Welt ihnen auf die ‚Schliche', und alles war Sünde. Der Junge, der noch eben groß war und von den schönsten Idealen sang, wird nun klein und demütig und ist froh, daß er nur wegkommt, nachdem ihn der gute Pfarrer ins Gebet genommen hat, weil er tat, was er mußte und was schön war. Das Mädchen aber, das nichts anderes tat, bringt die Blicke nicht mehr vom Boden weg und schämt sich zu Tod. Das alles ist schön geschildert und zart; wenn auch die beiden jungen Menschen etwas schwächlich und bürgerlich sind, ist es doch ein gutes Stück, weil es ehrlich ist; denn die bürgerliche Jugend von heute ist so, sie schämt sich, wenn sie das Gute tut. Aber auf dem Stadttheater wurde es ganz falsch gespielt. Es wurde für den zahlenden Bürger gespielt. Der Bürger glaubt, daß es Sünde ist, sich liebzuhaben, ohne daß das Geld da ist, und darum wird auf seinem Theater so gespielt, daß von der Lieblichkeit und Natürlichkeit der Liebe nichts herauskommt. Aber wenn ,es' dann geschehen ist und die Sünder nachts in einer Kammer waren, dann werden die Register gezogen, und die beiden müssen ganz gedeppt und begossen dastehen und möglichst feig und kleinlaut sein, und der Pfarrer ist noch ein großer, gütiger Mann, daß er das Ganze überhaupt für möglich hält! Merz, der das Stück falsch inszenierte, spielte den Pfarrer nicht schlecht, mit gescheiter Steigerung und manchen Einfällen, aber viel zu pathetisch und deklamatorisch. Er steckte wohl auch die anderen an. Ranft legte zu sehr los und muß viel innerlicher werden. Philippine Schäfer bot die innerlichste Leistung. Es wäre aber schade, wenn sie durch die überhitzte Temperatur, die auf der Bühne herrscht, wo immer Augen rollen, Stimmen überschnappen und Arme schlegeln müssen, ihre Natürlichkeit verderben ließe. Gehlen scheint bis jetzt die beste Kraft zu sein. Sein Kaplan war ausgezeichnet. Es war wirklich ein Mensch unter der Soutane. Die Aufführung klappte, es war gut auswendig gelernt – fehlte nur die Stimmung und das Dichterische.

In Björnsons *Über unsere Kraft* kommt ein Pfarrer vor, der so gläubig und gütig ist, daß er christusgleich alle heilen kann, die an ihn glauben. Seine Frau glaubt nicht an ihn und bleibt darum krank. Aber dann heilt er sie doch. Sie konnte nie schlafen, aber nun betet er in der Kirche, singt und läutet die Glocken, und da schläft sie und schläft so fest, daß sie das Donnergepolter eines Bergsturzes nicht weckt, und auch der Pfarrer singt ruhig weiter. Das ist der 1. Akt. Und dann steht die Frau auf und wandelt wie eine Geheilte, sinkt um und stirbt, und mit dem Wunder ist es nichts. Aber der Pfarrer ist so gläubig, daß er schon an dem Zweifel, Gott würde nicht helfen können, stirbt. Zweiter Akt. – Dazwischendrin ist viel Schwächliches, Gerede, Quatsch, Geheul. Aber der Glaube des Pfarrers ist eine gute Sache. Es mußte ganz schlicht gespielt werden. Aber dem Spielleiter Merz ist das gleich. Hauptsache, daß es kracht und daß geflennt wird. Der Bergsturz ist so laut und lang, daß sogar der Zuschauer aufwacht, der infolge des langweiligen und gespreizten Spiels auf der Bühne eingeschlafen ist. Geffers als Pfarrer deklamierte furchtbar schön, er machte einen aufgeblasenen Gesundbeter, etwas schrecklich Komisches. V. M. Eberle machts mit der wogenden Brust. Manches klingt ganz gut (wenn man eine gute Stimme hat), aber jeden Satz hochtragisch, auch: Gib mir Kölnisch Wasser! und Tu doch den Pfropfen heraus!, das hält keiner auf die Dauer aus. Wie sie als Geheilte hereinkam, unsicher und doch mit der Freude im Innern, das war schon etwas. (Voriges Jahr hat sie sehr gut Wedekind gespielt.) Merz als ungläubiger Pfarrer legte aber mal tüchtig los! Er sah aus wie der Fliegende Holländer, und weil er gut gelernt hatte, konnte er wunderbar aufdrahn. Es kam kein wahrer, menschlicher Ton heraus. Aicher als Elias war eine Fehlbesetzung. Er kann ein gichtiges Bäuerlein spielen, aber keinen jungen Menschen. Erika van Draaz war besser, aber ebenfalls viel zu überspannt. Käthe Glaser, ziemlich natürlich, vom Spielleiter schlecht dirigiert, kann keine Pausen spielen. Sie sieht dann immer aus, als habe sie Magenkrämpfe.

Gehlen als Falk war gut; er hat Schattierungen. Was die Regie betrifft: viel zu dick aufgetragen. Herr Merz scheint immer zu meinen, man merkts sonst nicht. Daher soviel Donner, bengalische Beleuchtung, Weinkrämpfe. Aber Aufregung ist noch nicht Leidenschaft. Man merkts schon, Herr Merz!"

Die Bemerkung, daß Vera Maria Eberle „voriges Jahr ... sehr gut Wedekind" gespielt habe, kann sich nur auf einen am 7. Mai 1919 veranstalteten und am 14. Mai wiederholten *Literarischen Abend* des Stadttheaters beziehen, an dem neben Strindberg und Schnitzler *Der Kammersänger* von Wedekind gespielt wurde. Die Eberle verkörperte dabei die Frau Helene Marowa. Ansonsten wurden die Wedekindschen „Frivolitäten" nur in dem dafür eher aufgeschlossenen, im November 1918 gegründeten Metropol-Theater am Schießgraben präsentiert. Nehers Tagebuch weist aus, daß Brecht und er jenen *Literarischen Abend* des Stadttheaters am 7. Mai 1919 besuchten.

Viertes Semester

Das Semester begann am 13. Oktober 1919 und endete am 31. Januar 1920. Laut Städtischem Archiv München meldete sich Brecht erst am 15. November 1919 in München an und am 17. Februar 1920 wieder ab. Er wohnte im vierten Stock der Pension Trommer, Paul-Heyse-Straße 9. Folgende Vorlesungen wurden von ihm belegt:

Muncker, Franz,	Geschichte der deut-
o. Prof.	schen Literatur im
	18. Jahrhundert vom

[Muncker, Franz, o. Prof.]	Auftreten Klopstocks bis zum Tode Lessings (Übungen des Seminars für Deutsche Philologie über die Dichtung vor Klopstock; Goethes *Faust*)	4 Std.
Frank, Otto, o. Prof.	Experimentalphysiologie (Verdauung, Atmung, Stoffwechsel, Wärme. Physiologisches Praktikum)	5 Std.

Ein von der Universitätsleitung für ehemalige Soldaten angesetztes Zwischensemester vom 9. Februar bis 31. März 1920 wurde von Brecht offenbar nicht wahrgenommen. Literarische Arbeiten hatten den Vorrang. Wenn die Erinnerungen an das Jahr 1919 bilanziert werden, so ist von Gedichten zu reden, die später in die *Hauspostille* eingingen oder einem Büchlein vorbehalten wurden, das *Meine Achillesverse* und später *Augsburger Sonette* heißen sollte (Münsterer, S. 133). Eine Vielzahl dramatischer Arbeiten entstand: Von einer *Sommersinfonie* wird gesprochen, von einer Tragödie mit dem Titel *Condel*, von einem Stück mit dem Titel *Absalom* bzw. *Absalom und Bathseba*, und dem Herbst 1919 weist Münsterer fünf Einakter zu: *Der tote Hund, Die Hochzeit, Er treibt einen Teufel aus, Lux in tenebris* und *Der Fischzug* (Münsterer, S. 129/130).

In dem Einakter *Lux in tenebris* betreibt ein ehemaliger Kunde eines Bordells vis-à-vis von diesem Etablissement eine in einem Zelt untergebrachte Aufklärungsausstellung

gegen Geschlechtskrankheiten. Für die Ausstellungs-
szenerie gab es eine Anregung: Vom 5. bis 21. September
1919 veranstaltete die „Deutsche Gesellschaft zur Bekämpfung der Geschlechtskrankheiten" in Augsburg eine
Ausstellung. Jeden Tag gab es „Ärztliche Vorträge", und
zu besichtigen waren „Wachsnachbildungen – Wand-
tafeln – Anatomische Präparate". Dasselbe Inventar be-
nutzte Brecht in seinem Stück.

Im Herbst 1919 konzipierte Brecht auch einen Einakter
mit dem Titel *Der Schweinigel*. Babette Daigl, damals
Sekretärin in der Firma Haindl und Direktor Brecht un-
terstellt, erinnert sich:

„Ich lernte Bertolt Brecht kennen, als er Theaterkritiken
für den *Volkswillen* schrieb. Damals gab mir Direktor
Brecht hier und da Manuskripte seines Sohnes, die ich
hernach mit Maschine geschrieben wieder zurückreichte.
Die Ausdrucksweisen, die immer wieder in den Texten
vorkamen, machten mich verwirrt, so daß ich die Ausdrücke oft nicht schreiben wollte. Später schrieb ich solche Texte in meiner Wohnung. Einmal brachte mir der
junge Herr Brecht persönlich ein Manuskript, dessen sitt-
liches Niveau mir, als ich es las, derart widerstrebte, daß
ich es ungeschrieben an den Vater, Direktor Brecht, zu-
rückgab. Er sagte dazu nur: ‚Das kann ich verstehen' und
steckte die Blätter achselzuckend weg. Das Manuskript
trug den Titel *Der Schweinigel*.

Für Direktor Brecht war das, wie sein Sohn damals lebte,
nicht einfach zu ertragen. Die Firma Haindl war doch
sehr konservativ. Den jungen Brecht betrachtete man im
Betrieb als den verlorenen Sohn des Direktors. Erst recht,
als er sich damals mit dem kommunistischen *Volkswillen*
einließ und dafür Artikel schrieb.

In die Fabrik kam Eugen Brecht jedoch selten, meist

brachte mir der Vater die Manuskripte zum Abschreiben.

Bald ging ich auch in die Wohnung, um Geschriebenes abzugeben oder andere Unterlagen wieder zu holen. Ich war damals auch in seiner Kammer, in der Bleichstraße. Die Mutter sah ich persönlich eigentlich nie. Immer war es Fräulein Roecker, die mir öffnete und die nur kurz sagte: ,Er ist wieder oben!' Eine gewisse Abneigung gegenüber dem Eugen glaube ich daraus gehört zu haben. Aber das beruhte wohl auf Gegenseitigkeit, wenn ich mich recht erinnere. Der Vater, das weiß ich genau, war sehr anhänglich gegenüber seinem Älteren.

In seiner Kammer war an der Zimmerdecke eine große Zeichnung angeheftet, so daß Brecht, wenn er im Bett lag und früh beim Erwachen, unwillkürlich zuerst das Bild an der Decke anschauen mußte. Es stellte den Gott Baal dar und war von Caspar Neher gemalt. Brecht sagte mir einmal, mit diesem Baalbild habe er sich für die Arbeit hypnotisiert.

Insgesamt hatte ich den Eindruck, daß bei ihm in der Jugend irgendwie zu wenig positive Kräfte zur Einwirkung gekommen sind. Nun wollte er verändern, er hatte damals zu große Bestimmungen, er wollte zuviel. So war er offensichtlich bemüht, möglichst unkorrekt daherzukommen, auf die Art, wie sich die Hettenbacher Kommunisten zeigten [Hettenbach ist eine Augsburger Vorstadt]: die Hosen hochgezogen, die Hände tief in die Taschen gesteckt, so richtig verschroben. Trotzdem sah man es ihm an, daß er aus einer guten Familie war, ganz besonders, wenn man mit ihm sprach. Niemals machte er einen solchen verkommenen Eindruck wie die heutige Gammlerjugend. Er war trotz seiner saloppen Art immer der anständige junge Mann.

Bevor ich Brecht persönlich kennenlernte, begegnete ich zuerst seinem *Baal*. Ich schrieb den ganzen *Baal* und später auch vieles vom *Dickicht*. Ich dachte anfangs, was muß das für ein verrückter Kerl sein, der will wohl den Wedekind kopieren. Wedekind wurde ja damals in Augsburg gespielt. Als ich Brecht dann selbst sah, war er fast schüchtern und wirkte zurückhaltend.

Ich unterhielt mich über vielerlei Dinge mit dem damals zwischen zweiundzwanzig- und vierundzwanzigjährigen Brecht. So fragte ich einmal, ob denn das sein müsse, diese realistischen Darstellungen? Aus seinen Entgegnungen sprach eine Art Sendung, die er empfunden haben mag, wie es mir erschien. Er sagte etwa, den wahren Sachverhalt könne man nur mit einer ungeschminkten Sprache ausdrücken. Er wolle den Widerspruch zwischen öffentlich gezeigter Frömmigkeit und geübter Heuchelei aufzeigen, die Tugendhaftigkeit nach außen hin und Fäulnis im Innern, dafür wäre ihm kein Ausdruck unflätig und grob genug, um die Pharisäer mitten ins Gesicht zu treffen. In Erinnerung ist mir dabei noch das Wort von ihm: ,Das muß sein!' "

Nach Haggs Auskunft ist die Novelle *Ein gemeiner Kerl*, veröffentlicht in der von Heinrich Eduard Jakob herausgegebenen Zeitschrift *Der Feuerreiter* am 4. April 1922, eine Prosafassung des von Babette Daigl erwähnten Stücks *Der Schweinigel*.

Mit dem *Baal* beschäftigte sich Brecht das ganze Jahr 1919. Daß er im April an der zweiten Fassung zu arbeiten begonnen hatte, war angezeigt. Am 19. Mai 1919 schrieb Neher in sein Tagebuch: „Baal wird aufgeführt, wenn nicht öffentlich, so doch sicher in einer Sondervorstellung. Gedruckt wird er, er ist dem Verlag übergeben und [wir] bekommen in nächster Zeit Bescheid."

Die Hoffnung auf eine Aufführung des Stücks hing mit Veränderungen im Münchener Theaterleben zusammen. Am 8. November 1918, nach der Ernennung Eisners zum Ministerpräsidenten, war das Nationaltheater auf genossenschaftliche Basis gestellt und der Schauspieler Viktor Schwanneke von der großen Mehrheit des Personals zum Intendanten gewählt worden. Seine engsten Mitarbeiter waren der zum neuen Schauspieldirektor ernannte Schauspieler Albert Steinrück und der Dramaturg Jakob Geis, der als „artistischer Sekretär" fungierte. Die *Bayerische Staatszeitung* veröffentlichte am 13. April 1919 einen an junge Autoren gerichteten Aufruf, daß sich die „Leitung des Nationaltheaters ... in letzter Zeit mit dem Plan" beschäftige, „eine Versuchsbühne für Autoren der jüngeren und jüngsten dramatischen Literatur zu gründen". Vermutlich hat Brecht nach dieser Ankündigung eines „Theaters der Jugend" mit den Verantwortlichen des Nationaltheaters Verbindung aufgenommen. Jedenfalls erinnert sich Münsterer, daß Brecht im Juni mit Jakob Geis an einem Lustspiel *Herr Meier und sein Sohn* arbeitete (Münsterer, S. 126), und Geis selber erklärte, daß er schon im Sommer 1919, freilich erfolglos, auf eine Annahme des *Baal* hingearbeitet habe (Schmidt, S. 45).
Nach der Ermordung Eisners und dem Sturz der Räterepublik wurde die Demokratisierung des Münchener Theaters von der Verwaltungsbürokratie und anderen rechten Kräften derart angefeindet, daß sich Schauspieldirektor Steinrück – laut *Bayerischer Staatszeitung* vom 31. Oktober 1919 – „aus zwingenden Gesundheitsrücksichten genötigt" sah, „um Enthebung von seinem Amte ... zu bitten". Am 19. Februar 1920 meldete die *Münchner Zeitung,* daß auch Intendant Schwanneke sein Amt mit Wirkung vom 1. März niederlegen werde, obwohl sein

Vertrag erst am 1. Juni ablief. – Einen Tag zuvor hatte dieselbe Zeitung unter der Rubrik *Kleine Nachrichten* die Meldung veröffentlicht: „Das Münchner Nationaltheater wird Mitte April das Drama *Baal* des bisher unbekannten jungen Autors Bert Brecht zur Uraufführung bringen." Wahrscheinlich hatte die ausscheidende Theaterleitung diese Meldung lanciert, um dem jungen Dramatiker beizustehen. Eine Tagebuchnotiz Brechts vom 24. März 1920 (BBA 1087/76–78) läßt den Schluß zu, daß er sogar einen Vertrag abgeschlossen hatte: „Ich habe an das Theater mein Stück Baal gegeben, und es hat Kontrakt gemacht. Ich müßte bis ... aufgeführt sein. Ich wurde nicht aufgeführt." Am 9. Juni 1920 registrierte auch Neher die Ablehnung: „Baal wird nicht aufgeführt, es soll der Teufel holen ..." Eine weitere Tagebuchnotiz Brechts vom 16. Juni 1920 (BBA 802) läßt erkennen, daß die Ablehnung von Dr. Karl Zeiß betrieben wurde, der offiziell erst im Oktober zum neuen Intendanten berufen wurde, doch schon seit dem März dem Nationaltheater angehörte: „Zeiß will Baal nicht aufführen, angeblich weil er Skandal fürchtet (aber er könnte eine geschlossene Vorstellung veranstalten!). Gutherz bestellt mich und fertigt mich auf dem Gang ab. Es ist möglich, daß er überlastet ist, aber ich bin kein Weinreisender. Damit fällt die Sensation des Winters in sich zusammen."

Ähnliche Mißhelligkeiten gab es bei dem Versuch, den *Baal* drucken zu lassen. Wie Münsterer berichtet, hatte Brecht die zweite Fassung des Stücks im Juni 1919 dem Musarionverlag und danach dem Drei Masken Verlag eingereicht – beide Male erfolglos (Münsterer, S. 142). Am 1. Januar 1920 schrieb Neher in sein Tagebuch: „Komme mit Bert oft zusammen ... Seine Sommersinfonie ist sehr gut. Heute sprach er, seinen Baal zu kürzen, und zwar die Stellen zu streichen, die an Johst und Bruckner erinnern. Ich rate ihm ab."

Am 14. Januar notierte Neher:

„... dann zu Bert, wir sehen den Baal nochmals ganz durch. Bert will ihn jetzt der Druckerei übergeben, wegen der Schwierigkeiten beim Drucken; hoffentlich kommen meine Bilder auch hinein ..."

Am 16. Januar heißt es schließlich:

„Wir arbeiten zusammen am Baal ... Heute muß ich die Baalbilder fertigmachen, unbedingt, und dann gehen sie (die Bilder) an den Verlag. Wir haben uns nach einem Buch Claudels geeinigt, das bei Georg Müller erschien."

Diese Notizen lassen den Schluß zu, daß Brecht den *Baal* in dritter Fassung schon zu diesem Zeitpunkt dem Georg Müller Verlag München zum Druck gegeben hatte. Am 15. Juli 1920 notierte Brecht:

„Jetzt ist die Drucklegung Baals beendet, ich habe die Fahnen alle" (BBA 802/17). Obwohl der Satz bereits stand und einige Andrucke erfolgt waren, verweigerte der Verlag den Druck dann doch, da er von der Zensur ein Verbot des Stückes befürchtete und andere Verlagsprojekte nicht gefährden wollte.

Am 6. Januar 1920 veröffentlichte Brecht im *Volkswillen* eine Kritik der Aufführung von Wilhelm Schmidtbonns *Graf von Gleichen*, einer Dramatisierung der thüringischen Sage, in der von einem Ritter erzählt wird, der mit zwei Frauen lebt. Brecht schrieb seine Kritik in 34 Knittelversen; die letzten lauten:

Das Ganze diesmal trefflich inszeniert,
Drum auf zur Kassa und hereinspaziert!

Ihr seht im Stück, daß nur ein toter Mann
Noch mehr als eine Frau ertragen kann.

Wahrscheinlich geht die Form von Brechts Kritik auf eine 1792 anonym erschienene und in sechshebigen Jamben gehaltene Schrift zurück, in der ebenfalls eine Aufführung des *Grafen von Gleichen* zur Diskussion steht. Die Schrift, die sich im Besitz der Staats- und Stadtbibliothek Augsburg befindet, trägt den Titel *Der steinerne Mann.* Bei diesem Steinernen Mann handelt es sich um eine Statue, die unweit der Schwedenstiege in einer Nische der Augsburger Stadtmauer steht und die Erinnerung an eine Sage aus der Zeit des Dreißigjährigen Krieges wachhält. In der von schwedischen Truppen besetzten und von den Kaiserlichen belagerten Stadt wütete der Hunger, als der Sage zufolge ein Bäckermeister namens Konrad Hackher mit einem aus Mehlresten gebackenen Brot auf den Wehrgang stieg und den Belagerern höhnisch bedeutete, daß die Stadt noch genug zu essen habe. Eine Musketenkugel riß dem Mann den rechten Arm ab, so daß er weggetragen werden mußte und nach wenigen Tagen verstarb. Sein Tod war jedoch, wie die Sage erzählt, nicht vergeblich gewesen: Der Feind mutmaßte, daß die Stadt noch über genügend Lebensmittel verfüge, und brach die Belagerung ab. Dem Bäcker wurde ein Denkmal, eben jener Steinerne Mann, errichtet. – Es erscheint übrigens denkbar, daß Brecht bei der Szene in der *Mutter Courage*, in der die stumme Kattrin durch ihr Trommeln eine Stadt rettet, den Stadtretter der Augsburger Lokalsage im Sinne hatte.

Die Schrift aus dem Jahr 1792 stellt den Steinernen Mann als Schriftsteller und Protokollanten des Augsburger Stadtklatsches vor:

Ich, der ich niemal noch zu schreiben hab gedacht,
Der ich mein Lebenlang noch keinen Vers gemacht,
Ich, der ich immerfort in Kälte, und in Hitze,
Im Wind, und Regen hier auf einem Flecke sitze;
Ich abgelebter Greis, bekannter Mann von Stein,
Ich menge mich nun auch in die Gesellschaft ein;
Ich fange nun auch an, zu dichten, und zu schreiben,
Und mir die lange Weil mit Arbeit zu vertreiben.
Ich will ein Dichter seyn. Ja zweifelt nicht daran!
Der Dichtgeist weht mich aus dem Blatterhause an.

Wenn manche Stutzerleins, wenn manche junge
    Fratzen,
In meinem Angesicht so fein, und witzig schwatzen,
Ist gleich ihr Kopf, und Herz von Stein: so wag
    ichs auch,
Zu sprechen, aber nicht nach Stutzer Art,
    und Brauch;
Es pflegen manche hier bey mir vorbeyzugehen,
Es pflegen manche auch ein bischen still zu stehen.
Da horche ich dann oft in meiner alten Ruh
So manchen Reden still, und unbemerket zu.
Da spricht, da plaudert man von manchen schönen
    Sachen,
Bald möcht ich weinen, und bald möcht ich wieder
    lachen.
Man spricht von diesem itzt, und itzt von jenem
    Haus,
Man richtet Obrigkeit, und Stadt, und Bürger aus.
Besonders, wenn man oft mit Bier, und Wein
    beschweret,
Mit leerem Beutelchen vom K u n z zurückekehret.

Doch sprach man gar so oft, als eine Zeit her, nie
Von Operetten, und der liebsten Komödie.
Ich hörte vieles Lob, ich hörte vieles Klagen,
Ein junger Perükier schrie erst aus vollem Kragen:
Das Stück war prächtig schön, und wem es nicht
    gefiel,
Der ist ein Eselskopf! – Mein Herr, das ist zu viel,
Sprach ein bescheidner Mann; die Frucht von
    solchen Stücken,
Ist diese, daß sie ihm den Kopf, und Herz verrücken.

Der Graf von Gleichen? Ha! das war ein schönes
    Stück,
Durchgehen wir es nur mit einem Forscherblick!
Was lernen wir dann aus dem Gatten zwoer Frauen?
Es könne sich ein Mann mit ein paar Weibern trauen!
Itzt fiel der Perükier erhitzt, und feurig ein:
Warum dann nicht mein Herr! kann das nicht möglich
    seyn?
Es hat der Pabst doch selbst den Grafen dispensieret.
Ward dieses in dem Stück nicht deutlich angeführet? –
O freylich ja! Man hat's gesagt; doch pfui der Schand!
Es war Betrug, man grif die Lüge mit der Hand.
Ich hasse solches Zeugs, ich hasse solche Lügen,
Darf ein Komödiant so schändlich uns betrügen?
Hält man uns für so blind? Hält man uns für so dumm?
Ist dieses der Respekt vor unserm Publikum?
Nun fieng der Pudermann recht tüchtig an zu
    schelten;
Gleich fiel ein anderer ein, und sprach zu ihm:
    Potz Velten!
Jetzt schweig, du Krausekopf, und lege dich zum
    Ziel,

Ja wohl zwey Weiber! ist mir eines schon zu viel!
Der S*komödiant, er soll sich nicht erfrechen!
Uns von Vielweiberey noch etwas vorzusprechen.
Doch wenn dir dieses Stück so wohl gefallen hat:
Geh zu den Türken hin, und werde Renegat!
So sprach der Mann, und dieß war seine Sittenlehre.
Und so erfuhr ich, was der *Graf von Gleichen* wäre.

...

Am 21. Februar 1920 fuhr Brecht erstmals und für reichlich drei Wochen nach Berlin. Er hoffte, in der damaligen Reichshauptstadt, in der es 25 Theater gab und wo die bedeutendsten Regisseure und Schauspieler wirkten, Zugang zum Theater zu finden.

Auf der Fahrt nach Berlin entstand das Gedicht *Erinnerung an die Marie A.*, damals noch unter dem Titel *Sentimentales Lied Nr. 1004* festgehalten. – Während seines Berlin-Aufenthaltes wohnte Brecht in der Eislebener Straße 13 bei dem Journalisten und Schriftsteller Frank Warschauer, den er durch Hedda Kuhn bereits in München kennengelernt hatte. Hedda Kuhn erinnert sich:

„Ich studierte damals, im Februar 1920, bereits in Berlin. Mein Vater wollte mich schon bald von München weghaben. Da besuchte mich Brecht in Berlin. Ich hatte ihn zu Frank Warschauer vermittelt. Auch hatte ich damals bereits die ersten Verlagsverhandlungen wegen *Baal* mit Hermann Kasack geführt. Brecht hatte das Manuskript bereits vorher zu Kasack im Kiepenheuer-Verlag geschickt.

Ich traf Brecht in einem Café am Potsdamer Platz. *Baal* war sein wichtigstes Thema. Kasack wollte nicht anbeißen. Bert und ich, wir waren dann zu Kasack nach Hause eingeladen, er wohnte damals am Wannsee.

Brecht hatte Kasack den bei Müller stehenden Satz des *Baal* angeboten, den Kasack später aus ästhetischen Gründen ablehnte.

Es gab in Berlin damals einen Studentenclub, der sich ‚Liga' nannte und dem ich angehörte. Wir trafen uns auf dem Dachboden im Haus der Eltern eines Clubmitgliedes Walter Großmann, das war in Schöneberg, in der Neuen Winterfelder Straße. Als Brecht erstmals in Berlin war, hatten wir gerade den Klabund im Club eingeladen. Bert kannte Klabund noch nicht und hörte nun erstmals dessen Gedichte und Lieder. Auch Bert trug einige seiner Lieder und Balladen vor. Er sang sehr wirkungsvoll. Im Club hatten wir selbst eine billige Bewirtung organisiert. Von den Studenten hatte ja kaum einer Geld. Nur Warschauer, Zarek und ich hatten wohl keine Schulden.

In der Regel trugen die Clubmitglieder Selbstverfaßtes vor, mitunter wurden auch Bilder ausgestellt. Damals hat mich Brecht mit Bleistift skizziert, diese Skizze habe ich noch immer.

Dann brach überraschend der Kapp-Putsch aus [13. März 1920], und ich mußte Brecht rasch zur Bahn bringen, damit er wieder nach Augsburg zurückfahren konnte, weil man natürlich nicht wußte, was einem solchen politischen Ereignis noch nachfolgen kann.

Ich habe hernach Brecht Geld nach Augsburg geschickt, damit er wieder nach Berlin fahren kann. Er schrieb mir jedoch, daß er das Geld seinem Freund Neher für Farben gegeben habe. Geld hatte Brecht in dieser frühen Zeit nie.

Caspar Neher hat damals von mir eine Skizze gezeichnet und danach auch ein Bild gemalt. Es muß wohl noch im Nachlaß zu finden sein."

Bald nach seiner Ankunft in Berlin schrieb Brecht an

Neher einen Brief. Dieser Brief ist zwar undatiert, wurde jedoch von Neher in seinem Tagebuch zu der Eintragung „24. Februar 1920" hinzugeheftet:

Lieber Cas,

Berlin ist eine wundervolle Angelegenheit, kannst Du nirgends 500 M stehlen und kommen? Da ist zum B. die Untergrundbahn und Wegener. Alles ist schrecklich überfüllt von Geschmacklosigkeiten, aber in was für einem Format, Kind! Kannst Du nicht 500 . . .
Selbstverständlich habe ich eine Bitte:
Eigentlich sind es zwei.
1) Kannst Du nicht zu Müller gehen (Herstellungschef Engelmann) und fragen, ob Baal in München in Druck ist. Dann würde ich Dich bitten, dorthin zu gehen – Du hast von mir jede Vollmacht – und nach den Typen schauen! Aber darüber kannst Du auch bestimmen wenn die Druckerei auswärts ist! Sage nur immer: Was glauben Sie eigentlich, wer Brecht ist! Im Notfall rufe Feuchtwanger an (51370)? 33994! Das liegt mir sehr am Herzen.
2) Würdest Du Dir, Herzensfreund, von Trommer die Rechnung geben lassen und mir schicken? (Es steht der Preis für 2 Nachtlager droben für Bi, das muß ich ausmerzen, ohne daß das Trommer erfährt!) Das wäre wunderbar von Dir.
Und dann grüße bitte Orge und Otto!
Ich habe den Schädel voll Neuem! Jetzt gehe ich aufs ganze los und wir werden der Welt zeigen . . .
Cas ich umhalse Dich! Bert
Berlin W 30 bei Frank Warschauer Eislebenerstr. 13
[Nachsatz:] Wenn Du das Manuskript in der Druckerei in die Hand kriegst, dann ändere in der Szene: Nacht,

Wind, Weiden (das ertrunkene Mädchen) in den letzten Zeilen: Wir liegen in den Weiden (oder so) um in: in den Haselnußsträuchern (oder so) und in der nächsten Szene Überschrift statt Weide: Haselnußstrauch!

Mit „Müller" ist der Verlag Georg Müller München gemeint, dem Brecht sein *Baal*-Manuskript zum Druck übergeben hatte. In Nehers Tagebuch war die Verbindung mit diesem Verlag am 16. Januar 1920 festgehalten worden. Der eben zitierte Brief vom 24. Februar 1920 ist das erste Brecht-Dokument über das Druckvorhaben.

Das wichtigste Ergebnis der Berlin-Reise war Brechts Bekanntschaft mit Hermann Kasack, der 1922 die erste Buchausgabe des *Baal* in einer Auflage von 800 numerierten Exemplaren im Kiepenheuer-Verlag herausbrachte.

Fünftes und sechstes Semester

Im Sommersemester 1920 belegte Brecht nur noch folgende Vorlesungen:

Muncker, Franz, o. Prof.	Geschichte der deutschen Literatur	4 Std.
Frank, Otto, o. Prof.	Physiologie	5 Std.

Wie die Bescheinigung der Quästur ausweist, wohnte Brecht in der Kaiserstraße 23^{IV}.

Im Wintersemester 1920/21, das sich vom 15. Oktober 1920 bis Mitte Februar 1921 erstreckte, wurden von Brecht wiederum nur zwei Lehrveranstaltungen belegt:

Muncker, Franz, o. Prof.	Geschichte der deutschen Literatur zur Zeit ihrer höchsten Blüte (seit 1780) 4 Std.
Rückert, Joh., o. Prof.	Präparierübungen tägl. von 8–12 und 14–16 Uhr (Arbeiten im Laboratorium für deskriptive Anatomie

Als Wohnadresse ist angegeben die Pestalozzistraße 46[I.1.].
Im Sommersemester 1921 belegte Brecht keine Vorlesungen mehr. Er wurde daher am 29. November 1921 exmatrikuliert.
Am Sonnabend, dem 1. Mai 1920, starb Brechts Mutter. Als Todesursache benannte der behandelnde Arzt Dr. Renner „Mammae Karzinom Rezidiv". Auf den Todesanzeigen in den ANN vom 3. Mai und in der MAAZ vom 4. Mai ist Eugen Bert Brecht als stud. med. genannt.
Ernestine Müller erinnert sich:
„Ich kannte Frau Brecht, sie war stets von sehr vornehmem Wesen. Für seine Mutter hatte Eugen immer Zeit. Er unterhielt sich oft sehr lange mit seiner Mutter über die verschiedensten Probleme. Einmal hat er zu mir gesagt: ‚Meine Mutter ist ein Eindringling, sie ist die rebellierende Protestantin der Familie.' Es gab jedoch auch Spannungen zwischen Mutter und Sohn.
Damals, im Mai 1920, als die Frau von ihren Leiden erlöst worden war, traf ich Eugen anderentags, es war Sonntagmorgen, auf dem Eisengeländer sitzend gegenüber dem Wohnhaus der Eltern an. Ich war wohl auf dem Weg zu irgendeiner Besorgung. Auf meine Frage,

was er denn schon so früh hier mache, gab er zur Antwort, er müsse ein Totengedicht für seine Mutter machen, sie sei gestern abend gestorben. Brecht zeigte mir danach einige Zeilen, die er aufgeschrieben hatte und die ich mir dann erbeten habe:

‚Lied von meiner Mutter

1. Ich erinnere mich ihres Gesichts nicht mehr, wie es war, als sie noch nicht Schmerzen hatte. Sie strich müd die schwarzen Haare aus der Stirn, die mager war, die Hand dabei sehe ich noch ...

7. Jetzt ist meine Mutter gestorben, gestern, auf den Abend, am 1. Mai! Man kann sie mit den Fingernägeln nicht mehr auskratzen!' "

Nach dem Tod der Mutter kam Brecht zwar weiterhin an den Wochenenden in seine Heimatstadt, doch überwiegend hielt er sich in München auf, wo er zunächst weiterhin in der Pension Trommer und ab November 1920 in der Pestalozzistraße 46$^{I.}$ (bei Schneller) wohnte. In Augsburg war er 1920 nicht mehr angemeldet.

Im Sommer 1920 schickte Brecht an Neher einen undatierten Zettel, auf dem er Neher und Geyer aufforderte, einer kurzfristig angesetzten Lesung Johannes R. Bechers beizuwohnen. Der Zettel befindet sich im Besitz der Staats- und Stadtbibliothek Augsburg:

Lieber Cas,

ich gehe um $\frac{1}{2}$ 8 Uhr in den Kunstsaal Steinicke, wo R. J. Becher Gedichte liest, die interessant sind, m[ein] lieber Schwan! Du kannst auch kommen nur gegen Vorzeigen der Studienkarten. (Deiner oder Georg [Geyer], oder kommt Georg mit? Es ist sicher interessant!) für 50 Pfg. oder für 1 M[ark] Literatur chenießen!

Gruß Bert

Die Morgenausgabe der *Münchener Neuesten Nachrichten* vom 7. Juni 1920 zeigte unter *Konzerte und Vorträge* diese Becher-Lesung an:
„In dem heutigen Autorenabend des Schutzverbandes Deutscher Schriftsteller im Steinickesaal ½ 8 Uhr liest anstelle Hanns Johst, Johannes R. Becher."

Marianne Zoff

Zum Spielzeitbeginn am 21. September 1919 wurde Marianne Zoff als „Spezialsängerin" von München an das Stadttheater Augsburg verpflichtet. Sie wohnte zunächst in der Billerstraße 23 und zog dann in die Werderstraße 4. Am 23. September 1919 debütierte sie als Zigeunermädchen in *Carmen*; am 19. Oktober sang sie die Venus in Offenbachs *Orpheus in der Unterwelt*; am 30. November die Lola in Mascagnis *Cavalleria rusticana*; am 6. Januar 1920 die Agnes in der *Verkauften Braut* von Smetana; am 25. Januar die Magdalena in Jacques Halévys *Goldschmied von Toledo*. In der Folgezeit spielte sie die Gräfin in Verdis *Rigoletto*, einen Edelknaben in Wagners *Lohengrin*, die Emilia in Verdis *Othello* u. a. In der Aufführung von Wagners *Walküre* am 16. Mai 1921 wird sie letztmalig in Augsburg genannt. Am 20. Mai verzog sie nach Bad Reichenhall und von dort nach Wiesbaden, wo sie in der Spielzeit 1921/22 ein neues Engagement übernahm. 1924/25 war Marianne Zoff als „Freie Sängerin" in Münster/Westfalen, 1926/27 in Recklinghausen und 1927/28 im Necker-Theater in Frankfurt am Main.
Brecht und Marianne Zoff heirateten am 3. November 1922 in München. Am 12. März 1923 wurde ihre Tochter Hanne geboren. Die Ehe wurde am 2. November 1927

geschieden. – Die mit Brecht befreundete Schriftstellerin Marieluise Fleißer berichtet:

„Die Marianne sang zuerst in Augsburg. Es hieß damals, Brecht habe in einer Besprechung weniger ihre Stimme als vielmehr ihre Beine gelobt. [Eine diesbezügliche Kritik Brechts ist nicht nachweisbar, doch wird Marieluise Fleißers Angabe von der Tochter Hanne Hiob auf Grund von Erinnerungen der Mutter bestätigt.] Daraufhin habe sich Marianne bei Brecht beschwert, und Brecht habe sie eingeladen.

Marianne hat als junge Ehefrau Ende 1922 zunächst in Augsburg, in Brechts Kammer in der Bleichstraße 2 gewohnt. Als sie 1922 schwanger wurde, wollte sich Brecht nicht binden, und nur durch massive Vorhaltungen Lion Feuchtwangers kam die Heirat zustande. Obwohl Marianne erst 1927 von Brecht geschieden wurde, ging die Ehe schon 1923 in die Brüche. Dennoch hing Brecht weiterhin sehr an Marianne. Ein Foto von ihr hatte er auch später immer zur Hand und zeigte es. Die vollendete Schönheit der Marianne Zoff war es, die er mit großer Ausdauer bewunderte."

Marta Feuchtwanger schrieb in einem Brief vom 25. September 1968:

„Marianne hatte er in München kennengelernt. Ihr Bruder Otto Zoff war Dramaturg an den Kammerspielen. Sie sang an der Oper in Wiesbaden. Dort hatte Brecht sie besucht und vom Opernsingen abgebracht, damit sie ihn heirate. Brecht hatte schon damals einen fast hypnotischen Einfluß auf Frauen. Viel dazu beigetragen hatte auch sein Singen zur Laute, obwohl er keine schöne Stimme im herkömmlichen Sinne hatte."

Otto Paepke war Erster Konzertmeister am Stadttheater Augsburg:

„Am Stadttheater war ich bereits einmal 1912 als Musiker tätig. Ab 1919 war ich dann bis zu meiner Pensionierung wieder am Stadttheater im Engagement. Die Sängerin Marianne Zoff kannte ich gut. Sie verkehrte damals viel im Maxim gegenüber dem Theater. Auch Brecht war einige Male mit ihr dort.

Zu Anfang ihrer Augsburger Zeit war Marianne noch mit einem Herrn Recht befreundet, der in Bad Reichenhall eine Spielkartenfabrik betrieb. Er war jüdischer Herkunft, und ich erinnere mich noch, daß er einen auffallend krummen Finger hatte. Herr Recht besuchte die Marianne zuweilen in Augsburg. Brecht wußte das natürlich, und es ging in dieser Zeit nicht ohne Eifersüchteleien zwischen Brecht und Marianne ab, wie mir Karl-Maria Heckel, der sowohl mit mir wie mit Brecht bekannt war, sagte. [Karl-Maria Heckel arbeitete in den zwanziger Jahren mit Brecht zusammen und druckte die *Augsburger Sonette* an.] Durch Heckel erfuhr ich auch, daß Brecht die Marianne zum Verbleiben in Augsburg bewegen wollte. Einmal hat er Marianne Zoff mit einer Indianerfrau verglichen, die vor den Augen des Häuptlings auf einer Wolke entschwand, worauf der Häuptling ein großes Wehgeschrei anstimmte, was, wie ich glaube, einige Dinge im Verhältnis Brechts zu Marianne anzeigte."

Nach der harten Kritik, die Brecht am 15. Oktober 1920 im *Volkswillen* über eine Aufführung des Schwanks *Alt-Heidelberg* veröffentlicht hatte, verweigerte die Direktion des Stadttheaters den Rezensenten des Blattes die Ausgabe von Theaterkarten. Am 20. Oktober, nach der Aufführung von *Zar und Zimmermann*, erschien daraufhin im *Volkswillen* eine redaktionelle Stellungnahme, in der es heißt:

„Eine Besprechung ist nicht möglich, da die loyale Stadt-theater-Direktion die Abgabe einer Karte an unseren Rezensenten verweigerte. Wir sind uns nicht recht klar, aus welchem Grunde. Ist man in letzter Zeit so sparsam geworden? Dann würden wir der Direktion den guten Rat geben, mal die Liste der an die bürgerlichen Blätter hinausgegebenen Freikarten einer Durchsicht zu unterziehen. Die Freiplätze dieser Blätter, die manchmal die ansehnliche Zahl von einem halben Dutzend (feste Plätze!!) erreichen, würden viel eher eine Beschneidung ertragen als die einzige u n s t ä n d i g e Karte, die man dem Rezensenten unseres Blattes auf jedesmaliges Ersuchen und nach langem Anstehen in der Regel allergnädigst zu gewähren geruht ...

Man scheint auf die Kritiken des *Volkswille* wenig Wert zu legen. Man hätte es doch so gerne, wenn die harmonische Zusammenarbeit mit den bezahlten Zeilenschindern der anderen Blätter nicht gestört würde. Da können die Kritiken der Rezensenten des *Volkswille*, die ihre Arbeit lediglich aus Neigung und Interesse zur Sache verrichten, unangenehm wirken. Das können wir nachfühlen."

Nachfolgend wurde (gemäß Aktenzeichen 335/85 CA/ gez. Ackermann, Bürgermeister) stadtamtlich geregelt, daß der Rezensent des *Volkswillen* weiterhin jeweils eine Theaterkarte für „jede Saison-Erstaufführung" erhielt. Brecht lieferte dazu anläßlich einer Besprechung von Strindbergs *Rausch* am 23. November eine sarkastische Anmerkung: „Trotz der rührenden Fürsorge der Theaterleitung, die mir einen raffiniert schlechten Platz ausgesucht hat, daß ich die Dekorationen nicht sehen muß, sah ich immer noch zuviel ..."

Am 8. Januar 1921 wurde im Stadttheater Hebbels

Judith aufgeführt. Brecht rezensierte die Aufführung am 12. Januar im *Volkswillen*, der seit dem 1. Dezember 1920 als „Organ der Vereinigten Kommunistischen Partei Deutschlands / Sektion der 3. Internationale" herauskam und an eben dem 12. Januar 1921, an dem Brechts Kritik erschien, vom Staatskommissar für Schwaben und Neuburg wegen staatsgefährdender Artikel verboten wurde. Die *Neue Augsburger Zeitung* veröffentlichte am 14. Januar eine Leserzuschrift, die im Zusammenhang mit Brechts Kritik von Interesse ist:

„Am letzten Samstag, den 8. Januar 1921, fand im hiesigen Stadttheater eine Aufführung der *Judith* statt. Da es sich um das Werk eines deutschen Klassikers handelte, war es erfreulich, festzustellen, daß die Vorstellung sehr gut besucht war. Dieser gute Besuch ist ein schlagender Beweis dafür, daß auch in Augsburg, das angeblich so interesselos seinem Schauspiel gegenübersteht, das Interesse an guten Klassikeraufführungen nicht geschwunden ist. Die Zuschauer folgten mit regster Anteilnahme der mit vielem Fleiße vorbereiteten Aufführung und dankten den Schauspielern mit reichem Beifall für erfolgreiches Bestreben, sie in den Geist der Dichtung einzuführen. Es muß aber festgestellt werden, daß einzelne Theaterbesucher durch geradezu lümmelhaftes Benehmen fortgesetzt die Vorstellung störten. Zu diesen Theaterbesuchern zählte auch der Kritiker des Augsburger USP-Organs, des *Volkswille*, der an und für sich schon seine Genialität, die nur durch seine Jugend übertroffen wird, durch einen ungewöhnlichen rüden Ton in der Kritik darzutun versucht. Ausdrücke wie ‚Saustück' und ähnliches sind dem jungen Herrn, der den Zwanziger kaum oder noch nicht überschritten hat und deshalb besonders geeignet erscheint, die Leistungen anderer zu würdigen, außerordentlich geläufig. Wenn sich das die Leser des *Volks-wille* und die Redaktion gefallen lassen, so ist das ihre Sache. Aber nicht gefallen lassen sich die Zuschauer des Theaters, daß ein so junger Herr seinen Mangel an Erziehung dadurch bekundet, daß er während der Aufführung fortgesetzt lacht und die übrigen Theaterbesucher durch das auffallende Benehmen in jeder Weise stört, z. B. auch dadurch, daß er nach jedem Bild, obwohl er dadurch 5 oder 6 Besucher zum Aufstehen veranlassen mußte, hinausging und regelmäßig zu spät wieder hereinkam. An den Stadtrat bzw. an die Direktion des Augsburger Stadttheaters muß aber doch die Frage gerichtet werden, ob es nicht möglich ist, Leuten, die sich sowenig benehmen können, den Theaterbesuch zu verbieten oder dieselben, wenn sie ihr Benehmen fortsetzen, aus dem Theater verweisen."

Die *Judith*-Kritik trug Brecht eine Beleidigungsklage von der Schauspielerin Vera-Maria Eberle ein. Sie hatte in der *Augsburger Rundschau* einen Artikel veröffentlicht, in dem sie sich gegen Wedekinds *Büchse der Pandora* erklärte, und konnte den Ausdruck „Schwein", mit dem Brecht Wedekind-Verächter titulierte, natürlich auf sich beziehen. Bibliotheks-Amtsrat Josef Heinle stellte dankenswerterweise die Berichterstattung über den Prozeß für dieses Buch bereit. Zunächst erschien am 16. April 1921 in den ANN, der MAAZ und der *Neuen Augsburger Zeitung* eine Bekanntmachung des Anwalts der Klägerin:

„In der Privatklagesache der Schauspielerin Frl. Vera Maria Eberle in Augsburg gegen den Schriftsteller Berthold Brecht in Augsburg wegen Beleidigung ist am 5. d. Mts. der folgende gerichtliche Vergleich abgeschlossen worden:

1. Der Angeklagte erklärt:
Ich versichere, daß die Eingangssätze der in Nr. 9 des
Volkswille vom 12. Januar 1921 von mir veröffentlichten
Theaterkritik (Judith) in keiner Weise auf die Privatklä-
gerin, Frl. Eberle, sich beziehen, und daß ich bei der
Niederschrift und Veröffentlichung dieser Sätze auch an
die Möglichkeit gar nicht gedacht habe, daß sie auf Frl.
Eberle bezogen werden könnten. Im übrigen nehme ich
alle kränkenden Angriffe auf die künstlerische Persönlichkeit der Privatklägerin als fehlgehend zurück und bitte
Frl. Eberle wegen der Form meiner Veröffentlichung um
Entschuldigung.
2. Der Beklagte übernimmt sämtliche Kosten des Ver-
fahrens einschließlich des vereinbarten Honorars.
3. Der Vergleich ist auf Kosten des Angeklagten in drei
Augsburger Zeitungen zu veröffentlichen.
4. Strafantrag und Privatklage werden nach Erfüllung
des Vergleiches unter Ziffer 2 und 3 durch den Angeklagten zurückgenommen. Als Anwalt der Privatklägerin
gebe ich diesen Vergleich hiermit öffentlich bekannt.
Augsburg/4687
Justizrat Sand, Rechtsanwalt".
Eine Gegenerklärung Brechts erschien in den drei Augsburger Zeitungen am 19. April 1921:
„Rechtsanwalt S a n d veröffentlichte unberechtigterweise
einen Vergleich, obwohl ich ihm überdies erklären ließ,
daß ich nicht daran denke, den Vergleich zu erfüllen.
Ich stehe nach wie vor sachlich auf dem Boden meiner
Kritik. (4765)
Eugen Bert Brecht".
Am 20. April 1921 veröffentlichte die Gegenpartei in
allen drei Zeitungen die nachfolgende Anzeige:
„Der von mir im Parteiauftrag veröffentlichte Vergleich

in der Privatklagesache Eberle gegen Brecht ist von dem Angeklagten Brecht selbst unter Mitwirkung seines Anwalts zu gerichtlichem Protokoll abgeschlossen worden.

Nach Ziffer 2 dieses Vergleichs war derselbe auf Kosten des Angeklagten in drei Zeitungen zu veröffentlichen. Die Behauptung des Herrn Brecht, dies sei unberechtigterweise geschehen, ist also eine glatte Unwahrheit. Selbstverständlich wird sich der Herr wegen dieser Behauptung neuerdings strafrechtlich zu verantworten haben.

Augsburg/4829

Justizrat Sand, Rechtsanwalt".

Knapp 5 Monate danach, am 22. September 1921, berichtete die MAAZ (Stadtanzeiger) abermals von der Klagesache Eberle contra Brecht:

„In Nr. 9 des nunmehr verbotenen Augsburger USPD-Blattes *Der Volkswille* war im Januar eine ‚Kritik' über die Aufführung von Hebbels *Judith* im hiesigen Stadttheater erschienen; darin wurden die künstlerischen Leistungen der Titelträgerin, die Schauspielerin M. Vera Eberle, einer direkt beleidigenden Kritik unterzogen. Es war u. a. auch von ‚unverschämten Ambitionen kleiner, unbedeutender Darsteller, die ihrer Rolle nicht gewachsen seien', die Rede. Als Verfasser dieser ‚Kritik' hatte der 1898 zu Augsburg geborene Schriftsteller und Student Berthold Brecht sich durch Vergleich bei der schöffengerichtlichen Verhandlung vom 14. April d. J. zur Bezahlung sämtlicher Kosten erklärt, unter Zurücknahme der beleidigenden Ausdrücke. Gleichwohl ließ Brecht einige Tage darauf in drei hiesigen Zeitungen eine Erklärung des Inhaltes erscheinen, daß er nicht daran denke, den Vergleich zu erfüllen, dessen Textinhalt widerrechtlich von dem Vertreter der Privatklägerin, Justizrat Sand, veröffentlicht worden sei. Diese Erklärung hatte zur Folge, daß das vorläufig eingestellte Verfahren weiterlief und Brecht sich wieder zu verantworten hatte. Dabei erklärte der Privatverklagte, daß er eine besonders belastende Äußerung von dem ‚gleichen Schwein, das die ›Lulu‹ (Wedekind) für eine Beschimpfung der Frau halte‘, nur auf ein gewisses Publikum bezogen haben wollte.

Das Urteil lautete wegen Beleidigung auf 100 Mark Geldstrafe oder 10 Tage Gefängnis."

Einen ausführlichen Bericht brachte die *Neue Bayerische Gerichtszeitung* vom 24. September 1921:

„In der Privatklage der ledigen Schauspielerin und Schriftstellerin Vera Maria Eberle gegen den led. Studierenden und Schriftsteller Berthold Brecht, geb. 1898 in Augsburg, wird nun Urteil erlassen, da, wie erst kurz berichtet, die Verhandlung ausgesetzt wurde. Brecht führte über ein am 12. Januar aufgeführtes Theaterstück Kritik im *Volkswillen*, worin gesagt war, daß er von einem Kunstwerk sprach und zugleich im Gegensatz hiezu es das schlechteste, albernste Machwerk nannte und in Beziehung auf die Darstellerin der Judith von mangelhafter Ehrfurcht vor dem Kunstwerk und unverschämten Ambitionen sprach. Schon im April kam ein Vergleich zwischen den Parteien zustande, welcher von dem Anwalte der Klägerin veröffentlicht worden ist. Hierauf erließ Brecht eine Erklärung, worin er sagte, er stände noch heute auf dem Standpunkte wie in der Kritik. Angeklagter will heute geltend machen, er habe mit dem Ausdrucke in der Kritik ‚das gleiche Schwein‘ nicht die Privatklägern gemeint, sondern eine größere Anzahl von andern Personen. Der Vertreter der Klägerin sieht in dem Verhalten des Angeklagten durch Ableugnung des

Vergleiches keine Selbstachtung. Und auch das Gericht ist mit ihm der Überzeugung, daß niemand anderer mit der in dem Artikel geübten Kritik getroffen werden wollte als die Klägerin. Und wenn man auch den Kritikern eine größere Schreibefreiheit gestatten müsse, so hat sie Brecht zu weit überschritten. Das Urteil lautet auf 100 Mk. Geldstrafe oder 10 Tage Gefängnis. Nach Rechtskraft des Urteils kann dasselbe in der *N. A. Ztg.*, *N. Nach.* und *A. Abendztg.* veröffentlicht werden.

Eine weitere Privatbeleidigungsklage lud sich der ledige Studierende und Schriftsteller B e r t h o l d B r e c h t, geb. 1898 in Augsburg, auf den Hals, indem er in Nr. 63 der *A. N. N.*, der *M. A. Abendztg.* und in der *N. A. Ztg.* eine Erklärung zu dem in der vorerwähnten Privatklage geschlossenen Vergleiche erließ. In dieser sagte er, daß der Vertreter der Klägerin, J. R. Sand, unberechtigterweise den Vergleich veröffentlicht habe, und er betonte des weiteren, daß er noch heute auf dem Boden seiner Kritik vom 12. Januar stehe, da es ihm freigestanden sei, diesen Vergleich anzunehmen, abzulehnen oder nur einen Teil desselben, also ganz nach seinem Gutdünken! Der Gerichtsvorsitzende hielt ihm vor, ob er denn glaube, ein Marionettentheater vor sich zu haben, um nach seiner Laune handeln zu können; denn der Vergleich ist nur mit seiner Zustimmung geschlossen worden! Dazu macht er weiter geltend, daß sein damaliger Vertreter sich nach einer Rücksprache mit ihm geäußert habe, daß er denselben auch teilweise ablehnen könne! Doch wurde nun festgestellt, daß der Anwalt sich schriftlich an den Vertreter des Klägers wandte und sich nur gegen die Veröffentlichung des Vergleiches in der *N. A. Ztg.*, *A. N. N.* und *M. A. Abendztg.* aussprach, im Hinblick, daß eine solche Publikation mindestens 300 Mk. Kosten verursachte, welcher Betrag über die Leistungsfähigkeit des Angeklagten ginge und dann schließlich doch an dem Kläger hängenbliebe. Das Urteil lautet wegen Beleidigung des J. R. Sand auf eine Geldstrafe von 150 Mk. oder 15 Tage Gefängnis sowie die Veröffentlichung in jenen drei genannten Zeitungen. Das Gericht sah zugunsten des Angeklagten von einer absichtlich verleumderischen Beleidigung ab, da sonst über Brecht eine Freiheitsstrafe verhängt worden wäre."

Vera-Maria Eberle schrieb am 20. April 1969 über die damaligen Vorgänge:

„1. Ich erinnere mich absolut nicht daran, daß das Personal des Theaters (Augsburg) sich in einem offenen Brief gegen B. B. stellte. Ich halte es aber für durchaus möglich, denn seine Kritiken waren gescheit, aber so bös und parteiisch, daß wahrscheinlich der größte Teil der Kollegen erbittert war ...

2. Mein Artikel in der *Rundschau*! Ein junges, unreifes, ambitioniertes Mädel schrieb allerlei Blödsinn. Der größte Blödsinn war, daß ich mich darüber ausließ, daß meiner Meinung nach an einem Theater wie das Augsburger Stadttheater für Wedekinds *Büchse der Pandora* kein Platz sei! Damit trat ich in einen fürchterlichen Fettnapf. Natürlich hatte B. B. eine Vorliebe für Wedekind. Das konnte ich nicht wissen! Und er hatte ein befreundetes Ehepaar im Ensemble, dessen weiblicher Teil die Lulu spielen wollte. Das wußte ich auch nicht. Von dem Tag an begann B. B. mich schlecht zu kritisieren! Vorher war er ungeheuer nett. Besonders als ich einen Prolog von ihm sprach. Es war für eine Feier für Kriegsgefallene. Ich habe ihn nicht verstanden, den Prolog. Wie hätte ich auch sollen. Er war ein Vorläufer der Expressionisten. Das wußte damals noch niemand. Für die Augsburger

Bürger war er das, was die jungen Rebellen und Reformer für die heutigen Erwachsenen sind. Außerdem war er anrüchig als Kommunist. Seine Bemühungen, einen liter. Zirkel auf die Beine zu stellen, mußten scheitern. Er kam von Rimbaud, Verlaine, Villon etc., und ich, im Kreise etlicher Interessenten, kam von Schiller, Goethe, Eichendorff, Wildgans, Rilke etc. Da kann man nur sagen mit Hofmannsthal: ‚Hie ist kein Weg.‘ Wahrscheinlich überschätzte er mein Alter, weil ich schon alle Heldinnen spielte. Ich war noch nicht 17, als ich mein Engagement antrat. Natürlich hat mich die *Judith*-Kritik empört. Und zwar hauptsächlich ihrer ordinären Unsachlichkeit wegen. Mich hätte diese Kritik n i e zu einem gerichtlichen Vorgehen veranlaßt, weil mir mein gesunder Instinkt d a m a l s schon sagte: gegen die Presse, und gegen solche Kritiker – aber nein, gegen Kritiker überhaupt kann ein Schauspieler nur den kürzeren ziehen.

Aber:

3. meinen Verlobten, Dr. Franz Reisert, und seinen Vater, Justizrat Dr. Reisert, alle meine Freunde wurmte es, und d e s w e g e n strengte Dr. R. den Prozeß an, den Brecht verlieren mußte. Übrigens kann das nicht so gewesen sein, daß Brecht schon als Gymnasiast Kritiken schrieb [wie es Dr. Franz Reisert 1956 in einem Bericht äußerte], denn ich erinnere mich, daß er in der Zeit, als ich in Augsburg engagiert war, die gleichzeitig mit mir engagierte Marianne Zoff (Schwester des Verlegers Zoff und jetzige Frau Theo Lingens) heiratete. Es muß schon eine gewisse Faszination von ihm ausgegangen sein, denn sie war eine ausgesprochen elegante Frau, die seinetwegen, glaube ich, kurz vor der Hochzeit (mit Brecht) einen sehr vermögenden Mann verlassen hatte. Für mich, das muß ich sagen dürfen, hatte er nie etwas

Faszinierendes. Ich habe für zynische Männer nie etwas übrig gehabt. Er war für mich, wenn ich mich zurückversetze in diese Zeit, ein kalter Fanatiker, ohne Charme, und ich bin ihm – schon ehe er mich schlecht kritisierte – gern aus dem Weg gegangen. Nun ja, meine Kreise waren, politisch gesehen, die des damaligen Zentrums. Für die war der Jungkommunist Brecht eben ein schwarzes Schaf ...

Ich ging von Augsburg weg, und damit war für mich B. B. erledigt – bis er als mich interessierender Dichter und Dramatiker wieder auferstand. Das ist alles, was ich sagen kann.“

In der Nacht vom 7. zum 8. November 1921 fuhr Brecht zum zweiten Male nach Berlin und blieb dort bis 26. April 1922. Sein Ziel war wiederum, mit Theater- und Verlagsleuten bekannt zu werden. Zunächst wohnte er abermals bei Warschauer, dann in der Zietenstraße 6. Hedda Kuhn berichtet:

„Zu Anfang des Jahres 1922 wurde Brecht während seines Berlin-Aufenthaltes ernstlich krank. Er schickte zu mir, da er hilflos in seiner Bude im Bett lag, es war in einem Prostituiertenviertel. Da mein Verlobter als junger Arzt in der Charité tätig war, vermittelte ich sogleich eine Einweisung Brechts in die Station meines zukünftigen Mannes. – Wir heirateten übrigens wenige Wochen danach, im März 1922. – Die Untersuchung ergab, daß Brecht eine Nierenentzündung und Blut im Urin hatte. Eine der Hauptursachen der Krankheit war wohl bei zu knappem Essen zuviel Alkohol, den Brecht bei Bekannten und auf Einladungen eher angeboten bekam als was Eßbares. Wobei ich mich erinnere, daß Brecht nicht viel Alkohol vertrug.

Mein damaliger Verlobter stellte, bevor er Brecht in die Station aufnahm, die Bedingung, daß ich Brecht im Krankenhaus nicht besuchen dürfe. Er wußte um Brechts Einfluß auf bestimmte Frauen. Brecht wiederum duldete keinen anderen Mann neben einer Frau, die er verehrte. Er verlangte in Berlin von mir, ich dürfe keinen anderen Mann heiraten, und drohte mir, daß er sonst die Marianne (Zoff) aus Wiesbaden kommen lassen würde, was er ja dann auch getan hat; wobei die Marianne aus Liebe zu Brecht am Theater in Wiesbaden kontraktbrüchig geworden war. Mein Verlobter wurde dann, als sie in Berlin war, anläßlich einer Visite bei Brecht mit Marianne bekannt. Ich selbst hatte Brecht nur einmal am Krankenbett besucht. Dabei entdeckte ich auf seiner Namenstafel, die am Kopfende des Bettes hing, ein ‚k‘, was katholisch bedeutete und was ich ihm sogleich vorhielt, da er ja, wie ich wußte, evangelisch war. Er gab mir zur Antwort, daß der katholische Pfarrer ein netterer Mensch sei. Der katholische Pfarrer hieß Sonnenschein, vielleicht hat sich Brecht deshalb oft so lange und angeregt mit dem Pfarrer unterhalten, wie ich damals hörte.“

Während der Monate in Berlin wurde Brecht mit Arnolt Bronnen, Herbert Jhering, den Schauspielern Klöpfer, Kraus, Wegener und George sowie mit verschiedenen anderen Schriftstellern, Theater- und Verlagsleuten bekannt, ohne daß sich konkrete Ergebnisse für seine Arbeiten eingestellt hätten. Nach München kehrte er mit einem neuen Stück zurück, das zunächst *Garga,* dann *Im Dikkicht* und schließlich *Im Dickicht der Städte* hieß.

Vom 8. bis 14. Oktober 1922 war Brecht wieder in Berlin; eine vierte kurze Reise unternahm er Ende Februar 1923; eine fünfte Ende Juli 1923, und Anfang September 1924 übersiedelte er endgültig in die Hauptstadt.

Inzwischen waren seine Stücke aufgeführt worden: die *Trommeln in der Nacht* unter Falckenbergs Regie am 29. September 1922 in den Kammerspielen in München, *Im Dickicht* am 9. Mai 1923 im Münchener Residenztheater, der *Baal* am 8. Dezember 1923 im Alten Theater in Leipzig. Am 18. März 1924 schloß Brecht eine anderthalbjährige Dramaturgentätigkeit an den Münchener Kammerspielen mit der Eigeninszenierung von *Leben Eduards des Zweiten von England* ab.

Die Augsburger Jugendjahre waren zu Ende.

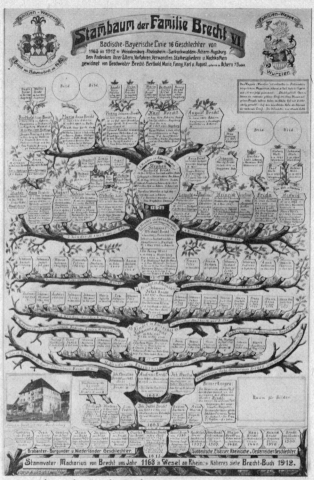

1 *Stammbaum der Familie Brecht*

2 Brechts Großeltern väterlicherseits: Karoline Brecht geb. Wurzler
und Stephan Berthold Brecht

3 *Geburtshaus von Brechts Vater in Achern. Rechts vor dem Hauseingang Brechts Großvater (1902)*

4 Josef Friedrich Brezing, Brechts
Großvater mütterlicherseits

5 Friederike Brezing geb. Gammerdinger, Brechts Großmutter
mütterlicherseits

6 *Sophie Brecht geb. Brezing, Brechts Mutter (1896)*

7 *Hochzeitsbild von Brechts Eltern Sophie und Berthold Friedrich Brecht (1897)*

8 Brechts Vater (um 1900)

9 Brechts Geburtshaus in Augsburg, Auf dem Rain Nr.

10 Brechts Geburtshaus von halblinks

11 *Brecht (August 1899)*

12 *Geburtshaus von Brechts Bruder Walter, Augsburg, Bei den sieben Kindeln Nr. 1*

13 Brechts Großeltern väterlicherseits in Achern

14 Brecht (mittlere Reihe, 5. von rechts) im Barfüßerkindergarten (1903)

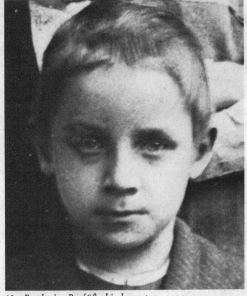

15 Brecht im Barfüßerkindergarten
(Ausschnitt aus Bild 14)

16 Brecht, sein Bruder Walter und die Vettern Fritz und Richard Reitter (1904)

17   Brecht (rechts) mit seinem Bruder Walter (1904)

18   Brecht als Schulanfänger (1904)

19 Schule bei den Barfüßern

20 Schule am Stadtpflegeranger

21 *Realgymnasium an der Blauen Kappe*

22 *Brechts Lehrer Franz Xaver Herrenreiter*

23 *Brecht mit seinem Bruder Walter und seiner Mutter (1908)*

24   *Augsburg (um 1910)*

25 Wohnhaus der Familie Brecht, Augsburg, Bleichstraße 2. Im rechten oberen Fenster Brecht (rechts) mit seinem Bruder Walter (1910)

26 Wohnhaus der Familie Brecht, heutiger Zustand

27 Familienfoto 1910. Stehend von links: Hermann Reitter, Frau Reitter (Schwester von Brechts Mutter), Brechts Mutter, Brecht. Davor die Großeltern Brezing

28 Schüler der Klasse IV B (1911). Obere Reihe von links: Fritz Gehweyer, Brecht, Ernst Bohlig, Stephan Bürzle, Robert Unkauf, Johannes Gleich. Untere Reihe rechts: Adolf Seitz

29 *Brechts Mutter (Dezember 1911)*

30 Mitglieder der Augsburger »Liedertafel« (12. Dezember 1912).
Untere Reihe von links: Brechts Vater, Heinrich Hagg

31 *Brechts Vater (1932)*

32 *Oblatterwall gegenüber dem Wohnhaus der Familie Brecht (1914)*

33 *Blick zum Oblatterwall (1914)*

34 *Brecht (Ende 1914)*

Kriegsfürsorge.

Gar viele Tausend zogen
hinaus,
Fürs Vaterland sie starben
und ließen Weib und Kind
zu Haus,
die müßten jetzt darben,
die müßten hungern,
wenn Dir nicht,
mein Volk, die Dankbarkeit
nun Ehrenpflicht.
Zu teilen, heißt es jetzt
sein Hab und Gut
mit denen, deren Nährer
mit dem Schwert
in Fäusten ließen stolz
für Dich ihr Blut...
Jetzt zeige Dich, mein Volk,
der Opfer wert!

Berthold Eugen

FRITZ GEHWEYER

35 Postkarte »Zum Besten des Roten Kreuzes und der Kriegsfürsorge«

36 Die Geschwister Neher (um 1911). Oben:
Marietta und Ernst. Unten: Caspar und Margarete

37 Rudolf Caspar Neher (um 1917/18)

38 Klassenausflug der Klasse VII (Juni 1915). Obere Reihe von links:
erster: Rudolf Hartmann; dritter: Julius Bingen; vierter: Brecht; sie-
benter: Rektor Braun; achter: Klassenlehrer Karl Bernhard

39 *Klassenausflug der Klasse VII (Juni 1915). Mit Gitarre: Heinrich Bischoff. Rechts daneben: Brecht. Untere Reihe von links: Rudolf Hartmann, Julius Bingen*

40   Brechts Lehrer Richard Ledermann

41 Brecht im Garten des elterlichen Wohnhauses (Herbst 1915)

42 *Brecht mit seiner Mutter (1915)*

43 *Brecht mit seinen Schulfreunden Heinrich Scheuffelhut und Rudolf Hartmann (1915)*

44 Brecht in der Gartenlaube am elterlichen Wohnhaus (1915/16)

45　Marie Rose Aman

46 *Brecht (1916)*

47 *Benediktinerpater Romuald Sauer von St. Stephan. Zeichnung (1918)*

48 Brecht im Garten der Eltern Rudolf Hartmanns, Müllerstraße 14
(1916)

49 Brecht mit seinem Bruder Walter, Heinrich Scheuffelhut, Rudolf Hartmann und Ernestine Müller im
Garten Müllerstraße 14 (1916)

50 Ernestine Müller (1916)

51 Im Klassenzimmer der Klasse IX (November 1916). Obere Reihe, zweiter von links: Adolf Seitz. Untere Reihe von links: Rudolf Hartmann, Brecht und Julius Bingen

52 Brecht (Herbst 1916)

53 Brecht mit seinem Bruder Walter (Frühjahr 1917)

54 Die letzten Fünf der Klasse IX (März 1917). Von links nach rechts: Rudolf Hartmann, Georg Geyer, Ludwig Lang, Brecht und Alex Baldi

55 Gablers Taverne

56 Der einstige Mitschüler Wilhelm Kölbig in Brechts
Mansarde (1918)

57 Brecht (Ende 1917)

58 Michael H. Siegels Karikatur in Artur Kutschers Gästebuch (1919)

59 Namenszüge von Hedda Kuhn und Brecht in Artur Kutschers Gästebuch (oben rechts)

60 Brecht und Bie Banholzer (1918)

61 Heiner Hagg, Bie Banholzer, Emmi Wild, Brecht (1918)

62 Brecht, Bie Banholzer, Heiner Hagg, Emmi Wild, Otto Bezold (1918)

63 Brecht und Bie Banholzer (Ausschnitt aus Bild 62)

64 Georg Pfanzelt (1918)

65 Brecht, Otto Müllereisert, Georg Pfanzelt (stehend)
und Otto Bezold (1917)

67 Lilly Prem geb. Krause (1918)

68 Lilly und Georg Prem (1919)

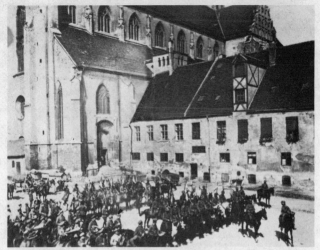

69 *Aufstellung des berittenen Detachements des Freikorps Epp im Kasernenhof des 4. Bayrischen Chevauxlegersregiments in Augsburg zum Abtransport nach Ohrdruf (20. März 1919)*

70 *Bie Banholzer und Brecht (1918/19)*

71 *Schaubude auf dem Plärrer in Augsburg*

72 u. 73 *Moritatensänger auf dem Plärrer*

74 *Rudolf Hartmann (1918/19)*

75 *Adolf Seitz*

76 *Hanns Otto Münsterer (1919)*

77 Nach der Taufe von Brechts und Bie Banholzers Sohn Frank in
Kimratshofen (2. August 1919). Von links nach rechts: Bie Banholzer,
Otto Müllereisert, Caspar Neher, eine Frau des Hauses, Georg Pfanzelt,
Brecht und Bies Schwager

78 *Bie Banholzer (Herbst 1919)*

DER GROSSE BAAL

79   *Skizze zu Brechts »Baal« von Caspar Neher (1919)*

Brecht folgen

80 *Skizzen zu einem Brecht-Porträt von Caspar Neher (1919)*

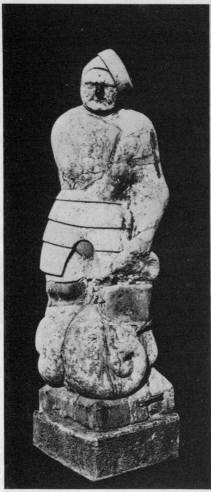

Der steinerne Mann am Hause H 326 am unteren Graben nächst dem Städt. Krankenhaus.

Dieses historisch merkwürdige Standbild stellt den Augsburger Bäckermeister Hackher dar, wie er den die freie Reichsstadt anno 1635 belagernden Vorposten unter dem bayer. General v. Wahl von den Zinnen eines Stadtturmes einen Laib Brod zeigte, wodurch der Tapfere trotz der in Wirklichkeit drohenden Hungersnot bei dem Feinde den Glauben erweckte, die Stadt verfüge über genügend Lebensmittel. Bei dieser kühnen Tat riss eine feindliche Kugel dem wackeren Bäcker den Arm weg. Die Fama erzählt, dass die bald darauf erfolgte Aufhebung der Belagerung eine Folge dieser List gewesen sei, die dankbaren Bürger aber errichteten ihm dies Standbild.

81   Der Steinerne Mann

82　*Stadttheater in Augsburg*

83 *Brecht (1920)*

84 Hungerdemonstration in Augsburg (Frühjahr 1920)

85 Caspar Neher (1920)

86 Brecht in Augsburg (1920/21)

87   Bie Banholzer (1920)

88   Marianne Zoff und Brecht in Starnberg (Mai 1923)

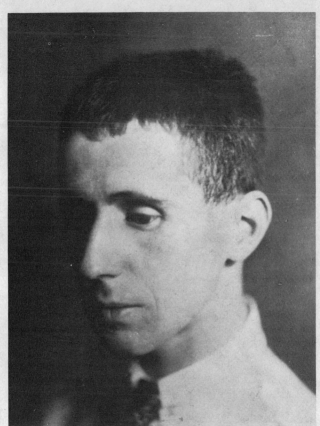

89 *Brecht (Mai 1923)*

90 *Brecht mit Tochter Hanne Hiob (1923)*

91 Marianne Zoff mit Tochter Hanne Hiob (November 1923)

92 Marieluise Fleißer (1923)

93   *Die Schauspielerin Vera-Maria Eberle (1921)*

94 Im Berliner Lunapark (1923).
Obere Reihe von links: Brecht, Frank
Warschauer, Lion Feuchtwanger und
dessen Schwager. Untere Reihe: Feucht-
wangers Schwester Franziska, Marianne
Zoff, Marta Feuchtwanger

95 Brecht, aus der »Hauspostille«
lesend (1926)

TEXTE AUS
BRECHTS JUGENDJAHREN

TURMWACHT

Von einem Augsburger Mittelschüler

Gestern nacht, als die Perlachturmuhr die 12. Stunde verkündete und (wie ich mir aus einem Roman gemerkt
habe) düstere Wolken am Himmel den Mond zeitweise
verdeckten, schlichen zwei äußerst verdächtige Gestalten
durch die menschenleere Hauptstraße zum Perlachturm.
Diese beiden Nachtschwärmer, die man wegen ihrer Ver-
mummtheit und ihrer bitterernsten und tollkühnen Gesichter für Spione hätte halten können, waren mein Freund
und ich.
Mit leiser Stimme meldeten wir uns dem Schutzmann
am Perlachturm: „Wir sind die Wachtposten und sollen
nach Flugzeugen Ausschau halten!"
„So", sagte väterlich das Auge des Gesetzes, „schaut's
nur, daß net fallt's!" Damit schloß er die Türen zum
Turm auf, und wir begannen schweigend und ernst, wie
es unsere schwere Aufgabe erforderte, den Aufstieg.
Nachdem wir nach mannigfachem Stolpern oben ange-
langt waren und nachdem wir mit dem schlaftrunkenen
Wächter verhandelt hatten, traten wir hinaus auf die
Plattform.
Grau in der stillen, blauen Nacht liegen die Häuser Augsburgs unter uns. Aus dem Gewirr der oft engen, wink-
ligen Straßen erheben sich spitze Giebel wie gefaltete
Hände. Vereinzelt glitzern goldene Lichter auf, besonders
viele am Bahnhof drüben. Eine tiefe Ruhe umfängt uns.
In der Ferne, an den Rändern des Horizontes, dämmern
hellgraue Streifen, die sich dann in dunkles, tiefes Blau
nach oben hin verdüstern. Dorthin richten wir den Feld-
stecher.

Um 10 Uhr war bereits ein Flieger von Ingolstadt her gemeldet. Eine Stunde später einer von München.

Wir schauten eifrig aus nach allen Seiten. Ich will es gleich sagen, daß wir keinen Flieger erspähten während der 2 Stunden Wachtdauer.

Es war wunderbar schön hier in mitternächtiger Stunde auf dem hohen Turm. Ab und zu fuhr rollend ein Zug aus dem Bahnhof – ein Zug von Soldaten, die hinauszogen in die Nacht, in ein ungewisses Los, vielleicht, um nicht wieder zurückzukehren. Jedesmal, wenn wir das Rasseln der Wagen, das Stöhnen der Maschine hörten, vernahmen wir auch ein fernes, mattes Hochrufen, das eigen, feierlich klang.

Manchmal auch tönte unter uns ein Lied in die stille Nacht. Im Ratskeller sangen sie patriotische Lieder. Mächtig schwollen die Töne der *Wacht am Rhein* zu uns empor. Und dann erklang es leis und weh: *Muß i denn, muß i denn zum Städtele naus.*

Es war eine schöne Nacht. Wenn wir auch keinen Flieger sehen. –

Und nun zum Schluß möcht ich noch die Jugend und Gymnasiasten fragen, die dies lesen: Möchtet ihr nicht auch so Turmwacht halten fürs Vaterland? Es sind noch viele Posten nötig. Freilich, das Bett marschiert nicht mit herauf die zwei Stunden, aber dafür leistet ihr der gemeinsamen Sache unseres lieben Vaterlandes einen kleinen Dienst und – genießt kostenlos den Reiz einer „Turmwacht".

NB. Wir möchten noch mitteilen, daß sich die Jungen bei Herrn Rechtsrat Deutschenbaur (Rathaus) als Wachtposten melden können.

(In: Augsburger Neueste Nachrichten, 8. August 1914.)

Aus den Aufzeichnungen
eines Augsburger Mittelschülers

Es ist bei jener Siegeskunde, die gestern übers Meer kam, das seltsam Ergreifende, daß die Braven, die jenen Sieg mit dem Tod bezahlten, schon als sie ausfuhren zu dieser letzten Fahrt, damit rechneten, daß sie nimmer kommen würden. Das macht diesen Sieg so schön und erhebend, daß diese Männer still und ernst in eine bange Nacht hinaussegelten, sie, für die es nur ein Vorwärts, keine Vergangenheit mehr gab.

Schweigend gingen sie eines Abends, vielleicht ohne daß jemand außer ihnen etwas davon wußte, brachen damit alle Brücken hinter sich ab, vergaßen Weib und Kind, Vater und Mutter und gingen in einen sicheren Tod für die große Sache.

Das waren größtenteils einfache Männer, machten sich keine theoretischen Gedanken um den Zweck eines Staates. Sie fühlten nur, daß sie ihre Kraft für ein unermeßlich Großes einsetzen mußten, und handelten einfach darnach.

Und dann, als die Arbeit getan war auf einsamer See, da erfüllte sich ihr Schicksal. Sterbend, während sie versanken in den unergründlichen Fluten, sahen sie noch den Triumph, den Nutzen ihres Werkes: Der Feind ward getroffen. Dann nahm sie der Tod in seine Arme, und sie gingen unter ohne Furcht – – –

Wir aber, die wir zurückblieben, wir, für die jene Männer ihr Leben opferten, wir müssen staunend, erschüttert stehen vor dieser Nachricht. Wir können ihnen nichts mehr Gutes tun, die in jener Nacht für uns starben. – Aber wir können, und das ist die Forderung, die Mahnung, die aus den paar Telegrammzeilen, die das Sterben von Hunderten meldet, klingt, wir können und müssen den anderen, denen, die noch da sind und die auch hinausziehen vielleicht heute, vielleicht morgen, noch Gutes tun, sie stärken für ihren schweren Beruf. Laßt uns ihnen zeigen, daß wir ihr Opfer begreifen und es ihnen danken! –

Berthold Eugen

(In: ANN, 10. August 1914.)

Bataillon um Bataillon marschiert hinaus, am Königsplatz
vorüber, die Schrannenstraße durch zum Bahnhof. Mit
festem, ruhigem Tritt ziehen sie hin, umwogt, umdrängt
von einer begeisterten Menge, in den großen Krieg. Blumen sind ihnen an die Kasernen gebracht worden; die
haben sie in blühenden Sträußen an Helm und Gewehr
gebunden. Und unter den blütengeschmückten Helmen
leuchten die Augen in dem schweißglänzenden Gesicht.
Da ist keiner, der in diesen Tagen hinauszieht, der ungern
ginge. Manch einer, ein Bauernbursche mit grobem, ehr-
lichem Gesicht, hat wohl die Zähne zusammengebissen,
wie sie einer zusammenknirscht, wenn er an ein schweres
Werk geht. Mancher denkt mit leichtem Sinn an den
kommenden Krieg und mit schwerem Herzen an die, die
daheim bleiben. Und diese Gedanken, die später wohl
verstummen werden, bannen die laute Freude und legen
über alle jenen ruhigen, tiefen Ernst.
Am Straßenrain stehen, die daheim bleiben. Brausend
schwellen die Hochrufe auf, Tücher flattern und winken
Lebewohl. Am stillsten sind diejenigen, welche Söhne
und Brüder mitgehen sehen. Da stehen Mütter mit stil-
lem, verzweifeltem Gesicht und schluchzen in ihr Taschentuch. Da stehen Männer, starke Männer und nagen am
Schnurrbart und verbeißen die Tränen.
Es ist viel Elend zu sehen. Aber am meisten hat mich
das Gebaren eines alten Mannes ergriffen, der am Weg-
rain stand und seinen drei Söhnen nachblickte. Er stand
aufrecht und gerade, der hagere Körper ganz straff. Er
rief nicht und winkte nicht. Er sah stumm, wie seine
Söhne ihm zurufend vorbeimarschierten. Keine Hand hob

er. Auch keine Träne sah ich in diesen großen klugen Augen. Aber dieses grobe Gesicht war wie ein Gebet.

Nun sind die aktiven Truppen fast alle fort. Es ist sehr still geworden in Augsburg. Nach dem Lärm und der Aufregung der ersten Zeit ist eine Art von Reaktion eingetreten. Szenen, stürmisch und erschütternd wie am Tag der Mobilmachung, der Kriegserklärung kommen nicht mehr vor.

Da sind sie bis über Mitternacht hinaus am Königsplatz gestanden, Tausende und aber Tausende. Sie haben „Hoch, Deutschland, hoch, hurra der Kaiser" geschrien, daß ihnen die Kehlen heiser wurden. Einfache Arbeiter haben mit Offizieren, mit Beamten gestritten und gelacht. Wenn ein neues Telegramm verlesen wurde, ward atemlose Stille, die sich dann in ein ohrenbetäubendes Jubeln kehrte. Dieses Jubeln, das an den äußersten Enden der Stadt hörbar war, diese Gesichter, die in frommer, heiliger Begeisterung glühten, sie zeigten an, daß dieser Krieg, den wir Deutschen um unsere Existenz führen, ein Volkskrieg, eine Erhebung der Nation ist.

Die übermächtige Bewegung ist vorbei. Wohl stürmen die Leute noch die Zeitungskioske und Depeschenstellen, wohl zweifelt auch heute niemand am Sieg, aber die Stimmung ist ruhiger, ernster geworden. In viele Gesichter ist ein eigener Ernst getreten, eine stille, quälende Sorge.

Wenn auch das alte Straßenbild wiederhergestellt ist, das Leben ruhig fortschreitet, so ist doch eine seltsame Unruhe in das Gewoge in den Straßen gekommen. Tag für Tag rücken mehr Reservisten ein, von den Angehörigen bis an die Kasernentore geleitet. Und wenn auch vielen die Familie erhalten bleibt, die Angst der andern stimmt sie trübe.

So steht das ganze Volk harrend und sorgend. Und all die Augen dieser Tausende ruhen auf einem Mann: dem Kaiser. Der ist der Held aller geworden über Nacht. Aller: der stetigen Nörgler, der kühlen Denker und der – Sozialdemokraten. An allen Stammtischen, im Riegelebräu, in der Gans, überall ist er der Gegenstand der Bewunderung. Und diese mit Eifer geführten Gespräche über ihn sind gar nicht lächerlich.

Das ganze Volk steht auf.

In den Kasernen drängen sich die Freiwilligen zu Tausenden. Ganz junge Leutchen sind darunter, Mittelschüler, Lehrlinge. Das ist ein Wogen und Brausen! Es sind so viele gekommen, daß man seit gestern niemand mehr nimmt. Als sie das hörten, zogen sie betrübt ab, solch ehrlichen Schmerz im jugendlichen Gesicht, daß man fast lächeln mußte.

Die Kleinen tun auch mit, tun so viel, als ihre schwachen Kräfte erlauben. Da klettern die Kerlchen in ihren Khakiuniformen in den Kasernenhöfen herum, stopfen Stroh in Säcke, schleppen sich an riesigen Stiefeln halb zu Tode und ziehen Karren durch die ganze Stadt.

Auf den Türmen halten die Älteren Wacht und spechten nach Luftfahrzeugen Tag und Nacht. In den Regimentskanzleien sitzen sie eifrig schreibend, freiwillig auf die geliebten Ferien verzichtend.

Überall in unserem lieben Augsburg wird frisch und fröhlich gearbeitet für das Vaterland. Überall, vom Dom bis zur Ulrichskirche, e i n Gedanke! Ein steinaltes Männchen drückte ihn aus, als es den fortziehenden Truppen nachschrie: „Laßt's eich net derbleck'n! Sonst miss'n mir no kemma!"

Berthold Eugen

(In: München-Augsburger Abendzeitung, 14. August 1914.)

Augsburg, 20. August

Tage des Wartens...

Die Stadt ist ruhig. Kaum daß ein paar Soldaten durch die Stadt ziehen. Kaum daß man merkt, daß draußen, weit, weit fort, unsere Söhne und Brüder für uns kämpfen, für uns sterben.

Ein paar Verwundete sind angekommen. Sie gehen ruhig durch die Straßen, die Hand in der Schlinge oder einen Verband um den Kopf. Ruhige, keineswegs düstere Gesichter haben sie; es ist ihr dringendster Wunsch, recht bald wieder ins Feld zu kommen.

Es ist alles ganz still. – Aber dem aufmerksamen Beobachter wird es nicht entgehen, daß diese Ruhe nur äußerlich ist. In Wirklichkeit ist eine zitternde, bebende Erwartung, eine stumme Angst vor dem Ungewissen beständig wach. Es ist, als ob ein Gespenst unsichtbar, lautlos durch die Straßen haste und von großen Schlachten flüstere, von niemand gesehen, gehört, aber von allen gefühlt.

Gerüchte tauchen auf, erregen plötzliche Unruhe. Daß die Leute aus den Geschäftsräumen rennen zum Königsplatz, zu den Kiosken. Schlachten, riesenhafte Schlachten sollen im Gange, viele Tausende gefallen sein.

Es kommt immer wieder ein Dementi der Zeitungen, aber man glaubt nicht. Man meint, es werde etwas verheimlicht, etwas, das unsichtbar, unaufhaltsam, riesengroß herannahe...

Und über vielen Gesichtern liegt eine besondere Bangigkeit. Eltern sind nachrichtenlos von ihren Söhnen. Sie sagen nichts, äußern keine Besorgnis, wenn man sie fragt. Aber ihr Achselzucken ist so erschütternd verzweifelnd, daß man trösten möchte.

Ich glaube, dieses Warten, dieses überstarke Harren, ist schrecklicher als das Kämpfen draußen im „fröhlichen" Krieg.

An den Anschlagsäulen der Stadt hängen große Plakate: der Landsturm wird einberufen. Haufen von Leuten stehen davor und suchen, angstvoll und hastig, welche Jahresklassen gemeint sind. Viele Gesichter hellen sich dann auf. Viele werden düster.

Landsturm vor!

Wie das seltsam stark und drohend schallt! Landsturm, das sind fast alle Familienväter. Leute, die daheim so nötig wären. – Es wird wohl gesagt, daß kein Grund zur Sorge da sei, daß der Landsturm nicht ins Feld müsse. Aber es ist schon bitter, daß er von der Arbeit genommen werden muß. Wenn auch viele Fabriken hier in Augsburg ihre Beamten weiterzahlen, viele können das nicht. Was wird aus deren Familien? Die paar Mark, die das Militär zahlen kann, helfen wenig. Da muß gegeben werden von den Bemittelten, Opfer müssen dargebracht werden, den Hunger zu stillen.

Viel Sorge hat die Einberufung des Landsturms hervorgerufen. Aber doch, jeder – wie wunderbar ist das, sagen zu können: jeder fühlt es, erkennt es an, daß es notwendig ist. Jeder weiß, daß er zu opfern hat, daß er opfern muß. Daher dies Zusammenarbeiten von alt und jung, reich und arm.

Es ist doch schön, daß wir in der Not sehen, wie stark Deutschland noch ist, stark bis ins Innerste, bis in die Verhältnisse des einzelnen.

Die erste Verlustliste erscheint. Man ist ein weniges beruhigt. Bis jetzt scheinen noch keine Bayern gefallen zu sein.

Trotzdem munkelt man beständig von Offizieren aus Augsburg, die tot sein sollen.

Die Nachricht, 3000 Russen seien gefangen, erregt starke Freude. Aber diese Freude wird nicht laut. Tag und Nacht sind um den Zeitungskiosk am Königsplatz Scharen von Wissensdurstigen gelagert. Die meisten Telegramme werden vorgelesen. Man disputiert, zweifelt.

So geht die halbe Woche ohne nennenswertes Ereignis.

Schon am Mittwochabend kreisen Gerüchte über den Fall von Belfort. Man ist in stiller Erregung. Allgemein weiß man, daß Belfort der Schlüssel der französischen Armee in den Vogesen ist. Das Gerücht wird von der *München-Augsburger Abendzeitung* dementiert.

Am anderen Mittag nehmen die Nachrichten jedoch immer größere Bestimmtheit an. Auf den Straßen rufen die Leute es sich zu: „Belfort gefallen." Den Soldaten soll es bereits verlesen worden sein.

Es wird Abend. Von den Zeitungen ist keine Bestätigung des Gerüchtes da.

Ich bin vorhin durch die Straßen gegangen, da war alles still.

Und während ich jetzt dies schreibe, muß ich immer daran denken, ob jetzt wohl drüben, in den Vogesen, Siegesfreude herrscht, daß es dort schön sein müsse und erhebend, oder ob . . .

Ein Bild steigt auf: Über ein leichenbedecktes Schlachtfeld irren die letzten Strahlen der Sonne . . . Da liegen Tausende: tot oder mit zuckenden Gliedern.

Und ich denke der vielen, schweren Opfer, die solch ein Sieg kostet.

Opfer, dargebracht vom Vaterland – dem Vaterland.

Berthold Eugen

(In: MAAZ, 21. August 1914.)

Siegsonntag! Es rauscht der Freude Meer –
Die Orgel braust so trunken schwer,
Über der Kanzel jahrhundertgeheiligter Pracht
Glänzt golden und lacht
 Ein Sonnenfunkeln her.
Siegsonntag!
Viel hundert Gesichter schauen empor,
Verklärt von der Freude Gold.
Viel hundert Stimmen erbrausen im Chor,
Wie das stürmt und jauchzt, wie wenn es empor
Zum Himmel sich schwingen wollt.
Sieg, Sieg! Das ist's, was die Orgel rollt.
Sieg, Sieg! Das ist's, was die Sonne lacht,
Wie Völkersturm rauscht es empor mit Macht:
Sieg! Sieg und Sieg vertausendfacht,
Als ob es den Himmel erstürmen wollt.
Siegsonntag!

Berthold Eugen

(In: MAAZ, 24. August 1914.)

Das ist so schön, daß alle Stimmen schweigen
Und still vor dieser e i n e n Stimme sind,
Die sich erhob mit Donnerton im Reigen
Der Zeit, die sonst so größelos zerrinnt.

Das ist so schön, schön über all Ermessen,
Daß Mütter klagelos die Söhne sterben sehn,
Daß alle i h r e Sorgen still vergessen,
Und um des Großen Sieg nun beten gehn.

Das ist so schön, daß diese schweren Zeiten
Fast wie ein Segen unser Haupt gestreift,
Daß dieses bittre und doch heil'ge Streiten
In uns so opferstarke Kraft gereift.

Berthold Eugen

(In: ANN, 24. August 1914.)

Augsburg, 27. August

Wie war dieser Siegessonntag licht und schön!
Sonnenglanz leuchtete golden über den Straßen, schimmerte auf den weißen Häusern, tauchte die Türme der Stadt in warme Flut.

Von den Giebeln flatterten fröhlich die Fahnen, weißblau und schwarzweißrot. Jauchzend klangen die heiligen Glocken von den Kirchtürmen und verkündeten den großen Sieg.

Eine wundervoll stille Festfreude verklärte alles: Natur und Menschen. In schwerer Besorgnis waren die Leute umhergegangen all die stillen Tage hindurch. Wohl geht alles Schlag auf Schlag, wohl sind es nach dem Kalender erst ein paar Tage her, seit Lüttich erstürmt worden – aber uns daheim, denen es nur vergönnt ist, von weitem dem Sturm der Ereignisse zu folgen, uns sind die paar Tage lange, ach so endlos lange Zeit. Sie bedeuten uns die unheimliche, lastende Ruhe vor dem Sturm, dessen Größe wir nicht ermessen können.

Nun ist die Erlösung gekommen.

Von einem kleinen Telegramm wurde sie Samstag nacht gebracht, die große, erlösende Siegesbotschaft. Und als der Sonntag erwachte in Sonnenglanz und Glockenjubel, wußte es die ganze Stadt. Nun gingen die Menschen mit stillen, freudeverklärten Gesichtern durch die festlichen Straßen. Vergessen war Unruhe und Verstimmung. Vergessen auf Stunden die Sorge um die Angehörigen.

Oh, es ist, trotz aller Sorge und Not, doch schön, in dieser Zeit leben zu dürfen, in dieser Zeit, die, von Waffen starrend, den Menschen läutert und innerlich stärkt. Es ist doch, trotz allem, doch schön.

Ein anderes Bild. Ein Bild, das gar nicht zusammenstimmen will mit dem feierlichen Gepräge. Und das doch innerlich damit fest verbunden ist:
Die ersten Verwundeten kommen. –
Lange, ehe der Lazarettzug einläuft, sind etliche hundert Leute zwischen dem Lazarett und dem Proviantamt versammelt und harren in stummem Schweigen des Zuges.
Und dann kommt er heran, langsam, langsam. Aus den Fenstern der vorderen Wägen schauen blasse Gesichter. Die Leichtverwundeten. Der Zug hält.
Sanitäter eilen herzu. Tragbahren sind schon bereitgelegt. In tiefer Stille, während das Volk schweigt und nach den grauen Wägen starrt, die so teure Last bergen, beginnen die Sanitäter ihre Arbeit.
Sie dringen in die Wägen. – Ein atemloses Grauen legt sich auf alle. Bleiche Gesichter starren nach dem Zug, in dem sich eine lautlose Tätigkeit entwickelt hat.
Nach einer Weile, die allen endlos scheint, kommt ein Zug leichtverwundeter Franzosen. Sie tragen den Arm in der Binde oder den Kopf verbunden und gehen im Trupp, melancholisch und traurig, mit scheuen Blicken.
Inzwischen werden die ersten Bahren herausgeschafft. Man sieht aus nächster Nähe zu. Es ist totenstill, wie eine Vision mutet das Bild an: dieses stille Treiben der Sanitätssoldaten, die durch die dämmerige Helle des grauen Mittages die Bahren tragen, auf denen todwunde, halbentkleidete Jungmännergestalten liegen. Fahle Antlitze heben sich ein wenig. Starr, glanzlos irren die Augen umher, suchend, suchend. Die weißen und braunen Hände, die auf der Wolldecke gefaltet sind, halten krampfhaft Blumensträuße.
So schwankt Bahre um Bahre vorbei. Deutsche sind darauf und auch Franzosen – alle tun einem tief leid. Ein

furchtbares Schaudern bemächtigt sich unser, wenn wir
diese Ruinen von jungen Menschen sehen, die da vorbei-
getragen werden in dem grauen Tag.

Dem einen fehlen beide Beine. Man sieht es, weil die
Decke unten ganz flach anliegt. Der andere hat einen
leeren Ärmel. Der dritte liegt wachsbleich und erstarrt
da und blickt zum Himmel auf.

Und alle, alle haben Blumen. Rosen, Butterblumen, Mar-
geriten. Die knochigen Fäuste umfassen die Sträuße wie
Heiligtümer.

Und alle, alle sind wunderbar stark. Man hört kein Wimmern, keinen Seufzer. Ruhig und geduldig schauen diese
leidzerrütteten Gesichter aus.

In all dem Jammer stärkt uns e i n Gefühl, macht uns
e i n Gedanke fast froh:

D e u t s c h e M ä n n e r. Deutsche Helden im Kämpfen und
im Leiden!

Kaum vier Wochen hat nun der Krieg erst gedauert. Und
schon ist es keine vereinzelte Tatsache mehr, daß in den
Zeitungen die schwarzen Anzeigen stehen, die da melden, daß ein Sohn gestorben sei auf dem Felde der Ehre,
schon kommen Züge mit Verwundeten ganz tief ins Land,
kommen mit den Zeugen blutiger Schlachtfelder.

Viele sind gekommen, viele werden noch kommen.

Und da gilt es stark sein, eisenstark, da gilt es zu wachsen mit seinen höheren Zielen. Opfer müssen gebracht
werden, und sollten sie blutig schwer werden.

Stärken kann uns dabei das eine: daß diese Opfer nicht
vergebens sein werden. Lüttich, Metz, Namur sind die
Bürgen eines Geschehnisses, einer ungeheuren nationalen
Tat, die nach außen hin unser Volk kräftigen und nach
innen stärken wird.

Dieses Bewußtsein ist die Brücke von jauchzendem Sieg zum schweren Verlust. Großes muß gegeben werden, um Großes zu erlangen.

Und das Große, was wir Deutsche wollen, ist einzig und allein: Unsere Ehre wahren. Unsere Freiheit wahren, unser Selbst wahren.

Und das ist aller Opfer wert.

Berthold Eugen

(In: MAAZ, 28. August 1914.)

3. September

Nun wehen die Fahnen in den Straßen Tag für Tag.
Sieg über Sieg! Eine Botschaft fliegt zu uns um die andere. Und meldet von Taten, von Erfolgen, die unermeßlich groß scheinen. Die Zeit rast im Sturmschritt, eilt,
überstürzt sich, daß wir kaum zu folgen vermögen. Was
gestern Neuigkeit, jubelnde, beseligende Neuigkeit war,
was unvergeßlich erschien, das ist heute kaum noch imstande, uns aufhorchen zu machen. Wir stürmen hin, wie
von einem Taumel befangen.

Manchmal, an stillen Abenden vielleicht, wenn alles
ruhig und schön um uns ist, fällt es uns plötzlich ein,
daß weit draußen im fremden Land Tausende unserer
Mitmenschen sich ums Leben bringen, daß weit, weit fort
zu Land und zu Meer riesenhafte Schlachten geschlagen
werden, Schlachten, in denen Tausende sterben, qualvoll,
schmerzzerrissen sterben müssen.

Und wenn wir dann den stillen Frieden um uns sehen,
ruhige Gärten, graue Straßen mit ihrem geschäftigen Ge-
wühl, dann könnten wir an einen bösen, quälenden
Traum denken, der uns jene grauenvollen Bilder des
Todes vorspiegle.

Und doch, wenn wir so auch die ganze Größe unserer
Zeit nicht zu erfassen vermögen, weil die Fülle der Bilder, die wir in uns aufnehmen, zu zahlreich ist, so fühlen
wir doch alle ihren Flügelschlag über unserem Haupte.
Wir sehen, daß alles verwandelt ist. Daß Streit, Haß,
Kleinlichkeit verschwunden sind. Es hat alles gleichsam
größere Maße angenommen. Wir hören aus der Ferne
von den Heldentaten unserer Heere, die von Sieg zu Sieg
stürmen fürs Vaterland – für uns. Wir fühlen weniger

Taten als Zustände, weniger Erscheinungen der Zeit als d i e Zeit selbst.

So kämpfen wir daheim auch mit, so übt auch an uns der Krieg seine läuternde Wirkung aus.

Am Abend vor dem Sedanstage bliesen sie nach alter Sitte vom Perlachturm Choräle. Das geschah jedes Jahr, und es wurde sonst wenig Aufhebens damit gemacht. Wer gerade vorbeiging, nun ja, der blieb ein wenig stehen und horchte zu, wenn er nichts anderes zu tun hatte. Das war früher. Heuer war es anders. Heuer standen Hunderte und aber Hunderte auf dem Markte und lauschten schweigend und ergriffen den einfachen Weisen. Der alte, schlichte, aber schöne Brauch hatte heuer neues Leben gewonnen.

Alle die vielen Menschen, die still um den Augustusbrunnen standen, waren von einer seltsamen Bewegung ergriffen.

Abendsonne fiel über den Platz, tauchte den Perlachturm in rosigen Schimmer. Die Fahnen flatterten von den Giebeln der alten Häuser, des Rathauses hoher Bau grüßt herüber. Und in einfachen, rührenden Weisen klingen die Töne eines Chorals oder eines stolzen Vaterlandsliedes herab.

Erschüttert, mit entblößtem Haupte, stand die Menge. In vielen Augen stand ein Glänzen. Viele Hände falteten sich.

Der alte Platz, über den Jahrhunderte geschritten sind, hat wohl selten ein solch packendes Bild gesehen.

Am 2. September, dem Jahrestag der Schlacht von Sedan, fand nachts vor dem Stadttheater eine patriotische Kundgebung statt.

Rosig erglüht von bengalischem Feuer leuchtete der gewaltige Bau des Theaters durch die blaue, stille Nacht.

Halb Augsburg hatte sich eingefunden. Kopf an Kopf stand die Menge. Und doch war es, als das Fest begann, so ruhig wie in einer Kirche.

Mächtig rauschten die Töne des Mendelssohnschen Kriegsmarsches über den Platz. Dann fielen die Männerchöre ein. Kraftvolle patriotische Lieder brausten durch die Nacht. Kinkels wundersam ergreifendes Lied *Kriegers Abschied* ertönte. Eigen tief und süß klang das schwermütige *Weh, daß wir scheiden müssen* empor. – Aus der ein wenig wehmütigen Stimmung riß uns das große Lied der Deutschen, in das die ganze Zuhörerschaft jubelnd einstimmte.

Der Oberbürgermeister hielt eine kernige Rede, zu deren Schluß er ein Telegramm verlas, das den Sieg bei Reims meldete. Da brauste der Jubel empor, so stark, so kraftvoll, daß man ihn an den äußersten Enden der Stadt vernahm.

Und wieder rauschte Gesang empor, der *Sturmbeschwörung* bannender Zauber, des *Segensspruches* milde Verheißung. Und dann, dann schwoll es auf, das ewige Lied des Deutschtums, das Lied, das klingen wird, solang ein Tropfen deutschen Bluts noch glüht: *Die Wacht am Rhein*. Schwoll auf, stürmte, donnerte, gesungen von einem ganzen Volk, und klang und klang und jauchzte hinaus in die Nacht, verkündend die Wahrheit von deutscher Einigkeit.

Und dieses letzte Lied, dieser Sang, gesungen, nein, gebetet von Tausenden, dieser Sang, geboren aus der Not und dem Jubel der Stunde, war das Schönste, was diese Woche brachte.   Berthold Eugen

(In: MAAZ, 4. September 1914.)

Nun gehn der Trauer Boten
Durchs ganze Land
Und melden von den Toten,
Die nach dem Sieg man fand.
Noch wehn die schwarz-weiß-roten
Siegfahnen von End zu End,
Nun wie zum Gruß der Toten
Vom dritten Regiment.

War's gestern nicht, dies Scheiden?
Da zogen wir hinaus
Jubelnd mit ihnen und streuten
Blumen über sie aus.
Den Lebenden haben geboten
Einst Blumen wir zum Präsent --
Nun streun wir sie den Toten
Vom dritten Regiment.

Nun gehn der Trauer Boten
Durchs ganze Land
Und melden von den Toten,
Die nach dem Sieg man fand.
Die Klänge noch nicht verlohten
Der Glocke, die Sieg bekennt,
Sie läuten zum Dank um die Toten
Vom dritten Regiment.

Berthold Eugen

(In: ANN, 5. September 1914.)

10. September

Am Samstag wurde der erste Soldat, der im hiesigen Lazarett gestorben ist, bestattet.

Er ist mit so vielen anderen Schwerverwundeten gekommen. Tagelang ist er im Lazarett gelegen, todwund, in Fieberphantasien. Fremde Gesichter sah er am Lager, wenn er aufwachte für Sekunden. Ihm streichelte keiner Mutter kühle Hand die heiße Stirne.

Niemand weiß seinen Namen. Aber er war ein deutscher Krieger, und das genügt uns.

Nach Tagen der Schmerzen, nach Nächten der Einsamkeit ist er gestorben. Still. Klaglos. Als einer der vielen Helden, der vielen deutschen Männer, die gestorben sind, die sterben werden.

Sie haben ihn zu Grab getragen. Ich sehe immer noch das erschütternde Bild.

Unter Blumen wankt der Sarg zwischen die Gräber hin. Soldaten, Kameraden geben ihm das Geleite. Trommeln rasseln, als er in die Erde gesenkt wird. Salven knattern, als die Erdschollen auf den Sarg fallen.

Wie viele werden noch fallen! Und werden nicht mit so viel Ehren begraben. Fern der Heimat werden sie in ein Massengrab gelegt, ohne Geleite.

Und niemand weiß ihre Namen . . .

„Maubeuge unser!"

Die Kunde durchläuft blitzschnell wie ein Lauffeuer die ganze Stadt. Erleichternd, befreiend wirkt sie. Man hat wieder ein paar Tage nichts gehört und lechzt doch nach Neuigkeiten.

Am Königsplatz stürmt man den Zeitungskiosk.

Die Leute springen aus den Läden, den Häusern. Gruppen bilden sich. An den Auslagefenstern, wo Karten ausgestellt sind, drängt man sich.

„Herrnei! So weit drinn? Des isch ja grohßardig!"

„Do isch mei Karele gwihß oh dobei gwest!"

Die Zeitungsausträger schreien sich heiser. Die ganze Hauptstraße schreit's entlang:

„Vierzigtausend Franzosen für fünf Pfennige!" schallt's in lockendem Angebot. –

Fünf Minuten nach Bekanntwerden des Sieges flattern schon überall Fahnen. Fahnen! Fahnen! Von jedem Haus, von jeder Stange, aus jedem Fenster beinahe! Und was für Fahnen manchmal! Da sind welche darunter, denen sieht man's an, daß sie seit Jahrzehnten nicht mehr im Wind geflattert haben. Da sind ganz neue, die extra für kommende Siege gekauft wurden. Aber haben tut jedes Haus seine „Fahne". –

Die Siegeskunde wirkt wie ein Gewitter nach schwülem Tag. So reinigend, so erfrischend. Die Augen werden heller, zuversichtlicher. Man ist für Scherze besser aufgelegt. Die Witze der Wartezeit haben einem ja kaum ein Lächeln abnötigen können. Über das Wort eines Spaßvogels, der auf ein leeres Telegrammschild schrieb „Heute k e i n Sieg!", hat man sich geärgert, weil es unsere Unbescheidenheit geißelte.

Aber jetzt ist alles frohgestimmt. Solche Botschaften heitern auf. Ach . . . man hat so viel der Sorgen!

Man hat so viel der Sorgen.

Von den hiesigen Regimentern ist noch keine Verlustliste erschienen. Einzelne Familien haben Kunde erhalten vom Tode eines Angehörigen. Aber über das Schicksal der Regimenter selbst ist man im unklaren.

Gerüchte von ungeheuren Verlusten hasten umher. Man mißtraut, aber schließlich glaubt man doch. Über alle anderen Regimenter im Reich sind Verlustlisten erschienen. Nur von den unseren nicht.

Die Sorge geht durch die Stadt.

Für die Kriegsfürsorge wird ziemlich gegeben. Man versucht alles mögliche, um Geld zu bekommen. Neuerdings hat man zierliche Kästchen aufgestellt, mit zwei Fahnen darüber, in die man beim Vorübergehen opfern kann. Papiertäschchen werden ausgegeben zu Sammelzwecken für das Rote Kreuz.

Aber trotzdem ist das aufgebrachte Geld viel zuwenig, um all das Elend zu stillen, das der Krieg entfacht hat. Tausende bestürmen das Kriegsfürsorgeamt. Witwen, deren Söhne im Felde stehen. Arbeiterfrauen, die den Gatten gegeben. Sie alle kommen mit berechtigten Ansprüchen.

Dazu fürchtet man, daß der Eifer der Opfernden in den nächsten Monaten noch nachläßt. Und in den nächsten Monaten droht der Winter. Es muß noch viel, viel mehr getan werden. Es wird immer noch gekartet, Billard gespielt. Und Tausende stehen vor dem Abgrund. –

Die Sorge geht durch die Stadt.

Berthold Eugen

(In: MAAZ, 11. September 1914.)

Mutter sein, zu unseren Zeiten,
Heißt: Leiden.

Mutter sein, das heißt:
Weinend geben –
Heißt: mit Körper, Seele, Geist
Einem andern Leben leben. – –
Wenn der Sturm es in die Wellen reißt,
Selbstversinkend es zum Himmel heben
Und sich geben.
Mutter sein, das heißt:
Tausendmal sterben.
Heißt: Wenn Not und Tod die Seel erlösten,
Um Verzeihung drum beim Kinde werben
Und den Erben
Sterbend noch mit einem Lächeln trösten.

Mutter sein, zu allen Zeiten,
Hieß: Leiden.

Berthold Eugen

(In: MAAZ, 21. September 1914.)

18. September

Sonntag abend fand im Stadttheater eine Feier zugunsten des Roten Kreuzes statt.

Das Haus ist bis auf den letzten Platz besetzt. Dennoch entsteht tiefe, feierliche Stille, als durch den weiten, verdunkelten Raum die Klänge der Egmont-Ouvertüre emporrauschten. Minutenlang stehen die Hunderte von Menschen unter dem zauberischen Banne dieser leidenschaftlichen, stürmischen Musik, deren Motiv ein Aufrütteln gegen Tyrannenjoch ist.

Dann wird der Prolog gesprochen: Eine Rede an das deutsche Volk, niedergeschrieben von Kieler Studenten. Es sind machtvolle, markige Worte, die in einem gewaltigen „Hinan, hinauf" gipfelten. Kaum ist dieser Sturm der Worte vorübergebraust, als der Dramaturg Dr. Wolff seinen Vortrag *Kriegsgefangen in Frankreich*, der die Grundlage der Feier bildet, beginnt. In schlichtem Plauderton erzählt er seine Erlebnisse, nicht ohne einen gewissen, den Feind entschuldigenden Humor. Aber man gewinnt dennoch den Eindruck, daß man die Deutschen nicht hätte schlechter behandeln können. Mit etwas bitterer Stimmung denke ich an die Behandlung der Franzosen auf dem Lechfeld.

Der Redner endet mit der Schilderung des wundervollen Gefühls, als er in Lindau plötzlich, ganz plötzlich die beseligende, wundervolle Wahrheit erfährt, als er inmitten einer begeisterten Menge von den Großtaten unserer Heere Kunde bekommt.

So schön das alles, eingerechnet die kernige, kraftvolle Ansprache des Oberbürgermeisters, auch ist, d a s

Schönste ist wieder, wie bei jener Feier vor dem Stadt-
theater, der Schluß.
Alle die Hunderte erheben sich in tiefer Be-
wegung und singen die deutsche Hymne.
Da ... eine Überraschung. Der Vorhang der Bühne hebt
sich.
Ein lebendes Bild ... Um die Büste des deutschen Kai-
sers, die in grünem Lorbeer schimmert, stehen deutsche
Soldaten huldigend in ihrer feldgrauen Uniform. Eine
schwarzweißrote Fahne senkt sich vor dem Kaiser.
Einige Sekunden erschütternder Überraschung mitten im
Lied. Dann braust er wieder auf, der deutsche Sang.
Und jubelt und rauscht, stürmt und donnert:
Deutschland, Deutschland über alles, über alles in der
Welt. –

Ein anderes Bild.
Ununterbrochen, grau, einförmig rinnt der Regen. Ein
schon kühler Windstoß fährt ab und zu heulend über die
Dächer der verwaschenen Häuser, wirbelt einige braune
Blätter von den jungen Bäumen.
Auf dem Zeughausplatz steht enggedrängt eine kleine
Menge von Frauen. Es sind ärmlich gekleidete Arbeite-
rinnen, denen die Sorge auf den blassen, verhärmten Ge-
sichtern geprägt steht. Einige haben ein Kind bei sich.
Niemand spricht. Gedrücktes Schweigen herrscht.
Wenn die Tür zum Fürsorgeamt geht, drängen sich ein
paar Frauen ins Haus, vorüber an anderen, die, Kartof-
feln und Gemüse in mitgebrachten Schüsseln vor sich hal-
tend, eilig davongehen.
Es ist eine wehe Stimmung des Jammers über der Szene.
Manchem dieser vergrämten Gesichter sieht man es an,
daß es sich schäme, schäme, so bettelnd dazustehen.

Was können sie dafür, daß sie nichts mehr zu essen haben, weil ihre Ernährer kämpfen, sterben vielleicht, für ... für uns?

Schon greift die Not um sich. Die meisten Fabriken haben einen Teil der beschäftigten Frauen, manche alle entlassen. Nun stehen die Familien allein, schutzlos, brotlos da.

„Ach", sagte jemand, zu dem ich davon sprach, „ach, es wird ja gegeben. Es werden Konzerte abgehalten, es werden Sammelbüchsen aufgestellt. Es wird so viel gegeben."

Ja, viel gegeben. Ich sage, daß j e d e r , d e r b e i e i n e m – sagen wir – h a l b e n T a u s e n d M a r k 2 0 M a r k g i b t i m M o n a t , e i n g a n z u n w ü r d i g e r E g o i s t i s t . Vielleicht möchte sich der Herr einmal hinausbemühen zum Zeugplatz.

Vielleicht hält er es bei Sturm und Regen so lange aus, bis die letzten Frauen, frierend und hungernd, davongehen, mit ihrer „Wohltat" unterm Arm ...

In der Nacht vom Donnerstag auf Freitag geht ein Unwetter über Augsburg nieder.

Der Sturm heult und braust, wühlt in den Gipfeln der Alleebäume und schlägt wüsten Regen gegen das Fenster.

Ich stehe und sehe hinaus in die Sturmnacht.

Da überkommt mich ein eigener Gedanke.

Draußen, im Feld, viele Meilen von der Heimat, liegen in solch einer Nacht des Grauens unsere Truppen. Der Sturm pfeift. Kalter Regen durchnäßt sie.

Sie klagen nicht. Still liegen sie wachend in der schwarzen, unwirtlichen Nacht, wissend, daß es ihre Pflicht sei, für ihr Vaterland alles zu erdulden.

Und ich denke weiter:

Ihr Vaterland, das sind wir. Und wir, was tun wir für diese Menschen, für diese Tausende, die ihr Leben einsetzen, täglich, stündlich, die Leiden dulden, von denen wir daheim keine Ahnung haben?

Ich glaube, wenn jeder einzelne diese Frage bei sich beantwortet, dann gibt es keine Not bei den Familien der ins Feld Gezogenen – jetzt nicht und auch nicht im Winter.

Berthold Eugen

(In: MAAZ, 21. September 1914.)

27. September

Unter dem Donnern der Kanonen, unter Kämpfen und Sorgen geht der Sommer zu Ende. Kaum bemerken wir, daß die Tage kürzer und kühler werden, daß es in der Natur um uns stiller und stiller wird.

Wir gehen in Sinnen verloren durch diese Zeit. Unsere Augen sind vorwärts, in die Ferne gerichtet. Der Sinn für Umgebung schwächt sich ab. Was kümmert es uns, daß sich die Natur noch einmal schmückt, noch einmal aufleuchtet in ihrer ganzen Pracht...

Die Tage sind schön und sonnig. Es ist, als ob die goldene Sonne, die nun auch schon ein bißchen schwächer wird, noch einmal all ihre Zärtlichkeit beweisen wollte, wenn sie durch die Wipfel der Kastanienbäume schimmert, goldgelbe Flecken auf braune Blätter malt.

Eine wehe Müdigkeit, eine milde Schwermut in der Natur kündigt an, daß das große Sterben der Natur anhebt. Noch leuchtet die Sonne Tag für Tag über der herbstlichen Landschaft. Aber die großen Stürme nahen heran, nahen – fast scheint es so – von der müden Natur erwartet.

Und als ich neulich ein wenig versonnen am Friedhof draußen in der Haunstetterstraße vorbeiging, da glaubte ich zu sehen, daß heuer die Natur noch schöner, noch festlicher geschmückt sei als in anderen Jahren.

Und ich dachte, daß ein großes, schweres Totenfest gefeiert werden würde, wenn die großen Stürme Allerseelen einläuten.

Ein sonniger Herbsttag...

Durch die Straßen der Stadt, hinaus auf die Felder, nach

Wallfahrtsorten zieht eine Prozession. Es ist ein langer, langer Zug, es sind Hunderte von Menschen.

Auf den weiten Landstraßen, den Alleen, ziehen sie dahin, Männer und Weiber und Kinder. Ihre roten Purpurfahnen leuchten zwischen dem braunen Laub der Bäume, die den Weg säumen.

Ihr Weg führt zwischen braunen Äckern und gelblichgrünen Wiesen hin. Endlos bewegt sich der Zug über die Felder.

Ein Priester im weißen Chorrock schreitet ihnen voran. Es ist ein alter Mann mit schönem, ruhigem Greisengesicht. Seine dunklen Augen wandern über die Felder in stummem Gebet.

Unter den Wallfahrern sind viele vergrämte Gesichter, denen die Not der Zeit Runen ins Gesicht schnitt.

Eine ärmlich gekleidete Frau führt zwei Kinder an den Händen. Die schauen ernst und bewußt darein. Wenn die Mutter auf sie niederschaut, kommt ein seltsam weher, scheuer Ausdruck in ihr blasses Gesicht. Und dann ist es jedesmal, als bewegten sich die Lippen in hastigerem Gebet...

Ganz allein schreitet ein kleines Mädchen mit im Zug. Sauber und nett gekleidet, nicht über sieben, acht Jahre alt, geht es mit zierlichen Schritten, das liebe Köpfchen gesenkt. Manchmal sieht das Kind zur Seite, über die Äcker hin. In den dunklen Augen, in der strammen Haltung ist viel Selbstbewußtsein und ein wenig unbewußte allerliebste Koketterie. Es ist, als wüßte das eifrig betende Kind, welch ein reizendes Bild es biete in seinem roten Röckchen und seiner tapferen Andacht.

Nicht weit davon geht ein alter Mann mit. Er geht mit schweren, müden Schritten. Sein Gesicht ist ernst und still. Es ist etwas Erschütterndes, Ernstes in dem Blick, mit dem er hinaus in die Natur sieht. Vielleicht betet er für einen Buben, den er draußen im Feld hat, der vielleicht zur selben Stunde schon, im selben Sonnenschein mit zerrissener Brust in einem Acker liegt . . .

Weit hinten, ein wenig abseits, auf dem Fußweg geht eine besser gekleidete Frau mit einem Gebetbuch in der Hand. Ihre Lippen sind fest geschlossen. Es ist, als schäme sie sich, den Bittgang mitzumachen. Scheu suchen die Augen den Weg entlang. Was wohl sie heraustreibt, zu ihrem Gott treibt . . . ob das nicht der Krieg ist?

Es sind viele vergrämte Gesichter darunter. Langsam und feierlich zieht die Prozession dahin durch die herbstlichen Felder.

Die roten Fahnen leuchten in der Sonne, und der leise Wind schüttelt welke Blätter über betend gebeugte Häupter.

Die Kunde von der Tat des U 9 wirkt wunderbar befreiend.

Vor jedem fünften Haus sammeln sich die Leute vor einem Telegramm.

„Sakra, sakra, dös haut", grinst ein Arbeiter, „drei auf oamal. Wenn dia so weitermachn, no is net g'feit. Gschiecht scheint's do was, wenn wir a nix her'n! Sakra, sakra, drei auf oamal!" Damit drängt er sich fort.

„Ma sollt net glei a so unz'friedn sei, wann ma a bar Schtundn nix hert . . .", sagte ein anderer. – „So isch grad mit der Feldposcht. Do jammerns aa d' Leut, wenn amol net alles glei klappt."

Ja, die Feldpost! Was muß die sich alles für Beleidigungen gefallen lassen am Stammtisch.

„O mei, do bisch reiglegt, wannst an d' Feldposcht glaubscht!" – „Zeahn Täg z' spat und dann an die falsch'

Adreß..." – „Kimmt do a Paketl, des wo i mein Aloisl geschickt han, z'rick mit der Bemörkung: Adressat unbekannt. Kreizteifi, san mir verschrockn. Und zwoa Stundn drauf kimmt a schon a Briaf vom Aloisl, daß a xund isch, do feit sie nix." – „Und wanns nur wenigstens die Sachn, dias z'ruckschickn und die wo kaput san durch die Schererei, an die anderen verteilen täten, wanns den Adressat nit findn..."

Das sind so die Aussprüche, die sich ganz „kommod" anhören, aber unsere Bayern sind keine Freunde der Sentimentalität. Im Innern sieht die Sache schon ernster aus.

Wenn so eine Bemerkung „Adressat unbekannt" ins Haus kommt, ist das kein Vergnügen. Da gibt es sorgenvolle Gesichter. Da fallen bittere Worte. Wenn auch die Feldpost unschuldig ist, was man sicher glauben kann, für die Daheimgebliebenen ist es „halt schwer, halt so kreizschwer..."

Die daheim wollen Kunde, immer neue, fröhliche Kunde.

Dann glätten sich wieder die Stirnfalten, leuchten die Augen, wie diese Woche bei dem Bericht von der Heldentat des U 9.

Berthold Eugen

(In: MAAZ, 28. September 1914.)

KRIEGSFÜRSORGE

Gar viele Tausend zogen hinaus,
Für's Vaterland sie starben
Und ließen Weib und Kind zu Haus,
Die müßten jetzt darben,
Die müßten hungren, wenn Dir nicht,
Mein Volk, die Dankbarkeit nun Ehrenpflicht.
Zu teilen heißt es jetzt sein Hab und Gut
Mit denen, deren Nährer mit dem Schwert
In Fäusten ließen stolz für Dich ihr Blut.
Jetzt zeige Dich, mein Volk, der Opfer wert!

                                    Berthold Eugen

(Postkarte „Zum Besten des Roten Kreuzes und der Kriegsfürsorge", Herbst 1914.)

DER KAISER

Silhouette

Steil. Treu. Unbeugsam. Stolz. Gerad.
König des Lands
Immanuel Kants.
Hart kämpfend um der Schätze hehrsten:
Den Frieden. So: im Frieden Streiter und Soldat.
Einer Welt zum Trotz hielt Er Frieden dem Staat. –
Und – trug ihn am schwersten.

Als der Frieden nur mehr Untergang war,
Rief er am ersten
Zum Krieg seiner Deutschen eherne Schar.
Weihte klirrend das alte Schwert am Altar –
Den Krieg den – und der – die Größe gebar –
Er trug ihn am schwersten.

Berthold Eugen

(In: ANN, 27. Januar 1915.)

DIE SCHNEETRUPPE

A. B. zugeeignet

Im Sonnengold über eisglitzernde Hänge,
Jeden Nerv gespannt, von Verderben umdroht,
Saust ihr in starkem, jauchzend wildem Spiel
Im Wettlauf mit dem Meisterfahrer Tod . . .
Und sieget stets. Selbst wenn es ihm gelänge,
Euch noch zu stürzen vor dem letzten Ziel,
Dann sterbt ihr wie im Rausch edelsten Gebens,
Im tiefsten, triumphierendsten Gefühl
    göttlichen Lebens.

Oder in blauen Nächten, wenn der Föhn in fernen
Eisstarren Wäldern harfentönig singt,
Der Mond ins Tal wirft seine goldnen Scheiben . . .
Wenn auch der Tod aus Spalt und Schluchten blinkt,
Die Stirnen hochgereckt zu ewigen Sternen,
Trunken von Schönheit müßtet ihr ihn sterben.

Berthold Eugen

(In: ANN, 1. März 1915. Die Widmung gilt August Brecht,
einem Onkel.)

Dann, als die Stufen des Palastes er ersteigt,
Von silbernem Lanzengefunkel umschwankt,
Von Fackeln rot in irrem Tanz umzuckt,
Steht all das dunkle Volk geduckt,
Als ob ihm vor dem König bangt,
Der still und groß zur Krönung geht –
Steht all das dunkle Volk ganz totenstill –
Doch von Ihm aus – obgleich er immer schweigt –
Fleht noch für alle, alle ein Gebet,
Das unter Tränen Trost noch lächeln will.

Ja, als er drinnen steht im düstern, niedern Saal,
Wo weise Priester hocken bis in dunkle Ecken:
Starr, reglos, funkeläugig, fahl . . .
Da will auch hier das Laute sich verstecken.
Und er allein steht frei und neigt sich leicht.
Von roter Ampelglut überbebt
Leuchtet sein feines Gesicht durchseelt und belebt,
Fast wie der König steht er, der die Sklaven scheucht.

Silbern ein Schlag auf dumpf gedämpfte Becken.
Der hagre Priester beugt sich vor. Es springt
Wie Schwerterklirren seiner Rede Ton
(Dieweil von draußen dumpf ein Murmeln klingt):
„Du . . . sagst . . . Du . . . seist . . . Messias . . .
    Gottes Sohn . . .“
Und beugt sich vor, stürzt fast hinab die Stufe.

Die Stimme zittert schrill: „Mensch, widerrufe!“
Schwül dehnt der weite, niedre Saal.

Rot brennen Ampeln in schwergrauer Luft.
Die Priester: Steinstandbilder einer Totengruft:
Starr, reglos, funkeläugig, fahl . . .
Die Stille schwillt und schwingt in wehem Beben,
Es ist, als ob mit seltsamen Gesängen
Die Türen rings ganz plötzlich sprängen
Und Blütengärten, nachtblau überbaut,
Durchtönt von süßem Violinenlaut,
Festlich einluden wie zu tiefem L e b e n . . .

Er aber steht noch immer. Sein Gesicht
Weiß, starr zurückgebeugt zum Ampellicht.
Ringsum brütet noch immer Totenruh . . .
Seht nur: In Seinen Augen steigt
Das helle, lohe, golden tiefe Licht –
Geblendet sich das Haupt zu Boden neigt – –

Und Christus – schweigt. – –
Rings wehen geisterleis die weiten Türen zu.

Berthold Eugen

(In: ANN, 1. April 1915.)

Wenn über dem Meere die Mitternacht blaut –
Taucht sie aus dem schäumenden Wassertal
Grausilberfahl,
Eine schimmernde Festung aus blankem Stahl.
Von Bögen und Brücken voll Wucht überbaut,
Silbertürmig in singender Flut
Leis schaukelnd sie ruht.
Auf Bögen und Brücken wimmeln dunkle Gestalten,
Und auf den silbernen Türmen halten
Reglos sie Wacht.
Seht die Matrosen vom Volke der Toten,
Die in überfüllten, zerschossenen Booten
Klaglos sanken nach aussichtsloser,
Verzweifelter Schlacht,
Seht, sie füllen nun Mastwerk und Decke, flink und
    behende,
Schleppen
Schwere Geschosse über Gänge und Treppen,
Taumeln entlang zum Kampf die surrend bebenden
    Wände.
Schüren die Kessel im Rumpf und entzünden
    die Fallreeplichter,
Daß sie gespenstig rot glitzern durchs Dunkel
    der Nacht.
An Luken und Fenstern,
Zwischen Geschützen heraus, die sie mühsam laden,
Gucken der toten, ertrunkenen Soldaten
Blasse und schweißig verzerrte Gesichter.
Siehe, ein Wind von lautloser Macht
Füllt die Sparren des Mastwerks sacht:

Und ein Schlachtschiff, voll von Gespenstern,
Hastet, beutelauernd, hinaus in die träumende Nacht.
Manchmal, um Mitternacht, sehn von den Türmen
An den englischen Küsten die Posten in träumendem
    Nahen
Gespenstig ein Schlachtschiff am düstern Himmel
    hinstürmen:
Glitzernde Lichter in starrend zerschossenen Rahen,
Grausilberfahl,
Eine schimmernde Feste aus blankem Stahl...
Und sie sehen von Bögen, Brücken und Decken
Schwarze Seeleute nach ihnen drohend die Arme
    recken...
Und ... sie erschrecken ...

Berthold Eugen

(In: MAAZ, 26. April 1915.)

DER NAME DER MUTTER

Das rühmen die Schwestern immer von neuem
Von denen, die ganz schwer verwundet sind:
Daß sie wieder stille geworden seien
Und wieder Kind.
Daß all die Jungen, die leidend kranken,
Nie vergessen die schwere Geduld,
Und für jede kleinste Huld
So seltsam tief danken.
Und daß ganz ohne Grund
Plötzlich einer aufweint,
Einen Namen stöhnt – und
Seine Mutter meint.
Ja, in der letzten Stund, als ob aller Himmel
   zu Diensten wär,
Wenn das Leben verloht,
Rufen die Sterbenden ihre Mütter her,
Und wären die Mütter schon zehn Jahre tot . . .

Berthold Eugen

(In: MAAZ, 11. Mai 1915.)

BALLADE

von Berthold Eugen

Als die Trompeten hell das Sturmsignal riefen, sprang
der Fahnenjunker mit behendem Schritt vor die dem
Schützengraben enttauchende .Linie. Schmal, klein und
aufrecht stand er eine Sekunde lang in der klaren Früh-
lingslandschaft, neben dem hellen Birkenbäumchen, auf
das die Nachmittagssonne Kringel malte.

Die ganze Kompagnie sah ihn, denn sie liebten ihn alle
ob seiner frischen, stummen, genügsamen Tapferkeit, die
den schmächtigen Körper zum letzten Kraftaufwand an-
spornte.

Vielleicht wußte er auch, während der paar Momente,
daß er beobachtet wurde. Seine Haltung war gerade,
schmiegsam. Die linke Hand hielt er in die Seite ge-
stemmt, mit einer natürlichen, ebenso selbstsicheren als
unbewußten Grazie. Er lächelte. Dieses feine, kluge Jun-
gengesicht, dem die mageren Kadettenjahre anzusehen
waren, schien ganz zusammengezogen und gespannt, und
das Lächeln, das vielleicht den surrenden Kugeln galt,
war dennoch echt. –

Dann brach die Kompagnie im Sturm vor.

Kugelpfeifen ... Gewehrklirren ... Geschrei ... Si-
gnal ... alles überbrescht vom anschwellenden Hurra der
Truppe ... der jagende Rhythmus des Sturmes ... man
vergaß den andern, einzelnen. Man fühlte sich als Ge-
samtheit.

Aber das sahen, wußten, fühlten sie alle:

Der Fahnenjunker war ihnen voran.

Seine helle, schmale Gestalt, der klingende, blitzende
Degen in der Hand, die wehende Schärpe, das waren

alles Teile, Erscheinungen ihrer Seele, ihrer aller Seele. Der kleine Fahnenjunker, der in die Schlacht stürzte wie in einen tiefen, rauschenden Brunnen, der seine Jugend schmalbrüstig gegen den Tod warf, beherrschte sie ganz. Er war die Verkörperung ihrer Tapferkeit, ihrer Sehnsucht, ihrer Treue.

Und während rings alles um sie versank, verrauschte, sahen sie ihn immer noch gleich frei und adlig vor sich herstürmen, sahen ihn dann im letzten Sprung, im Handgemenge, fühlten seine Not, seine Siege, feierten in ihm, ihnen selbst unbewußt – denn sonst hätten sie sich geschämt – den Preis ihrer Begeisterung. –

Dann, am Abend, da das Kämpfen vertost war und sein kleines, tapferes Herz lange ausgetickt hatte, trugen ihn die Todmüden, Verwundeten noch zwei Stunden zurück, betteten ihn auf Reisig und legten Blumen in seine weißen Kinderhände.

Sie saßen um ihn herum den ganzen Abend, ohne daß einer etwas zu sagen gewußt hätte oder daß einer sich Klagen oder auch nur sentimentalen Gefühlen hingegeben hätte. –

Aber als einer von ihnen, spät nachts, bevor sie ihn in die Grube senkten, ihm mit scheuer, täppischer Hand über das blonde, feinwehende Haar strich, unsicher und plump, da fühlten die Männer alle, daß die Nacht um sie stehe.

(In: ANN, 15. Mai 1915.)

Nun blüht der Frühling auf in schimmernden Gärten:
Hell glitzern seine Blumen im sonnigen Lichte, –
Gläserner und unermeßlicher werden
Täglich des Himmels leuchtende Kuppeln.
Dennoch ... wir sehen es kaum in unserer Fron,
Denn es erklingt in unserer Seele nur immer e i n Ton,
Und düster sind unsere Frühlingsgesichte:

Aus Gärten und Blumen klirrende Waffen drohn,
Trompetengeschmetter und Stampfen geschirrter
    Pferde,
Jauchzendes Donnern stürmender Reiterquadrupeln.
Aus duftenden Hainen, Gebüschen und Schlehen,
Zwischen den weißen Birken hervor, die hellgrün
    in Blüte stehen,
Brechen in breiten, blitzenden Reihen, vom Abendblut
    überronnen,
Vom Donnern der Stücke dumpfschwer umgewittert,
Zum Sturm vor massige Kolonnen,
Daß der blumenzerstampfte Boden erzittert.
Leichen liegen in Blumen,
Blutdämpfe gebären,
Aus zitternden Ähren
In schattenden Scharen
Heben die Raben sich aus den Ackerkrumen.

Und wir stehen stumpf und gepackt und können das
  nicht verstehen,
Wie fröhlich wir Frühling feierten in früheren Jahren.
Und wird uns angst, ob wir wohl für immer blind wären,
Daß wir mit unsern todeswehen
Augen den hellen Frühling nicht mehr lächeln sehen.

Berthold Eugen

(In: ANN, 29. Mai 1915.)

FRANZÖSISCHE BAUERN

Immer des Abends, wenn wie ein Fahnenband
Rot und verflattert der Himmel flammt als ein
   riesengroß Zeichen,
Wenn sie nicht wissen, ob es Sonnenrot oder
   Dörferbrand,
Eilen sie schwer gebückt durch die dunklen Täler
   und schleichen
Sich aus den Wäldern zu ihren Dörfern und stehen
Vorgebeugt auf den Hügeln und sehen . . . sehen
Drüben in Schutt und Qualm aufrauchend das heimische
   Land.

Endlos über die Höhen gehen
Als düster erstarrte Flammen die Baumalleen,
Wegweiser denen, die das verwüstete Land nimmer
   verstehen.
Endlos leer und fahl im Abendschein
Wachsen Wiese, Feld und Stein
In das Rot des Himmels hinein.

Stunden und aber Stunden
Stehen da die Bauern drüben in Rudeln und starren
Über die rauchenden Höfe, die Bäume und
   Ackerschrunden,
Über die klagenden Felder und die einsame Wacht
Der Baumsparren.
Erst wenn der Wind herweht der Glocken
   summenden Ton,
Erst wenn drüben aus dunkelm Schacht
Aufblitzt in feindlichen Grabenlichtern

Die Nacht – –
Erst dann schleichen die Bauern mit seltsam erstarrten
  Gesichtern
Irr und verstört die Täler hinab in die schützenden
  Wälder davon.

Berthold Eugen

(In: MAAZ, 30. Juli 1915.)

DANKGOTTESDIENST

Novelle von Berthold Eugen – Augsburg

Als er zu präludieren beginnt, ganz versunken, verloren in seine Improvisation, hat der alte Organist alles vergessen ... Die Menschen unten im Kirchenschiff, den auf Schluß des Präludiums wartenden Pfarrer, ja sogar seine ungeheuerliche Sorge: die Nachricht vom Ehrentod seines Sohnes.

Alles, alles hat er vergessen. Er sitzt, den kleinen, breiten Körper ganz steil aufgerichtet, den schönen Kopf mit der klaren, großen Stirne, die von weißer Mähne umwogt ist, zurückgeworfen. Sein Gesicht, kalt und wie aus Stein gemeißelt, ist nicht schön. Aber die Augen, die tiefblauen Augen leuchten, wie Alpenseen leuchten in der Sonne.

Der alte Mann greift still und sicher in die Tasten, über die die Sonnenstrahlen, die durch das gotische Fenster im Hintergrund brechen, golden wandern.

Und die Orgel singt ...

Leise, ganz leise tönt eine stille, feinverschlungene Melodie durch die stille Kirche. Zierlich, lächelnd fast, klingt die schlichte, einfache Weise, darin seltsam hell tönende Motive verwoben sind. Es ist, als singe die alte Orgel von vergangenen, schönen Tagen, von einer goldenen, stillen Kindheit, von Stunden, die schwebend und leuchtend vorübergezogen sind, vorüber, vorüber.

Dann klingen ein paar Flötentöne auf. Ein wenig reicher wird die kleine Melodie, ein wenig verwirrter. Immer noch ist sie hell und fein. Aber manchmal schwellen seltsam dunkle, süße Töne auf, schwüle Töne. Diese Töne werden zahlreicher. Heißer, erregter wird das Wogen der Musik. Schon fährt es wie ferne, leichte Windstöße einher.

Die Kirche ist ganz still. Nichts hat sich seit dem Beginn des Präludiums geändert. Aber die Gesichter der Menschen sind schattiger geworden und ernster.

Das Orgelspiel wird lauter und lauter. Harte, grelle Stöße gellen auf. Das Motiv ändert sich. Stürmischer wird es, wogender.

Schatten ziehen durch die Dorfkirche.

Es scheint, als ob die Orgel nun von eigenartig ernsten Geschehnissen erzähle. Von Nichtzusammenstimmen, von Streit, Hader.

Die Töne werden schwer und drohend.

Nun ficht der alte Organist den Streit aus, den Streit mit dem Sohn, mit dem ungeratenen Sohn.

Es ist ein furchtbarer Kampf zweier Welten.

Einmal scheint es, als ob das alte, schlichte Motiv wieder aufklingen wolle. Aber nur für Minuten, Sekunden. Dann schlägt es der Sturm zusammen, überbraust es der Donner.

Es kommt ein Moment, wo alle Leute, die unten still der Musik lauschen, zusammenschrecken. Das laute Brausen, das Streiten hat aufgehört, ist in wilder Disharmonie abgebrochen.

Eine Pause folgt, eine sekundenlange, mordende Pause.

Als die Melodie wieder anhebt, ist sie ganz dunkel und verworren geworden. Es ist, als ob einer umherirre in einer weiten Fremde, ohne Liebe und Glück. Hart klopfen die Töne. Der Zorn wühlt in den Tasten.

Da... horch... was ist das?... Was löst sich für ein Klingen von den unsicheren Tönen? Ist das nicht eine vertraute Weise, ein altes, altes Lied, das da so aufschwillt, so jauchzt, so stürmt? Hei, wie braust da die alte Orgel im Schlachtgesang!

Sonnenschein fliegt wieder über die Pfeiler des Schiffes.

Viele Menschen sitzen verträumt und singen in glücklichen Seelen das Lied des Volkes mit.

Wieder verdüstern Schatten den Sonnenschein. Ein schweres, schweres Kämpfen hebt an. Schwer, stockend wird der Gang des Spieles. Unterirdisch grollt der Donner. Dumpf rollt das Knattern einher. Viele Tausende ziehen in die Schlacht, die Fäuste geballt.

Die Schlacht beginnt.

Wilder und wilder werden die Klänge. Sie verwirren sich übersteigend. Harte, pochende Stöße schlagen ein. Klirren und Splittern folgt. Und über dem allen, hell und dünn, unsagbar grauenvoll, heult das Wimmern der Sterbenden.

Schwer wird gerungen. Schwer und lang.

Bis dann die Entscheidung naht, der Sieg erstritten ist.

Bis das große Jubeln aufbraust. Himmelhoch stürzt es empor, saust, donnert, wird zum herrlichen, majestätischen Sang. Das ist ein Tosen, Brausen, Donnern – das schwillt in den Himmel. Das ist Sturmgesang der Meere.

Und da klingt das alte, schlichte Motiv wieder auf. Aber tausendmal stärker, tausendmal kraftvoller. Wild und laut wiegt es sich auf den Sturmwogen des Schmerzes.

Es ist geläutert, gereinigt. Und es ist riesenstark.

Wohl tönt ein dumpfes, quälendes Etwas mit; das ist, als ob ein alter Mann an einem grauen Tag über ein graues Feld schreite, auf dem viele Leichen liegen, gebückt, mit starren Augen, seinen Sohn zu suchen . . .

Aber das jubelnde Siegmotiv ist stärker.

Es verschlingt, übertönt den Schmerz.

Und es wächst in den Himmel. Sein Singen jauchzt gigantisch erhaben auf. Es ist ein gewaltiges Dankgebet. Es jauchzt und jauchzt, jubelt und singt mit Donnerstimme. Das ist keine Menschenseele, die da schluchzt, das ist eine Gigantenseele, die sich freijauchzt von aller Beklemmung und um letzte, höchste Läuterung ringt ...

Und als das letzte Lied, das letzte Danklied endet, sitzt der alte Organist mit zurückgeneigtem Haupt vor der Orgel, eine wunderbare, durchgeistigte Klarheit im Antlitz, und ist tot.

(In: Der Sammler. Wochenendbeilage der MAAZ, 12. August 1915.)

DIE ORGEL

Herrn Klemens Haindl gewidmet

Wenn der preisende Orgelton aufschwillt, dunkelt
  der Raum,
Schweben die Decken lautlos empor, werden gläsern
  die Wände und weisen das dunkle Land:
Erde. Meer. Äcker. Wälder. Darüber ein endloser
  Himmel gespannt.
Blau wölbt sich über Erde und Meer der Traum.

Donnernd Gestampf
Dröhnt unter der Erde auf und füllt ehernen Himmel.
Massen von Regimentern fluten über die Äcker
  zum Kampf.
Hoch wächst der Krampf
Über Leichen und Brand das wild verworrne Getümmel.
Aber über aller Not und über allem Drang
Geht wie über donnernde Wogen ein schwerer Klang
Über die Erde: Im ehernen Himmel
Läuten Erzglocken. Und grüßend schwillt Sang
Heller und heller empor im Sturm und weht
Hochauf und klingt
Über dem Haß der Orgelton ewiger Liebe und singt
Dankgebet.

Berthold Eugen

(In: ANN, 6. Januar 1916.)

TANZBALLADE

Auf der Messe tanzte sie im Frühling,
Als ob der große Sturm ihre Seele ins Dunkle
     herausschaukelte ...
Breit und drall tanzte sie wie eine rote Sehnsucht,
Als der Sturm noch nachts trunken über dunkele Felder
     heimgaukelte.

Etliche aber wollten nachher wissen,
Daß er während eines großen Sturmes gefallen sein
     sollte,
Daß er sterbend sich streckte und im Tod dem
     Frühlingssturm lauschte
Und ächzend starb und doch nicht sterben wollte.

Sie aber ward irr. Und tanzte auf Messen um Geld.
Tanzte durchs Land die Straßen hinab und – suchte
     wohl immer.
Wußte nicht was. Und tanzte ... lachte vor Qual und
     tanzte.
Lauschte dem Lenzsturm irr und suchte auf dunklen
     Straßen und fand, was sie suchte, wohl nimmer.

Berthold Eugen

(In: ANN, 20. Januar 1916.)

SOLDATENGRAB

Bei den Soldaten drunten
Ist auch mein Freund dabei.
Ich hab ihn nicht rausgefunden.
Es ist auch einerlei.

Hat einst gekämpft und gesungen
Mit allen in einer Reih,
Hat mit allen den Säbel geschwungen
Und ist mit allen verklungen
Und liegt nun drunten dabei.

Der Wind geht abends darüber
Und singt eine Melodei.
Die macht traurig. Ich weiß nicht worüber;
Es ist auch einerlei.

Berthold Eugen

(In: Augsburger Stadtanzeiger, 19. Februar 1916;
Lokalbeilage der MAAZ vom 20. Februar 1916.)

Er taumelt herein in eine graue, arme Stube, von Ge-
lächter überschüttet. Steine fliegen ihm nach.

ER: Sie haben mich geschlagen wie einen Hund, der
ihnen stinkendes Fleisch wegfraß. Sie haben mit Stei-
nen nach mir geworfen. Mein Mund ist voll Blut und
ich kann dich nicht mehr rufen, Herr. Sieh ich bin aus-
gequetscht, wie eine Frucht, die zu süß war. Ausgespieen hat mich die Welt, wie eine harte Schale ohne
Inhalt. Der Himmel kennt mich nicht mehr und die
Hölle hat mich ausgespieen. Nach mir spucken die Un-
reinen und von mir kehren sich die den Aussatz haben.
SEIN WEIB *tritt reglos ein, grau*: Warum bist du hie-
her gekommen? Soll unser Haus zur öden Stätte werden? Willst du mich unter deinem Aas begraben?
Warum kamst du aus der Schenke, taub vor Wein und
nutzlos, wie ein zerrissener Schlauch und bleibst nicht
liegen, wo du dich hingelegt hast? Wie lang bist du
noch da, Eiter, du! Mich fliehen die Leute, wie eine,
die den Aussatz hat und du bist mein Aussatz.
ER *erhebt sich, will fort, bricht vor der Türe zusammen.*
SIE *erschrocken fort*: Hilfe, er ist toll geworden!
ER: Warum bin ich aufgestanden aus meiner Schande?
Lag ich nicht gut und hatte der Ruhe und lag weich
gebettet in Schlamm und sah auch ein wenig vom Himmel? Ich bin einsamer, als ein Baum, den Gott zu
töten vergessen hat und bin zu innerst morsch. Glut,
die euch entzündete hat mich ausgebrannt und es blieb
was schädlich ist. Hunger blieb, wo Gabe war und ein
Loch vom Überfluß, der verschenkt ward. Herr, du

hast mich blind geschlagen, daß ich dich nicht mehr sehe und stumm ist alles, was mir noch zu wenig war.

DER JÜNGLING *tritt ein, hell gekleidet, scheu*: Ich bin nur gekommen von dir Abschied zu nehmen. Ich weiß, daß Göttliches in dir ist, aber ich bin schwach und ein Mensch und ich halte den Fluch nicht aus, der über dir hängt. Ich will beten für dich, denn du hast mir alles gegeben, was ich habe und, was es gibt. Die Bäume reden wie du und das Wasser hat deine Augen. Aber nun will ich gehen von dir – daß die Bäume nicht stumm werden und das Wasser nicht blind. Denn über dich hat sich der Tod geworfen und es ist aus mit dir. *Er hat sich auf ihn gestützt und nun läßt ihn der und er fällt nieder, wie eine Schlingpflanze ohne Halt.*

ER: Du verläßt mich, wie eine Frucht abfällt, die süß wurde von ihrem Baum und in die Tiefe will um zu vermodern und in den Tod zu fallen. Geh und geh schief und bucklich und sieh, daß du nicht anstößest an deinem Himmel, der heute niedere[r] wurde als das niedere Dach dieses Vaterhauses. Geht nur alle und laßt mir die Stille, die zu reden anfängt und die kein Mitleid hat. Ich will nicht mehr sehen die leeren Hüllen, die ich gefüllt habe, so daß ich leer wurde, und ich hasse die Stimmen, die meine Verfluchung singen auf meine Melodie. *Jüngling ist abgegangen.*

ER: Alles ist still. Alles ist ruhig, wie es nie war und feindlich und wil[l] nichts mehr mit mir zu tun haben. Herr, du hast deine Sterne eingezogen und deinen Himmel entfernt von dieser Erde und mich überg[e]-lassen.

DIE MUTTER *tritt ein verhüllt und wie gestorben, so ernst*: Mein Sohn, ich habe gehört, was mit dir zuging und bin dennòch gekommen, denn ich weiß daß du leidest. Ich bin schuld[ig] geworden durch dich, verflucht ward mein Schoß um deinetwillen. Aber du bist wie ein Kind, das nicht wußte, daß es Sünde gibt und in die Hölle lief, wie in einen Spielgarten. Ich bitt dich, kehr um und tue Buße! Dir werden die Menschen verzeihen, dich wird keiner mehr beugen, wenn du dein Haupt selber beugst: denn sie haben alle Mitleid mit denen, die anders sind und nicht so gut wie sie. *Streichelt ihm das Haar.*

ER *fern und fremd, abwehrend*: Dank dir Mutter, daß du gekommen bist, aber du mußt nun wieder gehen und ich bleibe allein. Ich kenne dich nicht, Weib. Mein[e] Erinnerung verlöscht. Deine Stimme ist anders geworden, sie singt nicht mehr Weib!

MUTTER: Du lästerst Gott! Bekehre dich!

ER: Du mußt gehen, daß ich dich nicht verfluchen muß; denn meine Gedanken gehen andere Wege, sternhoch und klimmen über die höchsten Grate, schluchtentief und kriechen durch allen Schlamm: aber ich habe dein Gesicht vergessen, wie ich den Himmel vergessen habe. Ich muß allein sein. Ich bin nichts mehr. Nichts muß allein sein.

MUTTER *ab*.

ER: Nun ist sie doch gegangen und ich habe sie verjagt. Sie ist nicht geblieben, obgleich mein Herz tief innen wünschte, meine Stimme möge vertrocknen, als ich sie fort jagte. Aber wir haben diese Probe nicht bestanden, Herr.

Es wird ganz nacht, als die Tür sich hinter der Mutter schließt, als wäre alle Helle von außen herein gekommen.

ER *in der Mitte, völlig unsichtbar, leise*: Herr, nun will ich dir sagen, daß es nichts auf sich hat mit dir. Du mußt hören, daß ich dich durchschaut habe, obgleich ich ein Teil bin, eine Mücke, die du nicht siehst, oder der Parasit dieser Mücke! Was dich sichtbar macht, das ist deine Bosheit und deine Angst treibt dich zu uns. Du bist dir allein zu wenig aber dein Gemächte genügt dir.

Du bist und schläfst in deinem furchtbaren Himmel und träumst und ich habe Gewißheit, daß es ein Alp ist, den du träumst. Du hast keine Macht über deine Gedanken. Darum verwehen dahin alle Narren, die dir dienen, aber deine Hämlinge verschenken deine Gnade. Nun will ich nichts mehr mit dir zu tun haben. Ich will allein sterben. Ich will dich nicht sehen, wenn ich untergehe. Deine Gleichgültigkeit würde mich mit Scham erfüllen. Ich kenne dich nicht mehr; ich, ohne den viele dich nicht kennen würden. Ich will mich schlafen legen in einen Schlaf hinein, aus dem ich nicht mehr aufwache und wenn du mich zu sehen kommst, bin ich nicht mehr da. *Er beugt die Stirne auf den Boden. Eine matte Helligkeit bestrahlt unsicher die Bühne.*

DER LIEBE GOTT *singt (dunkel, langsam und mild)*: Ich bin es, der dir Schlaf gibt und den Mund, der wider mich redet. Ich bin der Stein, der nach dir flog, die Hand, die ihn schleuderte und dein Haupt, das ihm auswich. Ich bin du und du weißt es nicht.

ER: Siehe, nun ich ihn abgetan habe, werde ich ruhig und es geht mir gut und eine Stimme fällt vom Himmel wie milder Tau einer blauen Na[c]ht, die ohne Wende ist. Was ist das für eine Stimme, die ich nie gehört habe und auf die ich wartete, ob ich das gleich nicht wußte.

GOTT: D u bist es. Hast du nicht gemerkt wie deine Stimme schön ward, als du zornig wurdest und mich schaltest und bist du nicht größer geworden als du dich aufrichtetest? Ich habe dich nicht vergessen.

ER: Du sagst, was mich töten muß und sagst es ohne Eifer und es tut mir wohl? Ich bin wohl arg zerschlagen, daß ich keinen Schmerz mehr fühlen kann.

GOTT *immer weiter redend, nicht achtend auf ihn*: Der Baum, den mein Sturm faßt, fühlt seine Wurzeln und wenn er gestorben ist muß er blühn, es hilft ihm nichts. Freund sind dir alle Dinge, wenn du blind bist und sie sind nicht mehr da für dich! Aber, alles Licht gebe ich in dich und du erleuchtest alles! Nun sollst du sterben, denn du hast es verdient: Allzeit hast du mir gedient und selbst deine Niederlage war mein Triumpf.

ER *in nam[en]losem Staunen*: Herr, ich weiß, wer du bist, denn es ist schon still worden in mir.

Die Bühne verändert sich. Die Fenster springen auf. Die Türe schlägt weit zurück und die blaue Nacht wird sichtbar. Eine ferne, wehende und immer gleiche und ruhige Musikstimme hebt an.

Wie ist das, daß die Nacht anhebt zu singen. Und der Baum singt und die Decke und das Gebälk singt auch. Ich bin voll Unruhe, als gebäre ich eine Welt. Und bin doch nur ein Staubteil, das du trunken gemacht hast, daß es seine Kleinheit vergißt aus schwachem Hirn und sich vermißt, eine Welt zu machen! Aber ich will still sein, denn es hören nicht, die nur reden.

VIELE STIMMEN *langsam aufwachsend, sich verzweigend, immer mehr sich einend singen eine Messe.*

ER *am Schluß, taumelt mit hoch erhobenen Armen durch das Tor in die Nacht hinaus.*

Die Stimmen ohne Worte, von Männern und Frauen gesungen, füllen die leere Bühne, die dunkler und dunkler wird und sich langsam schließt.

(Nach einem Typoskript aus dem Besitz von Armin Kroder, Augsburg.)

Man kann natürlich auf verschiedene Art Gedichte vortragen. Man kann sich zum Beispiel mit lässiger Eleganz
in wundervoller Toilette hinter ein ebenfalls stilvolles
Tischchen setzen und, jedes einzelne Wort klug auswer-
tend, mit Pathos oder Ironie, Schwärmerei oder Brutali-
tät, aber immer mit Maß, vorlesen. Damit macht man
sich beliebt, und man hört sagen: Er hat sehr schön vorgetragen. – Oder: Man kann, und das tun vor allem die
Dichter, wild und leidenschaftlich an die Rampe stürzen
und zu schreien anfangen, zu schluchzen, zu predigen,
zu geißeln; Inhalt ist alles, Form nichts, man versteht
wenig davon. Damit macht man sich verhaßt, und man
würde sagen hören: Er ist sehr interessant. – Und dann
kann die Kunst zur Tarnkappe werden. Man wird nicht
gesehen, man wird eigentlich auch nicht gehört, weil nur
die Gedichte gehört und gesehen werden. Damit macht
man den Gedichten Freude, und man hört sagen: Die
Gedichte sind sehr schön.

Hans Karl Müller hat sehr schön vorgetragen. Von den
Balladen las er *Die Braut von Korinth* am besten: mit
meisterhafter Steigerung, dabei doch beinahe schlicht und
innig. Er übertraf hiermit m. E. Possart wirklich weit.
Die süßliche, schwächliche und effekthaschende Weise
von Liebe und Tod des Cornet Stilke hätte er besser nicht
vorgelesen – schon weil sie Steinrück erst diesen Winter
vorlas. Sie geriet viel zu weich und charakterlos und war
reichlich langweilig. Die heiteren Gedichte, die größtenteils den deutschen Chansons entnommen sind, trug Müller ausgezeichnet und mit Geschmack vor. Wedekinds

Reisekoffer war herrlich, überraschend originell Bierbaums *Der Orgelmann singt*, und sehr hübsch Falkes *Pendel*. Morgensterns Palmströmsatiren zeigten den Vortragenden auf der Höhe seines Witzes. Jeder Satz pointiert; es war ein Genuß zuzuhören!

Hans Karl Müller erntete viel Beifall, den er sich unbedingt verdient hatte. Seine Intelligenz und sein frisches, natürliches Draufgängertum werden von einer weichen, gehorsamen Stimme prachtvoll unterstützt. Er ist hier sehr beliebt. Oscar Wilde benahm sich weit ungenierter. Er trug eine Orchidee im Knopfloch, die man unbedingt vermißt hätte. Aber er war nicht beliebt . . .

B. B.

(In: ANN, 22. März 1918.)

DER GROSSMUTTER
ZUM 80. GEBURTSTAG

Aufgewachsen in dem zitronenfarbenen Lichte
   der Frühe
Unter dem breiten Dach des Hauses am Markte,
Kind mit anderen Kindern, sah sie die Jahre
Ohne Sternenflug oder die schrecklichen Schatten
Ehernen Schicksals. Aber der Mittag war
Heiß und mühevoll. Wenn ihre Kinder
Tief im Schatten des breiten Daches des Hauses
   am Markte
Schliefen –
Hatte sie voller Arbeit die Hände, denen das Brot
   und den Trunk
Die Kinder entrissen. Später, am Nachmittag,
Wölbte der Baum ihres Schicksals höher den Wipfel,
Aber der Wind blieb stark, daß das Stehen oft
   schwer war.
Dann, als die Kinder, aufgewachsen und schon gehärtet,
Von ihr gingen, wie Vögel in alle Himmel
Über das Land und die Länder und über das Meer,
Lernte die Greisin weiter zu schauen:
Über das Land und die Länder und über das Meer.
Jahre gingen. Schon wuchsen die Enkel auf,
Fern ein Geschlecht über Ländern und Meeren,
Das in den Knochen ihr Mark, in den Adern ihr Blut
   trug
Und in den Stürmen des Lebens, immer neu
   durchgekämpft,
Sie aus der Ferne verehrte, die Mutter der Mütter.
Endlich am Abend ging sie, die alle geboren,

Allein durch das Haus am Marktplatz, aufrecht und
 ungebeugt,
Während in dunkler gewordenen Ländern Kanzelwort
 und Trompetenruf
Die Enkel entzweite. Sie aber betete
Über dem Streit für die Enkel diesseits und jenseits.
Jene aber, im Kampfe, dachten wohl immer
Ihrer in zweierlei Lagern und daß in dem Hause
 am Marktplatz
Kammern für sie bereit und der Tisch schon gedeckt war.

(Nach einer Handschrift aus dem Besitz von Fanny Brecht,
Achern/Baden.)

ANHANG

VERZEICHNIS
DER BEFRAGTEN PERSONEN

BI = Briefliches Interview
PI = Persönliches Interview
TI = Telefonisches Interview

Aman, Marie Rose, verh. Eigen (Augsburg)	PI	5. 10. 66
Banholzer, Paula, verh. Gross (Augsburg)	PI	18. 6. 66
Baur, Valentin (Augsburg)	PI	17. 5. 66
Bezold, Otto (München)	PI	13. 6. 73
Brecht, Fanny (Achern/Baden)	PI	20. 7. 66
Brecht, Karl (Achern/Baden)	PI	2. 3. 65
Bürzle, Stephan (Augsburg)	PI	7. 8. 67
Daigl, Babette (Augsburg)	PI	7. 5. 66
Deininger, Heinz Friedrich (Augsburg)	PI	8. 1. 69
Dietz, Karolina, verh. Spieß (Heilbronn)	PI	23. 1. 67
Eberle, Georg (Augsburg)	PI	12. 7. 66
Eberle, Vera-Maria, verh. Balser (Wien)	BI	20. 4. 69
Feuchtmayr, Franz (München)	PI	26. 5. 68
Feuchtwanger, Marta (Paseo-Miramar/Californien)	BI	9. 5. 68
	BI	28. 5. 68
	BI	25. 9. 68
	BI	4. 3. 69
Fleißer, Marieluise (Ingolstadt)	PI	17. 5. 68
Frick, Walburga, verh. Bertele (Kimratshofen Allgäu)	TI	1. 8. 73
Gehweyer, Kathinka und Rosina (Augsburg)	PI	30. 8. 67
Geyer, Georg (Berlin)	PI	14. 2. 68
Grandinger, Johann (Augsburg)	PI	12. 6. 67
Groos, Walter (Augsburg)	BI	14. 2. 64
Hagg, Heiner (Augsburg)	PI	18. 11. 66
Harrer, Johann (Augsburg)	PI	5. 5. 66
Hauptmann, Elisabeth (Berlin)	PI	15. 8. 68
Held, Frieda, verh. Stadlmayer (Augsburg)	PI	31. 5. 66
Hiob, Hanne (München)	PI	12. 2. 73
	TI	20. 2. 73
	TI	13. 8. 73

Israng, Pauline, verh. Schott (Augsburg)	PI	16. 6. 66
Kasberger, Ludwig (Augsburg)	PI	11. 7. 66
Knoblach, Max (Augsburg)	PI	1. 3. 66
Koelle, Hans (Augsburg)	PI	5. 6. 66
Kopp, Conrad (Augsburg)	PI	6. 9. 68
Kroder, Armin (Augsburg)	BI	30. 5. 68
Kroher, Franz (Augsburg)	PI	31. 7. 67
Kuhn, Hedda, verh. Wollheim (Würzburg)	PI	26. 10. 69
Lauermann, Emmi (Ulm)	PI	1. 10. 68
Ledermann, Richard (Kaufbeuren)	BI	2. 8. 66
Mayer, Friedrich (Augsburg)	PI	28. 12. 67
Mech, Alois (Augsburg)	PI	24. 4. 67
Müller, Ernestine, verh. Fuß (Augsburg)	PI	15. 3. 67
	BI	1. 6. 73
Neher, Marietta, verh. Ortner (Augsburg)	PI	16. 5. 67
Niekisch, Ernst (Berlin-West)	BI	18. 7. 66
Paepke, Otto (Augsburg)	PI	2. 5. 69
Pfanzelt, Franziska (Augsburg)	PI	10. 5. 66
Prem, Georg (Frankfurt/Main)	PI	27. 1. 69
Prestel, Rudolf (Frankfurt/Main)	PI	25. 7. 67
	TI	24. 10. 67
Pschierer, Georg (Augsburg)	PI	10. 6. 67
Reitter, Fritz (Köln-Lehmbach)	PI	24. 10. 67
Ringenberg, Richard (Augsburg)	PI	11. 5. 66
Schaller, Xaver (Augsburg)	PI	8. 11. 67
Schatz, Richard (Augsburg)	PI	4. 1. 67
Scheuffelhut, Heinrich (Augsburg)	PI	29. 4. 67
Schiller, Franz Xaver (Augsburg)	PI	12. 8. 67
Schipfel, Josef (Augsburg)	PI	19. 4. 67
Schneider, Max (Augsburg)	PI	14. 8. 67
Seidelmann, Karl (Marburg)	PI	12. 3. 68
Siegel, Michael Harro (Florenz)	BI	2. 6. 69
Sörgel, Hans Werner (Augsburg)	PI	18. 9. 67
Sutor, Olga (Bartelstockschwaige/über Donaumünster)	PI	21. 5. 66
Wiedemann, Ludwig (Ludwigsberg)	BI	12. 12. 67
Worm, Hardy (Berlin-West)	BI	19. 5. 69

Die Autoren danken allen, die durch ihre Auskünfte zum Entstehen dieses Buches beigetragen haben.

VERZEICHNIS
DER ZITIERTEN LITERATUR

Brecht   Bertolt Brecht, Schriften zur Politik und Gesell-
                      schaft. Band I. 1919–1941. Aufbau-Verlag Ber-
                      lin und Weimar 1968.

Bronnen   Arnolt Bronnen, Tage mit Bertolt Brecht. Ge-
                      schichte einer unvollendeten Freundschaft. Verlag
                      Kurt Desch, Wien/München/Basel 1960.

Brüstle   Wilhelm Brüstle, Wie ich Bert Brecht entdeckte.
                      In: Neue Zeitung, München, 27. 11. 1948.

Frank   Rudolf Frank, Spielzeit meines Lebens. Verlag
                      Lambert Schneider, Heidelberg 1960.

Gedenkschrift   Hundert Jahre G. Haindlsche Papierfabriken.
                      Eine Gedenkschrift. Herausgegeben von den
                      G. Haindlschen Papierfabriken. [Augsburg] 1949.

Hecht   Werner Hecht, Der Augsburger Theaterkritiker.
                      In: Aufsätze über Brecht. Henschelverlag Kunst
                      und Gesellschaft, Berlin 1970.

Högel   Max Högel, Bertolt Brecht. Verlag der Schwäbi-
                      schen Forschungsgemeinschaft, Augsburg 1962.

Hohenester   C. Lischer (d. i. Max Hohenester), Bert Brechts
                      Augsburger Zeit. In: Schwäbische Landeszeitung,
                      Augsburg, 30. 4. 1947.

Hundert Jahre RGA   Geschichte des Realgymnasiums Augsburg von
                      1864–1964. Festschrift zum hundertjährigen Be-
                      stehen der Schule. Von Otto Knörrich. Augs-
                      burg 1964.

Jahres-Bericht   Jahres-Bericht über das Königliche Realgymna-
                      sium zu Augsburg im Schuljahr 1908/09, 1909/
                      1910, 1910/11, 1911/12, 1912/13, 1913/14,
                      1915/16, 1916/17. Haas und Grabherr Augsburg.

Kutscher   Artur Kutscher, Der Theaterprofessor. Ein Leben
                      für die Wissenschaft vom Theater. Ehrenwirth-
                      Verlag, München 1960.

Müllereisert   Otto Müllereisert, Augsburger Anekdoten um
                      Bertolt Brecht. In: Schwäbische Landeszeitung,
                      Augsburg, 26. 1. 1949.

Münsterer   Hanns Otto Münsterer, Bert Brecht. Erinnerungen aus den Jahren 1917–1922. Aufbau-Verlag Berlin und Weimar 1966.

Niekisch   Ernst Niekisch, Gewagtes Leben. Kiepenheuer Verlag, Köln 1958.

Plärrerakte   Feilschaften auf dem Kleinen Exerzierplatz. Stadtarchiv Augsburg, Akte Nr. 434/1003 IV. Fasc.

Schmidt   Dieter Schmidt, Baal und der junge Brecht. Eine textkritische Untersuchung zur Entwicklung des Frühwerks. J. B. Metzlersche Verlags-Buchhandlung Stuttgart 1966.

Schuhmann   Klaus Schuhmann, Der Lyriker Bertolt Brecht 1913–1933. Rütten & Loening, Berlin 1964.

Theaterwelt   Die Theaterwelt. Programmschrift der vereinigten städtischen Theater in Düsseldorf. Heft 11, 1. Februar 1929.

Die Autoren sind Frau Barbara Brecht-Schall für die Genehmigung zur Veröffentlichung der Texte aus Brechts Jugendjahren zu Dank verpflichtet.

Die Veröffentlichung der Abbildungen erfolgt mit freundlicher Genehmigung von:

Arbeitskreis Bertolt Brecht, Augsburg: 57 / Ernst Becker, Berlin (West): 72, 73 / Margarete Berber, Salem (Baden): 36, 85 / Georg Birzele, Augsburg: 19, 25, 26, 51 / Fritz Böck, Karlsruhe: 95 / Prof. Dr. Walter Brecht, Darmstadt: 2, 4, 5, 8, 11, 86 / Regina Burghard, Augsburg: 47 / Marie Rose Eigen, Augsburg: 45 / Marta Feuchtwanger, Paseo-Miramar (Californien): 94 / Marieluise Fleißer, Ingolstadt: 92 / Werner Frisch, Augsburg: 3, 13, 17, 23, 55, 71, 82 / Ernestine Fuß, Augsburg: 34, 41, 44, 48, 49, 50, 52, 74 / Kathinka und Rosina Gehweyer, Augsburg: 35 / Dr. Georg Geyer, Berlin: 38, 54 / Paula Gross, Augsburg: 60, 70, 77, 78, 87 / Heiner Hagg, Augsburg: 30, 61, 62, 63, 67, 68 / Erna Hattler, Augsburg: 16 / Josef Heinle, Augsburg: 9, 10, 83 / Dr. Ferdinand Herrenreiter, Augsburg: 22 / Hanne Hiob, Berlin (West): 88, 89, 90, 91 / Gertrud Jokszies, München: 79, 80 / Hans Koelle, Augsburg: 14, 15 / Dr. Richard Ledermann, Kaufbeuren: 40 / Maria Lettner, Augsburg: 18 / Thomas Mayr, Augsburg: 65 / Emilie Müller, Augsburg: 43, 46, 56, 75 / Dr. Hanns Otto Münsterer, München: 76 / Walter Oehmichen, Augsburg: 93 / Franziska Pfanzelt, Augsburg: 64 / Dr. Fritz Reitter, Köln: 6, 7, 27, 29, 42 / Maria Rotkopf, Augsburg: 84 / Marietta Rotter, Augsburg: 37 / Karl Schmid, Augsburg: 69 / Bernhard Schütt, Augsburg: 31 / Dr. Adolf Seitz, Bad Nauheim: 28 / Staats- und Stadtbibliothek Augsburg: 20, 21, 24, 32, 33, 66, 81 / Stadtarchiv Augsburg: 12 / Stadtarchiv Ebingen: 1 / Dr. Julius Stummer, Augsburg: 39 / Olga Sutor, Bartelstockschwaige (über Donaumünster): 53.

Die Veröffentlichung der Abbildungen 58 und 59 erfolgt mit freundlicher Genehmigung des Ehrenwirth-Verlages München (nach: Artur Kutscher, Der Theaterprofessor, München 1960).

Die Veröffentlichung der Abbildungen auf den Seiten 97 und 99 erfolgt mit freundlicher Genehmigung von Ernestine Fuß, Augsburg; die Veröffentlichung der Abbildung auf Seite 153 mit freundlicher Genehmigung von Heiner Hagg, Augsburg.

Die Veröffentlichung des Einbandfotos (Brecht 1916) erfolgt mit freundlicher Genehmigung von Ernestine Fuß, Augsburg.

PERSONENREGISTER

INHALT

Texte aus Brechts Jugendjahren

Anhang

Zeittafel

1898	am 10. 2. geboren in Augsburg
1918	Sanitätssoldat
1918–1920	Baal. Dramatische Biographie
1919	Trommeln in der Nacht. Komödie
1920	Dramaturg an den Münchner Kammerspielen
1921–1923	Im Dickicht der Städte. Stück
1922	Regisseur an Reinhardts »Deutschem Theater«, Berlin Kleistpreis für »Trommeln in der Nacht«
1923	Leben Eduards des Zweiten von England Historie (nach Marlowe, gemeinsam mit Lion Feucht- wanger)
1924–1926	Mann ist Mann. Lustspiel
1927	Hauspostille. Gedichte
1928	Die Dreigroschenoper
1928–1929	Aufstieg und Fall der Stadt Mahagonny. Oper; Der Ozeanflug. Radiolehrstück für Knaben und Mädchen
1929	Das Badener Lehrstück vom Einverständnis
1929–1930	Der Jasager und Der Neinsager. Schulopern Die heilige Johanna der Schlachthöfe. Stück
1930	Die Ausnahme und die Regel. Lehrstück Die Maßnahme. Lehrstück
1932	Die Mutter. Stück (nach Gorki) Die drei Soldaten. Ein Kinderbuch
1932–1934	Die Rundköpfe und die Spitzköpfe. Stück
1933	Emigration über Dänemark, Schweden, Finnland – 1941 nach den USA
1933–1934	Die Horatier und die Kuriatier, Lehrstück für Kinder
1934	Dreigroschenroman
1936–1937	Die Gewehre der Frau Carrar. Stück
1938	Leben des Galilei. Schauspiel Die Geschäfte des Herrn Julius Caesar. Roman Gesammelte Werke in zwei Bänden (London) Furcht und Elend des Dritten Reiches. 24 Szenen
1938	Das Verhör des Lukullus. Hörspiel
1938–1940	Der gute Mensch von Sezuan. Parabelstück
1939	Mutter Courage und ihre Kinder. Chronik Svendborger Gedichte
1940	Herr Puntila und sein Knecht Matti. Volksstück
1941	Der aufhaltsame Aufstieg des Arturo Ui. Stück

Bertolt Brecht Gesammelte Werke

Werkausgabe in 20 Bänden
Herausgegeben vom Suhrkamp Verlag in Zusammenarbeit mit
Elisabeth Hauptmann. Neu durchgesehene und neu geordnete
Ausgabe. Leinenkaschiert. Kassette.

Aufbau der Bände:
Bände 1–7 Stücke, Bearbeitungen, Einakter, Fragmente. 8–10 Gedichte, 11–14 Geschichten, Romane, *Me-ti, Tui, Flüchtlingsgespräche.* 15–17 Schriften 1 (zum Theater), 18–20 Schriften 2 (zur
Literatur, Kunst, Politik und Gesellschaft).

Dünndruckausgabe in 8 Bänden

Herausgegeben vom Suhrkamp Verlag in Zusammenarbeit mit
Elisabeth Hauptmann. Neu durchgesehene und neu geordnete
Ausgabe. Leinen und Leder. Kassette.

Aufbau der Bände:
Bände 1–3 Stücke, Bearbeitungen, Einakter, Fragmente. 4 Gedichte. 5–6 Geschichten, Romane, *Me-ti, Tui, Flüchtlingsgespräche.*
7–8 Schriften (zum Theater, zur Literatur, Kunst, Politik und
Gesellschaft).

Beide Ausgaben präsentieren das Gesamtwerk Brechts neu und
handlich. Alle Texte wurden neu durchgesehen; die Anmerkungen
enthalten werkgeschichtliche Fakten und die Änderungen gegenüber früheren Ausgaben. Zum ersten Mal werden veröffentlicht:
Der *Tui*-Roman, *Turandot oder Der Kongreß der Weißwäscher,*
acht Fragmente, etwa 250 Seiten Schriften zur Politik und Gesellschaft. Die Texte beider Ausgaben sind identisch. Die Bände weichen voneinander ab in der Einteilung sowie im Format, in der
Ausstattung und im Preis.
Supplementbände für beide Ausgaben:
Bertolt Brecht: Texte für Filme, Drehbücher, Protokolle, Exposés,
Szenarien.

nahme. Kritische Ausgabe mit Spielanleitung · Materialien zu
›Die Mutter‹ (nach Gorki) · Die Mutter. Regiebuch der Schau-
bühnen-Inszenierung · Die Tage der Commune · Drei Lehrstücke.
Das Badener Lehrstück vom Einverständnis. Die Rundköpfe und
die Spitzköpfe. Die Ausnahme und die Regel · Furcht und Elend
des Dritten Reiches · Gedichte und Lieder aus Stücken · Gespräche
und Diskussionen mit Brecht. Protokolle · Herr Puntila und sein
Knecht Matti · Im Dickicht der Städte. Fassungen und Materialien · Kuhle Wampe. Protokoll des Films und Materialien · Leben des Galilei · Materialien zu ›Leben des Galilei‹ · Leben
Eduards des Zweiten von England. Vorlage, Texte und Materialien · Mann ist Mann · Mutter Courage und ihre Kinder · Materialien zu ›Mutter Courage und ihre Kinder‹ · Schweyk im zweiten Weltkrieg · Materialien zu ›Schweyk im zweiten Weltkrieg‹ ·
Trommeln in der Nacht · Über den Beruf des Schauspielers ·
Über Lyrik · Über Politik auf dem Theater · Über Politik und
Kunst · Über Realismus · Zu Brechts Theorie des Lehrstücks.
Texte und Materialien.

suhrkamp taschenbücher
Bertolt Brechts Dreigroschenbuch · Frühe Stücke. Baal. Trommeln
in der Nacht. Im Dickicht der Städte · Gedichte. Ausgewählt von
Autoren · Geschichten vom Herrn Keuner · Schriften zur Politik
und Gesellschaft.

Über Bertolt Brecht
Brecht-Jahrbuch 1974. *edition suhrkamp* 758
Brecht-Jahrbuch 1975. *edition suhrkamp* 797
Franco Buono, Zur Prosa Brechts. Aufsätze. *suhrkamp taschen-
buch* 88
Frederic Ewen, Bertolt Brecht. Sein Leben, sein Werk, seine Zeit.
suhrkamp taschenbuch 141
Carl Pietzcker, Die Lyrik des jungen Brecht. Vom anarchischen
Nihilismus zum Marxismus
Antony Tatlow, Brechts chinesische Gedichte
Theaterarbeit. 6 Aufführungen des Berliner Brecht-Ensembles.
Mit zahlreichen Fotos

st 269 Fritz J. Raddatz. Traditionen und Tendenzen.
Materialien zur Literatur der DDR. Erweiterte Ausgabe
2 Bde., zus. 814 Seiten
»Der Raddatz« (*Peter Wapnewski* in der *Zeit*) gilt als
verläßlichste, brauchbarste Information über die DDR-
Literatur wie zugleich als kritisch-selektive Analyse eines
kenntnisreichen Literaturhistorikers. Raddatz hat seine
Studie auf den neuesten Stand gebracht, die Bibliographie
wurde erweitert und erfaßt die Primär- und Sekundär-
literatur bis 1975. Was hier vorliegt, ist Lesebuch und
Arbeitsmaterial zugleich.

st 270 Erhart Kästner, Der Hund in der Sonne
und andere Prosa
Aus dem Nachlaß
Herausgegeben von Heinrich Gremmels
160 Seiten
Alle Bücher Kästners sind byzantinischen Mosaiken ver-
gleichbar, und so bot sich an, die literarischen Fragmente
ebenfalls mosaikartig zu ordnen. *Im ersten Teil* geht es
um Begriffe wie Wissenschaft, Technik, Verbrauch, also
um Kästners leidenschaftlichen Umgang mit dem Wesen
der modernen Zivilisation. *Im zweiten Teil* folgen wir
ihm auf das Erlebnisfeld zwischen Vergangenheit und
Zukunft, geschichtlicher, also erlebter und gemessener,
also abstrakter Zeit bis hin zu den Grenzproblemen des
Todes. *Im dritten Teil* kommt der Zeitgenosse ins Bild
in seinen verschiedenen Aspekten als Habenichts, Wohl-
ständler, Langweiler, als Schweiger, Künstler, Einsiedler.
Nicht Modelle des täglichen Lebens sind gemeint, sondern Symbolgestalten des Zeitgeistes.

st 271 Jurek Becker, Irreführung der Behörden. Roman
250 Seiten
»Der wieder, besonders im skurrilen oder grotesken
Detail, einfallsreiche Erzähler legitimiert den Anspruch.

einer der besten Erzähler deutscher Sprache zu sein.«
Rolf Michaelis
Für diesen Roman erhielt Becker den Bremer Literatur-
preis 1974.

st 273 Stanislaus Joyce, Meines Bruders Hüter
Mit einem Vorwort von T. S. Eliot und einer Einführung von Richard Ellmann. Deutsch von Arno Schmidt
348 Seiten
Stanislaus Joyce hat bis zu seinem Tode an diesem
Erinnerungsbuch geschrieben, in dem er die Dubliner
Jugendjahre dieses großen irischen Dichters abschildert,
gemeinsam erlebte und gemeinsam durchlebte Jahre, in
denen sich Geist, Weltansicht und Genie von James Joyce
herausbildeten. Er hat ein Werk geschaffen, das durch
lebendige Fülle des Details, durch Humor und Bitterkeit,
durch schriftstellerischen Glanz an die Seite der Bücher
des Bruders tritt und selbst ein bedeutendes Stück Literatur geworden ist.

st 274 Hermann Hesse, Narziß und Goldmund
Erzählung
324 Seiten
»Diese Erzählung wetteifert nicht mit der Reportage,
kümmert sich nicht um Aktualität, kitzelt nicht mit poli-
tischer Tendenz, verrücktem Getu oder Pikanterie, sondern ist – im besten Sinne des Wortes – Poesie, unzeit-
gemäße Poesie!« *Max Herrmann-Neiße*

st 275 The Best of H. C. Artmann
Herausgegeben von Klaus Reichert
394 Seiten
Von allen deutschen Autoren, die nach 1945 zu schreiben
begannen, ist Artmann ohne jeden Zweifel der vielsei-
tigste, originellste und erfinderischste. So wie Artmann
in fast allen Gattungen gearbeitet hat, so hat er seine
Quellen seine Herkunft überall: in der Artusepik, in
barocker Schäferpoesie, in den Wörterbüchern und Gram-
matiken von gut zwei Dutzend Sprachen, in Irland und
im England des Sherlock Holmes, bei Villon und dem
Wiener Vorstadtdialekt. Lorca, Gomez de la Serna, den
Surrealisten und Dadaisten, in den Detektivheftchen der
20er Jahre und den Comic strips von damals bis heute.

st 276 Basis. Jahrbuch für deutsche Gegenwartsliteratur. Band 5
Herausgegeben von Reinhold Grimm und Jost Hermand
238 Seiten

Ohne methodisch starr festgelegt zu sein, sucht *Basis* eine Literaturbetrachtung zu fördern, die an der materialistischen Grundlage orientiert ist. *Basis* erscheint einmal im Jahr und bringt Essays, Interviews und Rezensionen zur deutschsprachigen Gegenwartsliteratur.

st 277 Max Frisch. Andorra. Stück in zwölf Bildern
132 Seiten

Die Kernzelle von *Andorra* findet sich in Max Frischs *Tagebuch* als Eintragung des Jahres 1946. Andorra ist der Name für ein Modell: Es zeigt den Prozeß einer Bewußtseinsveränderung, abgehandelt an der Figur des jungen Andri, den die Umwelt so lange zum Anderssein zwingt, bis er es als sein Schicksal annimmt. Dieses Schicksal heißt in Max Frischs Stück »Judsein«.

st 278 Czesław Miłosz, Verführtes Denken
Mit einem Vorwort von Karl Jaspers
256 Seiten

Miłosz, zwar nicht Kommunist, aber zeitweilig als polnischer Diplomat in Paris, beschreibt die ungeheure Faszination des Kommunismus auf Intellektuelle. Er stellt sich als Gegenspieler marxistischer Dialektiker vor, deren Argumente von höchstem Niveau und bezwingender Logik sind. Was der konsequente totalitäre Staat dem Menschen antut, zeigt Miłosz in einer Weise, die den Menschen am äußersten Rand einer preisgegebenen Existenz wiederfindet. Von solcher Vision beschreibt der Autor ohne Haß, wenn auch mit satirischen Zügen, die Entwicklung von vier Dichtern, die aus Enttäuschung, Verzweiflung, Überzeugung oder Anpassung zu Propagandisten werden konnten.

st 279 Harry Martinson, Die Nesseln blühen
Roman
320 Seiten

Dieser Roman des Nobelpreisträgers für Literatur 1974 erzählt die Geschichte einer Kindheit. In fünf Kapiteln stehen sich Menschen in der Unordnung von Zeit und selbstgerechten Gewohnheiten gegenüber. Von der Kin-

derversteigerung geht der Weg Martin Tomassons durch
die Schemenhöfe der Furcht, des Selbstmitleids und der
Verlassenheit, bis ein fremder Tod ihn aus dieser Scheinwelt stößt. Zuletzt kommt Martin als Arbeitsjunge ins
Siechenheim. In dieser Welt des Alterns, der Schwäche,
der Resignation regiert der schmerzvolle Friede der Ar-
mut. Martin klammert sich an Fräulein Tyra, die Vor-
steherin. Ihr Tod liefert ihn endgültig dem Erwachen
aus.

st 280 Robert L. Heilbroner, Die Zukunft der Menschheit
Aus dem Amerikanischen von Nils Thomas Lindquist
128 Seiten
Der Ausblick in die Zukunft der Menschheit: sprung-
haftes Wachstum der Bevölkerung; verschärfte Polarisie-
rung zwischen Arm und Reich, die zur *ultima ratio* einer
atomaren Erpressung der Überflußgesellschaften durch
die Habenichtse führen könnte. Wo die Warnungen des
»Club of Rome« und der »Blueprints for Survival« ste-
henbleiben, geht Heilbroner in seiner illusionslosen Analyse, aber auch in seinen politischen Konsequenzen weiter.

st 281 Harry Martinson, Der Weg hinaus
Roman
362 Seiten
Dieser Band setzt die Geschichte des Martin Tomasson
fort. Das ist Martins Problem: die Bauern, bei denen
er als Hütejunge arbeitet, beuten seine Arbeitskraft aus.
Er wird mit Gleichgültigkeit behandelt, die Gleichaltrigen verhöhnen ihn mit kindlicher Grausamkeit. Ihm
bleibt nur die Flucht ins »Gedankenspiel«, in eine
Scheinwelt, aufgebaut aus der Lektüre von Märchen und
Abenteuergeschichten. Die Zukunft, von der Martin sich
alles erhofft, beginnt trübe: der Erste Weltkrieg ist aus-
gebrochen. Der Dreizehnjährige schlägt sich bettelnd
durchs Land, um zur Küste zu kommen. Immer in Gefahr, aufgegriffen zu werden, erreicht er zu guter Letzt
eine der Seestädte.

st 284 Ernst Fischer, Von Grillparzer zu Kafka
Sechs Essays
284 Seiten
Der Band enthält sechs kritische Essays des Literaten

Fischer: Grillparzer, Lenau, Nestroy, Kraus und Musil, im besonderen aber Kafka werden dem Vorurteil der Bürgerlichkeit wie dem der Entartung entzogen, damit in der Freilegung ihre Bedeutung zu erkennen und ihr Verdienst im Blick marxistischer Theorie zu analysieren ist.

st 285 Kurt Weill, Ausgewählte Schriften
Herausgegeben mit einem Vorwort von David Drew
240 Seiten
Dieser Band druckt Weills eigene in wichtigen Musikzeitschriften veröffentlichte Beiträge wieder ab. Darüber hinaus bringt er zum ersten Mal eine Auswahl aus etwa 400 Artikeln, die Weill in den Jahren 1925–1929 für die Berliner Wochenzeitschrift *Der Berliner Rundfunk* schrieb. Diese Aufsätze zum Thema Rundfunk sind eine wichtige Ergänzung zu den theoretischen Aufsätzen, in denen Weill sich zu Funktion und Wirkung des Musiktheaters in einer modernen Gesellschaft äußert und die Aspekte seiner Zusammenarbeit mit Georg Kaiser, Bertolt Brecht und Caspar Neher untersucht.

st 286 Max Frisch, Mein Name sei Gantenbein
Roman
292 Seiten
Der Roman spiegelt die Verschiebung von Realität und Phantasie im Bannkreis einer Situation, die die erprobte Rolle eines Menschen in Frage stellt, sein Ich freilegt. Die Geschichten des Buches sind nicht Geschichten im üblichen Sinn, es sind Geschichten wie Kleider, die man probiert. Es sind Rollen, Lebensrollen, Lebensmuster, die die Wirklichkeit erraten haben.
»Der Rückzug vom Menschen auf die Spielfigur, der das ästhetische Signum dieses Buches ist, hat dem Autor zu einer neuen Souveränität verholfen.« *Günter Blöcker*

st 287 Horst Bingel
Lied für Zement. Gedichte
Mit einem Nachwort von Karl Krolow
94 Seiten
Karl Krolow sagt zu diesen Gedichten: sie sind »auf den Augenblick und für den Augenblick (und seinen Ab-

grund)« geschrieben. Der Eigenart der knappen Äußerung, des sprachlichen Kürzels entspricht die Absicht:
Rebellion gegen konventionelle Denkschemata, Desillu-
sionierung.

st 288 Erich Heller. Nirgends wird Welt sein als innen
Versuche über Rilke
150 Seiten
Inhalt: Die Reise der Kunst ins Innere; Rilke und
Nietzsche. Mit einem Diskurs über Denken, Glauben und
Dichten; Rilke in Paris. »Erich Hellers literarische Essays
üben seit vielen Jahren eine geheimnisvolle Faszination
auf seine Leser aus. Wie er seine Themen anzupacken
versteht, das deutet auf eine unendliche eindringliche,
schmeichelnde, schöne und sichere Stimme hin – mit der
Verführungskraft der Authentizität.« *Bücherkommentare*

st 289 Jean Rudolf von Salis, Rilkes Schweizer Jahre
Ein Beitrag zur Biographie von Rilkes Spätzeit
316 Seiten
Aus dem Zusammentreffen des Autors mit Rilke 1924
in Muzot ergab sich in wiederholten Begegnungen und
einem Briefwechsel eine Beziehung, die bis zu Rilkes Tod
anhielt. In der Diskussion, wie die heute einsetzende
Rilke-Renaissance sich mit der Besonderheit, Unverwech-
selbarkeit, Isoliertheit der Rilkeschen Lyrik auseinander-
setzen und wie sie von neuem aufgenommen wird, kann
dieser Band einen wertvollen Beitrag leisten.

st 290 Rilke heute. Beziehungen und Wirkungen
Herausgegeben von Ingeborg H. Solbrig und Joachim
W. Storck
331 Seiten
Die hier versammelten Arbeiten gruppieren sich um
ästhetische Einzelprobleme, um rezeptionsästhetische und
komparatistische Fragen, endlich um allgemein literar-
historische Aspekte und die damit zusammenhängende
politische-gesellschaftliche Wirkung. Damit wird ein brei-
tes Spektrum von wissenschaftlicher Relevanz erfaßt, werden auch gelegentliche Konfrontationen gegensätzlicher
Thesen und Lösungsversuche nicht vermieden. Gerade
dies kommt einer getreuen Spiegelung der gegenwärtigen
Forschungssituation zugute.

st 291 Hermann Hesse, Die Märchen
Zusammengestellt von Volker Michels
282 Seiten
Dieser Band versammelt erstmals alle Märchen Hesses. Sowohl die frühe, erstmals 1920 unter dem Titel *Märchen* publizierte Sammlung als auch die späteren, in verschiedenen Büchern verstreuten Märchen aus dem *Fabulierbuch* (1935), den Sammelbänden *Traumfährte* (1945), *Krieg und Frieden,* sowie einige bisher noch kaum bekannte, zu Hesses Lebzeiten noch nicht in seine Bücher aufgenommene Stücke ergänzen diese Sammlung.

st 292 Lillian Hellman, Eine unfertige Frau
Ein Leben zwischen Dramen
Aus dem Englischen von Kyra Stromberg
Mit Abbildungen
288 Seiten
Der Lebensbericht der berühmten Theaterautorin, Harvardprofessorin und erfolgreichen Journalistin Lillian Hellman beginnt mit einer faszinierenden Schilderung ihrer Jugend zwischen New York und New Orleans. Sie beschreibt ihre ersten Jahre in einem New Yorker Verlagshaus, ihren Aufenthalt in Spanien während des Bürgerkriegs, in Rußland während des 2. Weltkriegs. Temperamentvoll beschreibt die Autorin ihre Begegnungen mit großen Namen: Dorothy Parker, Nathanael West, Ernest Hemingway, Scott Fitzgerald, Dashiell Hammett, Norman Mailer, Louis Aragon, Sergej Eisenstein.

st 293 Gustav Regler, Das Ohr des Malchus
Eine Lebensgeschichte
528 Seiten
An allen Fronten, wo in geistiger Auseinandersetzung oder mit der Waffe in der Hand das Schicksal unseres Jahrhunderts bestimmt wurde, ist der Journalist und Schriftsteller Gustav Regler dabei gewesen. Er ging auf die Barrikaden, kämpfte in der Spartakistenzeit und in der Räte-Republik. Er teilte die Illusionen des Sozialismus und des Kommunismus. Mit der Beschreibung seines Lebens schildert Regler eine Fülle von Personen und Bewegungen, die er gekannt hat: Stefan George, Karl Wolfskehl, Maxim Gorki, André Malraux, Ernest Hemingway, Ludwig Renn, um nur einige zu nennen.

st 294 Marieluise Fleißer, Eine Zierde für den Verein.
Roman vom Rauchen, Sporteln, Lieben und Verkaufen
206 Seiten
Ihren einzigen Roman, 1931 unter dem Titel *Mehlreisende Frieda Geier* erschienen, hat Marieluise Fleißer 1972 neu bearbeitet und ihm den Titel *Eine Zierde für den Verein* gegeben. In der vermeintlichen Idyllik einer deutschen Provinz in den Jahren vor 1933 sucht Gustl Amricht, Zigarrenladeninhaber und Schwimmphänomen, die Nähe von Frieda Geier, erobert und heiratet sie. Aber an der Selbständigkeit Friedas prallen »die natürlichen Machtmittel des Mannes« ab, sie läuft ihm davon.

st 295 Wolfgang Hildesheimer, Paradies der falschen Vögel
Roman
172 Seiten
Guiskard, der König der Fälscher, erfindet den Maler Ayax Mazyrka und auch einen Kunsthistoriker, der die Biographie des Malers schreibt. Die Hauptwerke Mazyrkas werden zu den begehrtesten Objekten des internationalen Kunsthandels, und der phantasiebegabte Fälscher bringt es zum Kultusminister.

st 298 Julio Cortázar, Das Feuer aller Feuer
Erzählungen
180 Seiten
Der große argentinische Schriftsteller Julio Cortázar ist, wie Jorge Luis Borges, Schöpfer einer »phantastischen Literatur«, und so sind auch die Erzählungen zu lesen. Er umkreist das Drama, das sich durch die Bedrohung verborgener Wirklichkeiten entzündet, um sich im Wirklichen abzuspielen, und mit geradezu tödlicher Sicherheit berührt Cortázar die Dimensionen des Wunderbaren und Unheimlichen.

Alphabetisches Gesamtverzeichnis der suhrkamp taschenbücher